# SAGGI TASCABILI
## 88

# Giorgio De Rienzo
# BREVE STORIA DELLA LETTERATURA ITALIANA

## Dalle origini a oggi

**BOMPIANI**

ISBN 88-452-2983-1

© 1997 R.C.S. Libri & Grandi Opere S.p.A.
Via Mecenate, 91 - Milano

I edizione "Saggi Tascabili" aprile 1997

La mia lunga esperienza di professore mi ha convinto che, con il passare degli anni, i giovani sempre meno conoscono la nostra storia letteraria. Gli studenti hanno perso le coordinate fondamentali e non si orientano più. Capita, in un esame universitario, di sentire tranquillamente collocare Petrarca nel Cinquecento. Capita di scoprire che esista un Leopardi romanziere, autore, naturalmente (per affinità animale), del *Gattopardo*.

Ho pensato che la mia generazione fosse meno ignorante di quelle d'oggi perché allora i libri di testo per la scuola erano più smilzi e specifici. Densi di fatti letterari, discretamente interpretati, e non gonfiati (come oggi accade) da sfoggi di metodologie, da ansie pseudo-interdisciplinari. E poi noi, come ultima spiaggia, avevamo il soccorso del Bignami.

Ecco, questa mia "breve" storia letteraria vuole essere un Bignami ammodernato. Una storia essenziale che punti soprattutto sui primi piani dei grandi scrittori e sui quadri d'insieme. Vuole essere un Bignami di idee (forse semplificate) piuttosto che di nozioni: un punto fermo di riferimento per un percorso di studio della nostra letteratura e per un senso da dare a questo studio. Di più, vuol essere un Bignami cordiale nella scrittura, che faccia anche amare la letteratura: agli studenti certamente, ma soprattutto ai lettori comuni e magari (perché no?) ai professori.

*Giorgio De Rienzo*

# Verso Dante

*Un antico indovinello*

Un amanuense veronese del IX secolo, chiuso nello stanzino con poca luce del suo scrittoio, sta copiando un lungo, interminabile manoscritto. La fatica è grigia e merita una pausa. Il copista sente per un attimo una nostalgia di vita aperta e scrive allora, sul margine del manoscritto, delle parole dal significato apparentemente oscuro:

> Boves se paraba
> alba pratalia araba
> et albo versorio teneba
> et negro semen seminaba.

Sono parole a metà strada tra latino e volgare che vanno così tradotte:

> Innanzi a sé parava i buoi
> arava dei bianchi campi
> e teneva un bianco aratro
> e seminava un nero seme.

È un indovinello che si può sciogliere con facilità. L'amanuense stanco parla infatti di sé: i buoi sono le dita della sua mano, i campi bianchi sono i fogli che ha davanti, il bianco aratro è la penna d'oca e il seme nero è l'inchiostro.

Non è questo forse davvero il primo documento di volgare italico, forse il documento non è neppure autentico: ma certo sarebbe bello che proprio così fosse. Perché parrebbe giusto (quasi un presagio) che la nostra letteratura nascesse subito, in un momento di riflessione sulla fatica dello scrivere e insieme in un momento di abbandono intelligente, per camuffare in un gioco di parole grazioso e complicato una forte nostalgia di vita.

D'altra parte la realtà è sempre più complessa della sua "storia": e così capita sicuramente per la realtà anche di una lingua o di una letteratura, lontanissime (come qui accade) o vicine che siano a noi. Ciò significa che dovremo forzatamente scorciare questa storia, nel narrarla, e fare qualche salto pericoloso.

Perciò dal IX secolo arriviamo d'un balzo al secolo XIII, quando si dice, per convenzione, che nasca la letteratura italiana: quando cioè più fitti sono i documenti letterari in volgare e quando l'uso anche scritto di una nuova lingua (o meglio di tante nuove lingue) appare già stabilizzato, così da sapersi opporre a quello del latino.

Splendida, proprio perché spesso indecifrabile, è l'avventura della nascita di quegli idiomi che vengono detti "volgari": ripercorrerla con brevità non è possibile, se non semplificandola e rendendola banale. Pazienza. Senza guardare ai sentieri stretti, badiamo solo alla via maestra.

Dunque, in tutto il territorio della Romania, vale a dire nei diversi paesi europei che erano stati assoggettati all'Impero romano, nell'uso letterario soprattutto, la lingua ufficiale rimaneva il latino, ma si parlavano anche differenti specie di latino corrotto. Per capirci, definiremo queste lingue con il termine generale di "latino volgare": e daremo per scontato che queste lingue avessero notevoli diversità fra loro, non solo da luogo a luogo, ma talvolta persino in strettissimi confini, a seconda dei diversi gruppi sociali da cui venivano parlate.

Dal latino volgare nascono via via nel tempo le "lingue romanze"; e fra di esse c'è quella italiana, assai varia nei dialetti. L'uso di questi idiomi è esclusivamente orale da principio, riservato a quegli scopi pratici che sono imposti dalla vita quotidiana. La lingua degli uomini dotti e di legge, la lingua della Chiesa, rimane ancora infatti il latino. Poi, con il passare del tempo, il volgare si impone nella scrittura e pian piano assume dignità letteraria. Ciò avviene in concomitanza con il nascere della nuova civiltà dei Comuni.

Quando decade la vecchia struttura sociale della civiltà feudale, nei Comuni prende spazio e potere una classe di mercanti, di artigiani e di imprenditori. Questa classe vuole opporre la propria intraprendenza al vecchio predominio dell'aristocrazia feudale e del clero: contrappone perciò alla cultura e alla lingua della tradizione un'altra cultura e un'altra lingua. La lingua nuova diventa appunto quella di cui i nuovi Signori si servono nelle loro attività quotidiane; e così la nuova cultura esprime le loro esigenze, le loro aspirazioni, la loro visione del mondo.

Il fenomeno non è solo italiano, segue una più generale evoluzione della storia. Dopo il Mille infatti vanno sempre più declinando le grandi istituzioni dell'Impero e della Chiesa e, con queste istituzioni, una cultura che coltiva i miti universalistici; mentre invece, lentamente, in quasi tutta l'Europa occidentale, si vanno delineando piccoli stati nazionali, oppure di una regione o persino di una città.

È naturale che si affermi un diverso tipo di intellettuale: non più il monaco, che rimane chiuso nella cella del suo convento a copiare manoscritti, e neppure il giullare di corte, che si sottomette ai capricci di un Signore, ma il dotto o il poeta cittadino che interpretano i bisogni e le aspirazioni della comunità alla quale appartengono.

L'antico letterato scriveva trattati e versi in latino, rivolgendosi a un pubblico di dotti che non aveva bisogno di conoscere: un pubblico universale. Il nuovo intellettuale cittadino invece parla a un pubblico che conosce e nel quale si riconosce.

## L'uomo comunale a scuola

La realtà però non è così schematica. Nei fatti tra la cultura latina e quella volgare del Medioevo non c'è subito un'opposizione radicale. La letteratura volgare in Italia insomma non nasce dal nulla e all'improvviso. Prende corpo invece lentamente, gradualmente: ripropone insieme ai temi delle altre culture romanze (di quelle francesi soprattutto), i vecchi temi della cultura classica e di quella biblica, mescola vecchie e nuove esperienze, assimila alla sua visione originale del mondo un sapere millenario.

Una storia della letteratura non deve essere schiava per
forza dei grandi scrittori; anzi forse si giustifica soltanto
quando tenta di riproporre il grigio tessuto sul quale spiccano le tinte preziose dei capolavori che più contano. Ma se si
cancellano per un attimo quei colori magnifici e si entra nelle trame sottili del tessuto uniforme all'apparenza, il grigio si
si fa pian piano variopinto: si scoprono piccole tracce di linee continue e spezzate, intrecciate tra loro, eppure visibili
nel groviglio, perfettamente autonome. Sono linee che nascondono lunghe fatiche di uomini dotti: infinite pazienze e
illusioni forti, veglie di studio e segreti entusiasmi.

Nel Duecento c'è tutta una letteratura gregaria che prepara alla grande esperienza di Dante: una letteratura che
media e compone tra di loro spezzoni di culture assai diverse. Nel nord e centro Italia lavorano, assidui, indaffarati, uomini di chiesa e di legge, che studiano e scrivono trattati oppure compongono poemi: vogliono educare, in senso morale e religioso, i "comunal omini"; vogliono trasmettere nozioni scientifiche ai cittadini che, a differenza de "li savi",
non sanno di latino.

Uno di questi uomini dotti e solerti, destinati a vivere di
luce riflessa, è il fiorentino **Brunetto Latini** (1220-1294), che
si dà un gran da fare a compilare, in versi e in prosa, repertori di ogni scienza. Così nel *Tesoretto* mette in fila, inanellando versi, nozioni di filosofia morale e naturale, parlando
per allegorie. Discorre di sentimenti umani, di vizi e di virtù,
di concetti astratti e dà a essi una personificazione: raffigura
cioè concetti e sentimenti in personaggi, i quali agiscono nell'opera come se fossero davvero personaggi.

Così, nei *Libri del Tesoro*, compila un'ampia enciclopedia
dove cataloga precetti di storia e di retorica, di scienza naturale e di politica. "M'insegnavate come l'uomo s'etterna",
dirà di lui Dante, riconoscendolo come maestro. E un cronista del Trecento definirà Brunetto "cominciatore e maestro
in digrossare i Fiorentini e fargli scorti", cioè abili, "in bene
parlare, e in saper guidare e reggere" lo Stato.

Infatti Brunetto Latini, se si era adoperato a dare un'edu

cazione morale e politica al cittadino comunale, si era preoccupato anche di insegnargli a scrivere e parlare con decoro
componendo un trattatello in prosa sulla *Rettorica*, che, con
qualche aggiunta, traduce in volgare il *De inventione* di Ci-
cerone.

La retorica, a suo parere, è indispensabile a "saper dire in
ambascerie e in consigli de' signori e delle comunanze e in
saper comporre una lettera ben dittata". Il principio può apparire soltanto utilitaristico. In realtà, nella *Rettorica*, come
del resto in tutta l'opera didattica di Brunetto, si respira già
pienamente quel gusto raffinato del "bel parlare" fine a se
stesso, del discorso costruito a regola d'arte, che sarà poi tipico della civiltà fiorentina.

Ed è allora, a ben guardare, grazie a questo insegnamento, che, dopo la poesia, anche la prosa in volgare incomincia
ad assumere un significato d'arte autonomo, al di là del suo
valore di utilità. Brunetto apre una tradizione che culminerà
poi nel *Decamerone* di Boccaccio, ma che intanto, più immediatamente, trova un'eco nella piacevolezza del racconto
del *Novellino*: una raccolta anonima di brevi racconti, che
risale all'ultimo ventennio del secolo XIII, in cui si narrano
vicende argute e dotte, tratte dalla storia biblica e greca, dalla storia romana e medioevale.

Anche qui rimane traccia di quella che è la trama comune
della letteratura del Duecento. Chi scrive vuole raccogliere
"alquanti fiori di parlare, di belle cortesie e di belli riposi",
vale a dire di risposte argute; e ancora "fiori" di "belli amori"
e "belle valentìe", cioè di gesta valorose. Questi "fiori" belli
di per sé, lasciati da uomini "nobili e gentili", dovranno divenire esempio di comportamento per gli uomini "minori", non
colti, e tuttavia di "cuore nobile" e di "sottile intelligenzia". Il
bello, i "fiori", la letteratura insomma, si fanno occasione
dunque, un'altra volta, per il riscatto dell'uomo "comunale".


*Un santo e un peccatore*

La civiltà del Duecento esprimerà anche, con la scuola siciliana e con il dolce stil novo, una poesia aulica e raffinata,

riservata a un circolo chiuso di intenditori; ma esprime prima ancora una letteratura ricca di fermenti molto diversi, talvolta opposti tra di loro, che ha un comune denominatore educativo, che cerca soprattutto un pubblico più ampio ed eterogeneo.

Se è un caso, sicuramente è un caso ben singolare che il primo testo di alto valore letterario della nostra tradizione sia il *Cantico di Frate Sole*, scritto – come vuole la leggenda – da san **Francesco d'Assisi** (1182-1226), due anni prima di morire, dopo una notte di sofferenze fisiche, confortata, alla fine, dalla beatitudine celeste. È un caso davvero singolare perché il *Cantico* nasce da una forte ispirazione e viene dalla fantasia e dalla dottrina del fondatore di un movimento religioso profondamente innovatore nella sua schietta spinta popolare.

San Francesco predicava una religiosità non inquinata dal potere mondano, reclamava il ritorno all'insegnamento diretto del *Vangelo*, voleva il recupero dei valori dell'umiltà e della pietà, in polemica con la superbia della sapienza umana. Il suo *Cantico* interpreta questa nuova religiosità. Si sviluppa infatti sul tema semplice di un contrasto. La bontà naturale delle cose, che conservano intatta la loro innocenza primitiva, è contrapposta alla malvagità dell'uomo, che è prigioniero invece del peccato originale.

I versi si snodano in una larga, cadenzata, soave lode a Dio. La lode è affidata dapprima alle creature: al sole, alla luna e alle stelle, al vento e al cielo, all'acqua, al fuoco, alla terra. Poi, sul finire, a queste lodi delle creature si affianca anche quella dell'uomo. È un uomo però che soffre, che perdona, che accetta la morte in obbedienza alla volontà divina. Un uomo dunque che, attraverso la sua rigenerazione interiore, recupera in sé l'innocenza delle cose e il loro naturale incanto d'amore per il Signore.

La leggenda fissa il profilo di san Francesco in una cifra stilizzata di serena conciliazione dell'uomo con il mondo: lo figura in uno sguardo ardente di luce, ma un po' astratto, che glorifica – annullandolo – il peso di tutto ciò che è corporeo.

Il corpo invece diventa il protagonista dell'esperienza di

un altro poeta, **Iacopone da Todi** (1236-1306), anche lui frate e francescano: ed è un corpo che viene continuamente umiliato, flagellato, martoriato e resta tuttavia lì, ingombrante, senza sparire mai.

L'universo pacato, concorde nella sua armonia, del *Cantico* di san Francesco, si sconvolge nelle *Laudi* di frate Iacopone: qui fischiano i venti, il cielo si fa buio; qui greve incombe un'aria che minaccia tempeste e cataclismi; qui il fuoco devasta e distrugge ogni cosa.

C'è un contrasto continuo e violento tra luce e ombra, tra peccato e grazia, tra corpo e anima, nelle *Laudi*, dove vengono dipinte, con un linguaggio crudo, a volte forte nel proprio realismo, le brutture del mondo: in esse si sente soprattutto una radicale inimicizia per la carne, in esse è sovrano l'incubo del peccato. Certo, alle ossessioni si alterna l'esaltazione nel sogno della purificazione possibile dell'anima, nell'impegno che si direbbe maniacale dell'uomo a volersi riscattare dal peccato, attraverso il martirio e la mortificazione.

Ma la presenza di Dio nella drammatica vicenda d'anima di Iacopone rimane comunque ben lontana dalla luminosa e pacificatrice contemplazione francescana. È una presenza invece di minaccia: è una "veduta", come dice il poeta, che lo "circonda" e lo sorprende "in ogni loco", destandogli "paura".


*La parola e il gioco*

Tra il *Cantico di Frate Sole* di san Francesco e le *Laudi* di Iacopone trascorre mezzo secolo: gli accostamenti e i giochi a contrasto, tanto funzionali nel dare un filo logico a una storia letteraria, vanno leggeri nell'annullare lontananze nel tempo e nello spazio. In ciò c'è arbitrio forse, ma non trascuratezza: perché la storia della letteratura è una storia anomala. È anche il resoconto di incontri e di letture, magari mai avvenuti, di scontri forse neppure possibili nella realtà e tuttavia, gli uni e gli altri, visibili. È il resoconto, per larga approssimazione, delle esperienze di uomini i quali, in solitudine perfetta, a tu per tu con la parola scritta, comunicano inconsapevoli o coscienti (importa poco) con altri uomini lontani e soli a loro volta.

Si può procedere allora senza timore. Il *Cantico* di san Francesco, le *Laudi* di Iacopone propongono due esempi della nuova letteratura: possono apparire spontanei, primitivi, nel loro rifiuto così palese della sapienza umana, e invece sono nutriti di cultura, sono composti da infiniti echi di testi antichi. Ciò che dà loro sapore di genuinità è l'impegno energico del discorso; ciò che fa apparire questi versi immediati è il coinvolgimento profondo, nella parola scritta, di un incanto o di un tormento d'anima.

Se si va su e giù per il Duecento, se si attraversa da nord a sud l'Italia, si possono raccogliere frammenti letterari eterogenei tra loro, che danno tuttavia una sensazione simile d'immediatezza e di spontaneità. Anche al di là della poesia o della meditazione religiosa. C'è, per esempio, una letteratura minore, comunale, che ignora i grandi temi politici del tempo e si frantuma in una maldicenza paesana vivace e appassionata. Come c'è (l'accostamento è certo stravagante) l'esotismo del *Milione* di Marco Polo: dove l'immenso regno asiatico del Kublai, il grande affresco in cui si accumulano prospettive di splendidi palazzi e spettacoli di folle, paesaggi e uomini, gioielli e cibi, diventa anche un diario di emozioni intense.

La parola in tutti questi casi vuole comunque raccontare il mondo, tradurre in segno le cose e i movimenti d'anima: se diventa gioco è un gioco inconsapevole. Nel Duecento invece c'è un'esperienza letteraria che si distingue da ogni altra, proprio per il compiacimento nel gioco. Questa esperienza si sviluppa, in verso e in prosa, alla corte siciliana di Federico II di Svevia.

Qui il forte volere del monarca disciplina l'attività politica in una quieta *routine* senza contrasti: e c'è spazio allora per l'intrattenimento intellettuale in esercizi raffinati di tecnica e di stile. La poesia diventa evasione consapevole dalla realtà: lo scrivere in versi si fa gioco, un gioco aristocratico ed elegante. E l'amore diviene il tema pressoché esclusivo della poesia.

Lo stesso Federico e suo figlio Enzo sono poeti: danno
così per primi l'esempio di quel dilettantismo che è tipico
della breve stagione della poesia siciliana. Un dilettantismo
che si accanisce nella propria distrazione dominante: e
quanto più si fa passatempo prediletto, tanto più si affina
nell'invenzione di artifizi verbali oppure nell'elaborazione
di schemi metrici.

Federico è un monarca intelligente e colto, chiama perciò
attorno a sé uomini da tutti i paesi del regno, dalla Sicilia,
dalla Puglia. Spesso sono gli stessi funzionari dello Stato a
farsi poeti: notaio è Iacopo da Lentini, cancelliere Pier delle
Vigne. Ma vengono anche questi uomini da lontano, dalla
Toscana, dalla Romagna. Come si racconta nel *Novellino*,
"la gente che avea bontade venìa" a Federico da ogni dove.

Quando crollerà la monarchia sveva, con la morte di Federico II (1250) e con quella del figlio Manfredi (1266), il gusto degli esercizi poetici raffinati si trasferirà dalla Sicilia al-
l'Italia centrale e soprattutto in Toscana (ad Arezzo), dove
risiedeva il vicario dell'imperatore, Federico d'Antiochia,
anch'egli rimatore per diletto.

Capofila di questa scuola toscana sarà **Guittone d'Arezzo**
(1235-1294): "sottile ragionatore in versi", più che "poeta",
Guittone non è tuttavia funzionario di una corte disciplinata, ma cittadino di un Comune dove ribollono i contrasti politici. Guittone perciò, come gli altri letterati toscani contemporanei, non si chiude nell'esclusiva celebrazione dei temi amorosi, lascia spiragli aperti ai temi della vita comunale.
Non importa però. Il vizio è ormai attaccato: Guittone tra-
pianta in Toscana il gusto raffinato e prezioso dei virtuosismi
compiaciuti dello stile.

## Il "dolce stile" e il "comico"

Sempre in questa regione, a Firenze, l'insegnamento della scuola siciliana subisce una nuova, più matura trasformazione, in quel gruppo di poeti che Dante dirà del "dolce stil
novo". Questi poeti dalla forte, individuabile, personalità,
ritornano ai temi dell'amore celebrati in Sicilia, con l'omag-

gio alla donna. Lo sfondo dell'omaggio non è più quello di una corte reale, diviene quello di una corte ideale, in cui non valgono i privilegi del sangue, ma quelli dell'eccellenza dello spirito, del "cor gentile", dell'alta cultura.

Protagonista della poesia è la donna angelo: una donna che Dante dirà venuta dal cielo sulla terra "a miracol mostrare". La donna della poesia siciliana era un'immagine stilizzata, come fosse disegnata su un arazzo di una ricca sala aristocratica, destinato a coprirsi di polvere e perciò a sbiadire. La donna del dolce stil novo invece è una creatura più viva, per quanto idealizzata dall'adorazione stupefatta dei poeti.

**Guido Guinizelli** (1230/1240-1276), nella canzone *Al cor gentil rempaira sempre Amore*, detta il manifesto della nuova concezione: l'amore è gentilezza, la donna è virtù, è dispensatrice di salvezza per l'anima dell'uomo che sappia amarla. Nella donna angelo si compendia la perfezione: e da questa perfezione scende ogni verità di fede e di dottrina. Tuttavia il pensiero astratto si incarna, per miracolo di parola, in immagini di luce e di splendore.

La donna di Guinizelli sembra "la lucente stella diana, ch'apare anzi che 'l giorno rend'albore". La donna di Cavalcanti "fa tremare di claritate l'aire". E in **Guido Cavalcanti** (1259-1300) la concezione si rende meno meccanica, perché la vicenda d'amore si fa sentimentale e spirituale insieme, caratterizzata come si ritrova dallo sbigottimento delle lacrime, dai trasalimenti e dai sospiri.

L'artificio stilistico, il gioco verbale esasperato, chiuso nel compiacimento intellettuale dei poeti siciliani e di Guittone d'Arezzo, si stempera nei poeti dello stil novo, che è detto "dolce" appunto perché, nella propria sobrietà, piana e musicale, appare dolcemente inquinato dal sentire umano.

Cambiano i temi, gli incantamenti si capovolgono in derisioni, il sogno si riduce a caricatura. In questi stessi anni, quelli che chiudono il secolo XIII, l'esperienza di altri poeti toscani si pone in antitesi con lo stil novo. In polemica con la sua astrattezza, questi poeti preferiscono i temi concreti della vita quotidiana e lo stile semplice e immediato, che veniva detto "comico", in contrapposizione allo stile alto e "tragico".

**Cecco Angiolieri** (1260-1312) scrive per esempio sonetti d'ispirazione autobiografica, sulla figura di un poeta inquieto e scioperato, per il quale i valori più importanti sono la "donna, la taverna e 'l dado". I temi ricorrenti dei suoi versi sono l'amore sensuale, spesso non corrisposto, l'odio per il padre, le imprecazioni contro la fortuna, la lode del danaro, la profanazione del sacro e infine la malinconia tetra che accompagna l'irrequieto esistere del poeta.

Ma nonostante le apparenze, la poesia di Cecco Angiolieri, come quella di altri poeti "comici", non è certo una poesia popolare e immediata. Al contrario, il linguaggio, pur aspro e realistico, è ricco di astuzie letterarie, e l'immediatezza che lo fa attraente è frutto, nell'impegno di scrittura, di una sapiente ricerca di effetti e di accostamenti, spesso ottenuti con un rovesciamento dei canoni della poesia "alta".

# Dante Alighieri

## "D'animo alto e disdegnoso molto"

Lo scenario è pronto. Firenze è ormai capitale di cultura, dove ogni eco risuona molto forte: arriva Dante e tutto integra e comprende in sé. Dante Alighieri nasce a Firenze nel maggio 1265, da una famiglia di antica nobiltà guelfa decaduta: il che vuol dire nostalgia di un prestigio assai lontano nel passato e pochi quattrini nel presente.

Dante, ciò nonostante, impara la retorica da Brunetto Latini, studia con amore grandissimo Virgilio e con appassionato accanimento gli altri classici. Nella giovinezza entra nel club dei poeti dello stil novo. Poi si dà una salda formazione filosofica: l'entusiasmo per la filosofia è tale "che lo suo amore cacciava e distruggeva ogni altro pensiero". Aristotele, dopo Virgilio, diventa suo maestro.

Ma intanto, prima che poeta e filosofo, Dante è uomo "comunale". Firenze sta attraversando una gravissima crisi: mentre è vacante il potere dell'Impero, il papa Bonifazio VIII maneggia per estendere il proprio dominio da Roma sulla Toscana. Dante, guelfo di parte bianca, nel 1300 viene nominato priore della città e si dà un gran da fare per rinforzare gli ordinamenti comunali. Si oppone perciò alle mire del Papa, alle quali invece danno corda i guelfi di parte nera.

I pochi documenti tramandati dicono però della passione politica di Dante, non della sua vocazione a un agire pratico. Sicuramente questo fiorentino intransigente è, in ogni caso, un amministratore poco accorto della sua personale fortuna: rimane però sempre protagonista, inetto a defilarsi quando sarebbe opportuno non apparire. Nel 1301 c'è un capovolgimento improvviso della realtà politica. Il legato pontificio, Carlo di Valois, entra in Firenze a prenderne possesso. Iniziano così le persecuzioni dei guelfi bianchi. Dante viene esiliato: non cerca in alcun modo patteggiamenti con i suoi nemici, anzi presto si stacca, con malumore, dagli stessi amici.

Dal 1304 è completamente solo: vagabondo "per le parti quasi tutte" dell'Italia, "peregrino – così dice di se stesso – come legno sanza vela e sanza governo, portato a diverse parti e foci e liti dal vento secco che vapora la dolorosa povertade". C'è un ritratto d'epoca di Dante, in cui il poeta appare con "il volto lungo e il naso aquilino", il labbro inferiore un po' "proteso", gli occhi "anzi grossi che piccoli" e nell'aspetto "sempre malinconico e pensoso". Il ritratto è di Boccaccio, che dice Dante "solitario", di "pochi domestico", "vaghissimo" d'onore e pompa, ma soprattutto "d'animo alto e disdegnoso molto".

Nell'esilio questo poeta "disdegnoso" veniva accolto nelle corti di magnanimi signori, che l'ospitavano per averne lustro. È facile immaginare quanto d'umiliazione dovesse però costare una simile condizione a un uomo nato e vissuto in un libero Comune, abituato a sentirsi, quasi per istinto, padrone assoluto del proprio destino.

Lo spettacolo delle discordie e delle violenze, della sopraffazione e della corruzione che gli si apriva in ogni parte d'Italia da lui attraversata, portò Dante a meditare sulla "cagion che il mondo ha fatto reo" e insieme lo autorizzò a sentirsi investito della missione profetica di indicare agli uomini una via di riscatto dall'abiezione. Nascono così le sue opere dottrinarie, ma nasce così, soprattutto, intorno al 1307, la concezione grandiosa della *Commedia*.

Nel 1311, quando già lavora da tempo al poema, Dante saluta la discesa in Italia di Arrigo VII, da cui spera pace e giustizia. Ma anche questa illusione dovrà svanire, con la morte dell'imperatore nel 1313. L'esilio continua per il poeta, che persevera, con alterezza, nel rifiutare ogni offerta di compromesso a lui proposta dal governo fiorentino. Dante si tiene Firenze in cuore, ma ne sta lontano, corrucciato, "disdegnoso", fino a quando la morte lo coglie sempre in esilio, a Ravenna, nel settembre del 1321.

## Beatrice la "gentilissima"

La vita di Dante è scandita dunque da un prima e un poi:
un "prima" in Firenze e un "poi" in esilio. Così è della sua
vita pubblica, così è della sua vita interiore, dominata per intero dall'immagine di Beatrice, la "gentilissima", dalla quale
viene "ogne dolcezza" e "ogne pensero umile".

Dante respira a Firenze un'aria ricca di fermenti culturali: e nelle sue *Rime* giovanili ripropone infatti i temi della
poesia didascalica di Brunetto, suo maestro, come i temi della poesia cortese di Guittone o della poesia "comica" di Cecco Angiolieri. L'incontro più importante rimane tuttavia
quello con i poeti dello stil novo.

L'amicizia con Guido Cavalcanti e con gli altri letterati di
quel raffinato cenacolo di poeti un po' incantati, tutti com-
presi nella loro "altezza d'ingegno", costituisce una pausa
prolungata per Dante. È un sogno splendido di fuga dalla
realtà opprimente, di aristocratica lontananza da tutta l'altra
"noiosa gente". È la fantasia, appunto, d'essere preso "per
incantamento" da una forza misteriosa, per venir portato,
con gli amici e le loro donne amate, fuori dal mondo,

> sì che fortuna od altro tempo rio
> non ci potesse dare impedimento.

Ma dal gruppo dei poeti dello stil novo Dante si stacca
presto: l'evasione raffinata nel sogno trova infatti un approdo ben più ricco di pensiero. La lenta maturazione è descritta dallo stesso poeta nella *Vita nova* (1292-1293), un'o-
pera in versi (con frequenti commenti in prosa), che racconta il rinnovamento d'anima operato dall'amore per Beatrice.
C'è, anche qui, una breve cronaca di incontri e sguardi, di
saluti e di parole, di lacrime e di sospiri: la traccia di vita
però è assai tenue.

Tutto ciò che è realmente accaduto (la storia d'amore per
Beatrice) viene infatti interpretato come simbolo e si fa vicenda esemplare di un destino più alto dell'uomo: una vicenda sottratta quasi subito perciò a uno spazio e a un tempo concreti. La vicenda può essere più o meno così riassun-

ta. C'è un antefatto. A nove anni Dante incontra Beatrice e
ne riceve un'impressione molto forte. Nove anni dopo c'è
un secondo incontro. La "gentilissima" questa volta dà il
suo "saluto" al poeta: e lo porta con il saluto a toccare "tutti li termini della beatitudine". In questo primo tempo della
vicenda ci si muove dunque, con rigore, secondo gli schemi
dello stil novo.

Il secondo tempo porta invece a uno scatto sensibile di
novità. Dante riflette: nel "saluto", cioè nella terrena corrispondenza degli affetti, non può stare il fine più alto dell'a-
more. Questo fine starà invece nelle parole che lodano Beatrice: nella poesia insomma che celebra la donna. Ma c'è un
accadimento che apre il terzo tempo della *Vita nova*. Muore
la "gentilissima" e ogni legame mondano con lei cade per
sempre. Dante, dopo un periodo di traviamento, ha la visione della sua donna ora tutta splendente di gloria celeste. La
visione lo sconvolge e porta a una "intelligenza nova" il poeta: lo porta a un'ansia di conoscenza della verità, a una sete
di appagamento nella contemplazione del divino. Sarà da
questo punto di arrivo della *Vita nova* che scaturirà, più in là
negli anni naturalmente, la concezione grandiosa della *Commedia*.

## La statua e l'utopia

Quando Dante congeda il lettore della *Vita nova*, dice di
non voler parlare più di Beatrice, sino a che non sarà in grado di "più degnamente trattar di lei". Promette che tornerà
con il pensiero alla sua donna, ma solo per "dicer di lei quello che mai fue detto d'alcuna". Fa parte della fisionomia di
Dante Alighieri questa superbia franca e tronfia, questa sicurezza in sé, senza ombra di timori o reticenze. Ed è talvolta un'alterigia troppo orgogliosa che rende aspro, se non
sgradevole addirittura, l'incontro con il poeta: che allontana
e intimidisce chi si accosta a Dante. È un'alterigia che lo fa
grande, certo, imponente, ma anche un po' scontroso, molto scostante, cordiale mai.

Lo sforzo deve essere tutto del lettore. Se lo si vuole for-

temente si può uscire infatti, almeno un poco, dalla prospettiva di rigido allontanamento che viene imposto. Si scopre
allora qualche sottile e debole traccia di umanità in questa
statua: una patina di solitudine, un sogno perpetuo, spesso
campato davvero in aria.

Fra il 1304 e il 1307 Dante dà corpo a un grande progetto: vorrebbe scrivere, da solo, una vasta enciclopedia, vorrebbe raccogliere l'intera scienza umana. È come se volesse invitare a un gran banchetto di dottrina i propri lettori:
perciò l'opera grandiosa si intitola *Convivio*. È una compilazione dotta: dovrebbe pertanto essere scritta in latino. Invece Dante la scrive in volgare, perché gli invitati al suo "banchetto" del sapere sono coloro che, pur dotati di "spirito
gentile", non hanno potuto dedicarsi allo studio, per "cure
familiari e civili".

Questo è ciò che in realtà più conta del *Convivio*: il proporsi appunto come strumento di lavoro per uomini "volgari", cioè "non littirati", il suo adoprarsi volenteroso a suscitare l'entusiasmo nel sapere, il culto dell'intelligenza. L'intenzione è davvero magnanima, monumentale è il progetto:
quindici avrebbero dovuto essere i trattati, la lena dello
scrittore ne consente tuttavia soltanto quattro.

Negli stessi anni Dante però si occupa anche d'altro. Per
gli uomini di dottrina questa volta, e perciò in latino, scrive
il *De vulgari eloquentia* (1304-1305): cioè un trattato nel
quale vuole dettare norme precise per l'arte dello scrivere in
lingua volgare. Con il trattato Dante vorrebbe soprattutto
convincere i dotti della necessità dell'uso della nuova lingua.
Anche questo è un progetto molto ambizioso che si inter-
rompe: dei quattro libri concepiti, ne verranno scritti soltanto uno e mezzo. È anche questa un'utopia impossibile, un
disegno astratto che non può trovare un concreto riscontro
nella realtà.

Nella parte che ci è rimasta di quest'opera, Dante tratta
prevalentemente la questione del "volgare illustre": affronta
cioè il problema di una lingua adatta alla scrittura letteraria.
Individua quattordici dialetti italiani: ma fra essi non indica
un dialetto-guida; teorizza invece una lingua unificata, che
sappia trascendere tutti quei dialetti e che di tutti riassuma

le caratteristiche di maggior rilievo. Se l'Italia avesse un'unica corte regale, sostiene Dante, la lingua d'uso diverrebbe presto il "volgare illustre" di tale corte. Ma nell'attuale condizione di smembramento in tanti stati, è compito dei letterati fondare e realizzare almeno un'unica "patria" della scrittura. Questo "volgare illustre" teorico rimane un bel castello campato in aria, anche se fa Dante padre della nostra lingua.

Un'altra utopia splendida viene disegnata in un trattato politico in tre libri: nel *Monarchia*. Qui si studia la nascita e la funzione storica dell'Impero; ma soprattutto si affronta un problema di grande attualità nei primi anni del Trecento: quello del rapporto fra Chiesa e Impero. C'era chi sosteneva che il primato spettasse all'Impero e che da esso venisse la potestà della Chiesa, così come la luna riceve luce dal sole. Ma c'era invece chi sosteneva tutto l'opposto.

Contro questa e quella concezione si pone Dante, che avanza la propria teoria dei due soli: autonomo deve essere il potere dell'Imperatore, come autonomo deve essere quello della Chiesa, perché l'uno e l'altro derivano da Dio direttamente. Così la loro funzione è diversa: l'Impero ha come fine il raggiungimento della felicità in questa vita, la Chiesa ha come meta la beatitudine per l'eternità. Ed è davvero un bel sogno: un sogno che abolisce con un unico colpo di ingenua intelligenza tutti i conflitti di potere. Di sole invece anche nell'universo ce n'è purtroppo uno solo.


## Il viaggio mistico

L'ampia dottrina, il sogno magnifico di rifare il mondo, il vizio dell'utopia trovano finalmente una via espressiva, che tutto riesce a comprendere e a quadrare nella tensione profetica della *Commedia*, dove Dante si sente predestinato da Dio a un viaggio mistico. Enea, il "pio" eroe di Virgilio, fu chiamato da Dio a dare fondamento all'Impero romano e a portare nel mondo la civiltà. San Paolo fu eletto a diffondere fra gli uomini la verità cristiana. Dante, terzo, si sente scelto per salvare il mondo dal baratro di corruzione in cui è caduto.

Davanti a lui c'è lo spettacolo turpe dei tanti errori e dei fallimenti. C'è lo squallore di una rovina a precipizio dei valori antichi. L'Imperatore ha dimenticato la sua funzione essenziale di garantire ai sudditi pace e giustizia. La Chiesa ha smarrito il senso della propria missione di carità. Il mondo è fatto brutto dall'ansia dei "subiti guadagni", e l'avarizia ha generato altri vizi, "orgoglio e dismisura", invidia e prepotenza.

La *Commedia* (1307-1321) nasce in un clima di profezia, ma anche di invasamento. Ci sarà nel poema una lucida analisi di un destino universale che ingloba la storia, ma ci sarà anche una visione allucinata che va al di là del tempo.

Nel pellegrinaggio nell'oltretomba vengono analizzati il male e la corruzione orrenda del mondo. Il cammino per cui, attraverso l'espiazione, si giunge alla gloria del Paradiso, è il viaggio di una redenzione individuale e insieme di un riscatto universale: di una rigenerazione insomma che in una storia d'anima coinvolge il mondo intero, di una rigenerazione che, attraverso il destino del poeta, si trasmette a tutta l'umanità.

Quella che i posteri chiameranno la *Divina Commedia* respira in questa atmosfera di grandezza, di ostentazione consapevole del sublime: trasuda una certezza incrollabile, porta con sé la sicurezza di un possesso totale della verità, che non lascia margine, nonché al dubbio, neppure al sospetto dell'errore.

Perciò alla *Commedia* ci si deve avvicinare solo con ammirazione e ossequio, senza neppure tentare approcci più cordiali, senza pretendere di capirla tutta: perché la regola più importante della sua scrittura rimane comunque l'oscurità delle metafore continue, che possono ammettere diverse interpretazioni, una magari contraria all'altra, senza autorizzarne alcuna.

Nel poema Dante chiama a raccolta l'intero sapere di una civiltà, interpreta le aspettative e le paure di questa civiltà: nella raffigurazione di quello che è un viaggio mistico ingloba scienza e fede.

Ed eccolo il poeta nel proprio viaggio. Si trova da principio smarrito in una "selva oscura", vede un "dilettoso" colle che splende al sole: si trova cioè in uno stato di ignoranza ed errore e intravvede la sua possibile redenzione. Da sé non può darsi "salute": occorre per lui un aiuto sovrannaturale. Giunge perciò Virgilio, che incarna la ragione e l'amore. Virgilio sarà guida a Dante nel viaggio attraverso l'Inferno e il Purgatorio. Poi nel Paradiso la ragione dovrà trasformarsi in fede e l'amore in grazia: allora toccherà a Beatrice prendere il posto di Virgilio.

Dante con Virgilio entra dunque nell'Inferno. Varca la fatale porta, attraversa l'antinferno, dove stanno gli ignavi: gli spiriti negativi che non seppero fare né bene né male in vita. Passa il fiume d'Acheronte e arriva al limbo: qui c'è il nobile castello dei poeti e dei filosofi, a cui fu negato di conoscere la verità, perché vissero prima della discesa in terra di Gesù Cristo. Il limbo è il primo cerchio dell'Inferno. Nel secondo ci sono i lussuriosi. Vengono via via gli altri gironi, fino al nono: scontano le pene dei loro peccati in terra i golosi, gli avari e i prodighi, gli iracondi, gli eresiarchi, i violenti, i fraudolenti, i traditori.

L'Inferno è una voragine scavata sotto Gerusalemme: la voragine si fa sempre più stretta nei cerchi concentrici e ha forma dunque di un cono capovolto. Al vertice del cono c'è una distesa plumbea di ghiaccio, dove stanno confitti i traditori e in mezzo a loro, ridotto a mostro, Lucifero, l'angelo che tradì Dio. Il viaggio nell'Inferno termina. Dante e Virgilio passano attraverso un cunicolo e tornano a "riveder le stelle". Ora sono agli antipodi di Gerusalemme, sulla spiaggia di un'isola perduta nell'Oceano.

Cala la notte, il silenzio è immenso, profonda e dolcissima è la quiete. Quando si alza il sole, appare una montagna che si innalza su su verso il cielo. È il monte del Purgatorio. Dopo il regno buio del peccato, bisogna affrontare, nel viaggio, il mondo del pentimento e della speranza. I due poeti sulla spiaggia incontrano Catone l'Uticense, colui che a una servitù infamante preferì la morte: è un simbolo di libertà che interpreta l'ansia di liberazione dalla schiavitù del male. Il nuovo percorso del viaggio, dopo la discesa nel regno del male, è dunque un percorso di lenta e faticosa risalita.

Dante scalerà le nove cornici che cingono la montagna del

Purgatorio: e anche qui si dispongono le anime via via sempre più in alto, a seconda della maggiore o minore gravità del loro peccato. C'è un antipurgatorio dove stanno le anime di coloro che tardarono a pentirsi e ci sono poi le altre nove cornici: con i superbi, gli invidiosi, gli irosi, gli accidiosi, gli avari e i prodighi, i golosi e i lussuriosi. In vetta al monte fa spettacolo la foresta leggiadra del Paradiso terrestre. Virgilio scompare e Dante incontra qui finalmente Beatrice, la quale d'ora innanzi gli sarà guida.

Il Paradiso è pura luce. Il poeta gli dà figura di nove sfere concentriche, incorruttibili e cristalline, nelle quali sono incastonati, come pietre preziose, i pianeti. C'è il cielo della Luna, poi di Mercurio, di Venere, del Sole, di Marte, di Giove e di Saturno, fino al Primo Mobile, attorno a cui ruotano tutti gli altri. La luce si fa tanto più intensa, quanto più ci si avvicina a Dio. Dante incontra le anime di coloro che per violenza altrui vennero meno ai loro voti, poi quelle di coloro che fecero il bene per desiderio della gloria, quindi gli spiriti amanti, i sapienti, i guerrieri della fede, i prìncipi giusti, gli spiriti contemplativi.

Le anime scendono nei diversi cieli solo per indulgere benevolmente ai limiti delle umane capacità di percezione del poeta. E si dispongono solo per questo in una scala gerarchica, la quale dice del loro maggiore o minore grado di perfezione nella grazia, ma non indica in alcun modo una differenza, anche minima, di felicità. Le anime dei beati infatti dimorano al di là dei nove cieli, intorno a Dio, dimorano nell'Empireo, che non fa parte dello spazio, ma comprende tutti gli spazi.

### Dal buio alla luce

Nell'*Inferno* trionfa la materia: la pena non cancella infatti il peccato, lo perpetua. La materia per Dante è turpe: ciò che è terrestre appare sempre contaminato. Il viaggio nell'Inferno è dunque un viaggio nella degradazione. E la degradazione trova immagine, prima di tutto, in un paesaggio rotto, sconvolto, oppure desolato.

Compaiono dunque precipizi e strapiombi, rocce selvagge e dirupi, fiumi rossi di sangue, paludi coperte di vapori spessi, foreste spettrali fitte di alberi contorti, deserti sterminati di sabbia, immense distese di ghiaccio. Su tutto grava un'"aria morta": un buio greve e perpetuo che annulla il tempo.

L'orrido spettacolo dell'Inferno riproduce il paesaggio della terra: ma è un paesaggio orbato della propria vita, spogliato della sua bellezza, privato della sua malinconia. Vita, bellezza, sentimenti vivono al negativo, in un cupo capovolgimento: diventano semmai, nel contrasto, assenze che creano terrore d'anima più che nostalgia.

Il clima tetro in cui si cala il racconto del viaggio nell'Inferno non esclude tuttavia pause narrative di un'umanissima e intensa drammaticità: sono gli episodi più famosi della *Commedia*, come quello dell'amore di Paolo e Francesca, come le storie della propria sciagura o le difese del proprio operato, via via narrate o proclamate da Farinata l'eresiarca o da Pier delle Vigne suicida, da Ulisse fraudolento o dal conte Ugolino traditore.

Severa e inflessibile rimane la condanna morale di Dante: la partecipazione umana resta tuttavia visibile. Proprio questa complicità impaurita dà all'*Inferno* un andamento narrativo drammatico, che non si ripeterà più nel *Purgatorio* e nel *Paradiso*. Più forte e concreto nella sua raffigurazione, l'*Inferno* rimane sicuramente la cantica più accessibile al lettore.

Ciò non autorizza però nessuno a identificare tutta la poesia di Dante con la poesia particolare di questo primo tempo del poema. Ognuna delle tre cantiche in cui è scandita la *Commedia* ha una forma di poesia: ed è l'insieme di queste diversità che dà valore e significato all'intero poema. La *Commedia*, è stato detto, non è un tempio greco: è al contrario un grande tempio gotico, pieno di spazi d'ombra, di tenebre, ma insieme ricco di luci e di splendori.

All'"aria morta" del mondo infernale si sostituisce nel *Purgatorio* un'aria tersa e pura. Qui infatti le anime riconquistano la libertà dal peccato e quindi a loro viene concessa la vista della luce. Così, se l'atmosfera dell'Inferno era "sanza tempo tinta", qui invece torna l'alternanza del giorno e della notte; anzi proprio il trascorrere delle ore segna il crescere della tensione delle anime verso la purezza e il loro avvicinarsi progressivo alla meta celeste.

La struttura narrativa della seconda cantica muta dunque profondamente.

Nell'*Inferno* il viaggio era una discesa in un abisso di conoscenza del peccato sempre più spaventata: questa avventura mostruosa della conoscenza prendeva immagine nella rappresentazione realistica, talvolta cruda, di personaggi e paesaggi, di scontri anche violenti del poeta con i dannati.

Nel *Purgatorio* invece il viaggio si configura come un'ascesa, come una liberazione progressiva da tutto ciò che è corporeo. Non possono perciò rimanere impressi profili forti di personaggi: c'è una nebbia impalpabile e leggera che sfuma i contorni di ogni fisionomia, che li trasforma in linee appena individuabili, sullo sfondo uniforme di un grande coro.

Varia allora anche l'atteggiamento e il punto di vista di chi narra: Dante non si contrappone più alle immagini suscitate, non le rivela, ma tende a interpretarle nella loro malinconica interiorità. Non ci sono più scontri, ma solo incontri, e i colloqui sembrano tramutarsi in un monologo continuo di un'anima che interroga se stessa.

Nel *Purgatorio* rimane tuttavia una traccia ancora visibile di drammaticità narrativa. Le anime sono consapevoli del loro prossimo destino di beatitudine, sanno di salire verso la verità: e tuttavia insieme a questa certezza hanno la coscienza di doversi conquistare il futuro di beata serenità, lottando ancora con il loro peccato, attraversando duri contrasti e aspri tormenti.

Questo dramma tutto interiore trova espressione, per metafora, di nuovo nella figurazione dello spazio. C'è – è vero – la prospettiva del monte che "dislaga" verso il cielo. Ci sarà alla fine l'idillico paesaggio del Paradiso terrestre, fatto di erbe, di fiori e di acque limpide. Ma intanto, nel passaggio da cornice a cornice, è ancora presente il quadro di una natura inospitale, fatta di ripide pareti rocciose, di balze sospese nel vuoto, di sentieri stretti e faticosi.

Nel *Paradiso* appariranno ancora fiori e giardini, sorgenti, fiumi e laghi, alberi e prati: ma tutte queste presenze diventano solo astratti termini di riferimento, simboli di un dire che tanto più deve ricorrere alle similitudini, per esprimere il sentire umano nel proprio avvicinarsi alla beatitudine.

Dante, lo abbiamo detto, incontra Beatrice in cima al monte del Purgatorio e con lei passa nel Paradiso. L'esperienza di questo passaggio non è esprimibile. Dante dice che è un "trasumanar": è un andare oltre le possibilità umane. E del resto tutta l'esperienza del viaggio nel Paradiso rimane ineffabile, non si può "dir per verba": perché è l'esperienza dell'anima che si annulla dolcemente nella contemplazione della verità.

Questa verità è luce, una luce che si fa più intensa via via che l'anima si avvicina a Dio. Beatrice che accompagna Dante nel cammino è simbolo insieme della grazia e della verità rivelata: perciò la sua bellezza tanto più sfolgora quanto più si procede in questo viaggio, quanto più si affina, nell'itinerario della conoscenza, la capacità di vedere del poeta.

A questo cammino dell'anima non si può dare figura. Dante allora, per offrire almeno qualche traccia della sua straordinaria esperienza, procede per continue similitudini approssimative: dipinge spettacolari scenografie, mette in scena coreografie magnifiche dove protagonista è un gioco continuo di luci che si muovono e che si trasformano.

Le immagini della grande croce in cui si raccolgono le luci dei beati nel cielo di Marte, oppure quella dell'aquila che si disegna nel cielo di Giove, fino a quella della candida rosa dell'Empireo non costituiscono in nessun modo un motivo paesaggistico, né tanto meno una realtà fisica: diventano puri simboli, metafore della verità, di fronte a cui l'anima si incanta.

Alla conclusione del viaggio, Dante, di fronte a Dio, rinuncia ad esprimere ciò che a lui si rivela e che è al di sopra delle possibilità del dire umano; ma non rinuncia a raccontare – proprio attraverso la confessione di una impossibilità – il suo smarrimento d'anima. Nel *Paradiso* diventa fondamentale questo atteggiamento: la poesia della terza cantica sta soprattutto nell'umanissimo struggimento dell'ineffabilità, nella dolce disperazione per l'invalicabile limite della parola.

## Il caos e l'ordine

"Dante è divenuto un nome che spaventa, irto di sillogismi e soprasensi", scriveva Francesco De Sanctis nella sua *Storia della letteratura italiana*. Dante, lo si è detto, compendia nella *Commedia* tutta la cultura del Medioevo, ne traduce quanto meno l'enciclopedismo del sapere: ma insieme nel poema trascrive le espressioni, spesso contraddittorie, di una civiltà, con le sue certezze e con i suoi terrori.

Proprio da ciò deriva l'intrico mirabile del capolavoro dantesco, dove possono convivere il sublime e l'orrido, il tragico e l'elegiaco, il nobile e il plebeo, il grottesco e il drammatico: in un labirinto di linguaggi, di toni, di temi e motivi narrativi, nel quale bisogna saper correre il rischio di perdersi, se ci si vuole stare.

La materia della *Commedia* è sterminata, eterogenea: ma Dante è un architetto che ha il gusto della geometria, mentre costruisce la propria cattedrale di parole. Il numero tre era simbolo, nella mistica del Medioevo, della trinità. Il numero dieci era simbolo della perfezione. Questi due numeri regolano l'impalcatura più visibile della *Commedia*.

Il poema è scritto infatti in terzine. Le cantiche sono tre: ciascuna cantica si suddivide in trentatré canti. Ai novantanove se ne aggiunge uno che fa da proemio. I canti diventano perciò cento, che è dieci volte dieci. Il tre con il proprio multiplo nove e il dieci ricorrono poi all'interno di ciascuna cantica.

L'*Inferno* è diviso in nove cerchi: a essi si aggiunge l'antinferno. I dannati al buio eterno sono spartiti in tre categorie principali, a seconda che abbiano peccato per incontinenza, per violenza o frode.

Nove sono le cornici del *Purgatorio*: e anche qui le anime sono raggruppate a seconda che il loro amore sia stato diretto al male, oppure, se diretto al bene, lo sia stato con troppo o troppo poco vigore.

Infine ai nove cieli del *Paradiso* si assomma a fare dieci l'Empireo: e i beati sono distinti a seconda che la loro devozione a Dio fosse mescolata a interessi mondani ovvero si manifestasse in una vita attiva oppure contemplativa.

Questo rigore architettonico trova riscontro nelle continue corrispondenze interne tra le tre cantiche, in una simmetria complessa di riferimenti o di situazioni narrative: ed è un'esattezza di geometrie, quasi una griglia di ordine sovrapposta che imbroglia il caos del mondo.

La sorpresa maggiore del lettore della *Commedia* sta oggi, prima di tutto, proprio in questa forza visionaria, ma lucidissima, che annulla con un gesto di potenza logica ogni contraddizione, che rende naturale, per esempio, ogni salto nel tempo e nello spazio. "I personaggi della *Commedia*", ha scritto Momigliano, "sono per lo più contemporanei di Dante o precursori delle condizioni del suo tempo: l'eternità di Dante è il suo presente di fiorentino e di cattolico." Ulisse e Catone l'Uticense diventano, nel poema, contemporanei di Farinata e del conte Ugolino.

La verità profetica della scrittura annulla lo spessore cronologico del tempo, ingloba in un presente visionario tutta la storia. L'ordine dell'architettura cancella il caos. Del caos del mondo reale rimane tuttavia traccia visibile nel complesso impasto linguistico della *Commedia*, dove al gioco (nell'*Inferno*) delle rime difficili, dei suoni stridenti, delle parole crudemente dialettali, si sostituisce (nel *Paradiso*) l'uso prezioso dei latinismi, dei francesismi o l'invenzione di parole assolutamente nuove e impensate.

La lingua di Dante si fa perciò assai espressiva: tradisce la tensione interna tra caos e ordine, tra storia e profezia, ma insieme apre una strada nuova alla poesia futura. Di lì a poco verrà lo stile tutto decoro, armonia ed eleganza di Petrarca: e questo stile si farà modello per secoli alla poesia italiana. La scrittura di Dante, con i suoi visibili movimenti interni, con le asprezze e i propri incanti, diventerà allora l'alternativa più vistosa all'accomodante modello petrarchesco.

# Francesco Petrarca

*Viaggi e rifugi*

Il racconto di una storia letteraria è arbitrario. Può diventare perciò un gioco: come un gioco è la stessa letteratura, nel momento in cui il mondo viene trascritto nella parola. Il gioco della letteratura però si dà regole precise, poi le rispetta: si chiude in queste regole e fa quadrato. Entrare dal di fuori fra tali regole, tentare di scoprirne il senso, è un'avventura che deve sempre fare i conti con il mistero. Bisogna riuscire a sapersi illudere di afferrare ciò che di fatto non si può afferrare in nessun modo. L'avventura diventa proprio per questo più libera. Ammette anche l'irriverenza. Consente scommesse persino strampalate.

Potete immaginarvi un Dante in carne e ossa? Riuscite a vedervelo nel proprio incedere o nel suo vestire? È trasandato e sciatto? Oppure è impeccabile nel proprio altero portamento? Niente da fare. Dante rimane una figura astratta. È un uomo che insulta il mondo e se ne va da solo, tutto superbia e austerità. È un lampo d'occhi: non una figura. Invece tutto cordialità e premuroso affetto, sempre conciliante e colloquiale, molto preoccupato di apparire bello, in ghingheri, ci viene incontro Francesco Petrarca per farci compagnia, come è capace.

Qualcuno ha detto che Petrarca parla di sé con il puntiglio dei poeti che si vogliono molto bene e con la schiettezza un po' sorniona degli scrittori che vedono solo se stessi. È vero. Petrarca dà notizie minuziose, nelle poesie e nelle lettere, dei battiti anche più brevi del proprio cuore: tutto ciò che accade dentro di lui, tutto ciò che accade intorno a lui, si fa importante. Diventa infatti la materia di un lungo, compiaciuto, chiacchierìo.

In una lettera al fratello, mentre ritorna con il pensiero agli anni giovanili trascorsi ad Avignone, Petrarca ricorda le passeggiate per le strade. Ricorda la paura che i capelli gli "si scompigliassero", che un soffio di vento gli "arruffasse i ricci" a tradimento. Ricorda il cruccio che la "veste profumata e nitida non si insudiciasse", o che perdesse soltanto le perfette pieghe. Quest'uomo tanto preoccupato dei propri "ricci" e del suo vestito, quest'uomo così elegante e schizzinoso, è un uomo ben piccolo rispetto a Dante, ma è un uomo vero che si avvicina con facilità.

Francesco Petrarca era nato ad Arezzo il 20 luglio del 1304. Il padre era notaio: ciò gli permise di studiare con agio grammatica e retorica, come era uso nelle famiglie benestanti. Seguirono gli studi in legge all'Università di Montpellier prima e poi a quella di Bologna. Il padre lo avrebbe voluto forse notaio. Francesco era invece nato irrimediabilmente letterato. Studiò dunque con impegno i codici, ammirò anche i maestri giureconsulti di Bologna, ma trascorse molte più ore a leggere i classici prediletti e a comporre versi. Perciò nel 1326, quando morì il padre, lasciò Bologna e gli studi in legge, andò ad Avignone, dove si era rifugiato il Papa con la corte. Si aggregò a questa corte, coltivò tanto più gli amati studi letterari e intanto incominciò a frequentare il bel mondo dell'aristocrazia.

Petrarca è un uomo un po' frivolo, molto attaccato ai comodi e ai piaceri terrestri: ha certamente il dono di muoversi disinvolto nel mondo. Deve trovare una soluzione pratica al problema di vivere: lo risolve entrando nella gerarchia ecclesiastica. Cerca la protezione di nobili e di potenti della corte pontificia: in cambio offre la sua arguzia e un amabile decoro di letterato. Messer Francesco ama gli agi e insieme la tranquillità, il vivere mondano e insieme la solitudine: insomma questo uomo così cordiale e sorridente in superficie, sotto sotto è inquieto e volubile.

Un po' da questa irrequietezza, un po' dalle necessità delle cariche, verranno un viaggiare continuo per il mondo e mutamenti frequenti di dimora. Nel 1333 Petrarca attraversa la Francia settentrionale, le Fiandre e la Renania; nel 1337 è a Roma (e qui, quattro anni dopo, sarà incoronato solennemente "poeta" in Campidoglio); nel 1353, dopo un gran vagare per l'Italia, si stabilisce a Milano, per poi passare a Venezia nel 1362 e a Padova otto anni dopo.

Questi viaggi nascono anche dalla vivace curiosità intellettuale di Petrarca, da una passione per lo studio della cultura classica. Méta dei viaggi infatti sono spesso le biblioteche: e specialmente le biblioteche ricche di antichi manoscritti. I "libri" sono una realtà biografica molto importante per Petrarca: la lettura è un porto di quiete sicuro per l'inquietudine. Anzi la vita di messer Francesco si può interpretare tutta in questa alternativa tra rifugio e fuga: tra un irrequieto vagare per il mondo e frequenti e prolungate pause di raccoglimento.

Così all'ansioso viaggiare degli anni francesi si oppongono i soggiorni solitari in Valchiusa, nella campagna di Avignone; alla vita mondana di Milano, presso la corte dei Visconti, si alternano i rifugi nella sua casa fuori dalle mura della città; e infine all'irrequieto spostarsi tra Venezia e Padova si oppone il nascondersi geloso nella bella villetta di Arquà, sui colli Euganei, dove Petrarca muore nel luglio del 1374.

## L'uomo nuovo

Tra Dante e Petrarca non passano neppure quarant'anni: eppure questi due poeti sembrano separati da un enorme tempo. E la distanza tra di loro è tanto più evidente, quanto più simili ne possono apparire le esperienze. Dante e Petrarca si spostano inquieti tutti e due. Ma in Dante l'andare per il mondo è una condanna che subisce dagli uomini e dal destino: il peregrinare per l'Italia è imposto dall'esilio voluto dai nemici. Per Petrarca invece il viaggio è una scelta: nasce da un'ansia di conoscere orizzonti sempre nuovi, di incontrare "altra" gente. L'inquietudine interiore rende fragile Petrarca, ma lo fa anche un uomo nuovo.

Dante è un vagabondo che va per le strade sicuro in sé,

forte, come se fosse davvero corazzato da una disciplina morale, da una incrollabile lucidità intellettuale. Dante del resto è uomo ancora saldamente radicato nel Medioevo: per lui esiste la sicurezza assoluta di un universo regolato alla perfezione e quindi classificabile dal pensiero in schemi astratti e certi. Petrarca al contrario è l'uomo nuovo che mette in discussione tali certezze. Trova all'improvviso vuoto ogni schema preordinato e dunque entra in crisi.

Il pensiero non domina più il mondo, né è in grado di dare ordine al caos. Anzi il pensiero si lascia turbare, se non travolgere, da qualsiasi moto pur leggero del cuore; e allora quest'uomo sbalordito dal suo sentire non riesce a guardare al di fuori di sé: si ferma spaventato a frugare, a scrutare nel guazzabuglio oscuro dell'anima turbata. Si scopre fragile nel turbinìo delle inquietudini, delle tante contraddizioni interiori. E dunque dimentica tutto quello che lo circonda e narra di se stesso, talvolta compiaciuto, talvolta angustiato.

In una lettera famosa ricorda una scalata sul monte Ventoso, nei pressi di Avignone. Petrarca giunge sulla cima del monte e guarda il largo orizzonte. Vede lontano da una parte il mare di Provenza, dall'altra le Alpi bianche di neve. Si ferma attonito a contemplare lo spettacolo. Apre le *Confessioni* di Sant'Agostino e legge un passo: "Vanno gli uomini ad ammirare le alte cime dei monti, e i grandi flutti del mare e le vastissime correnti dei fiumi e la distesa dell'oceano e il corso delle stelle e trascurano se stessi".

Il mondo si fa lontano, piccolo piccolo, se l'anima prepotente viene in primo piano: Petrarca segna questo netto passaggio di prospettiva nella nostra letteratura. Ed è un passo importante, coraggioso, perché rischioso. Anche se contro il rischio c'è già pronta tuttavia una via d'uscita.

## Dispositivo di sicurezza

Guardarsi dentro l'anima comporta rischi, soprattutto se la volontà di darsi una disciplina è fiacca. A un disordine pericoloso può portare il dissidio dell'anima, ma anche solo l'instabilità dell'umore. Dopo Petrarca si andrà formando la

nuova civiltà rinascimentale, già irrimediabilmente alle sue
spalle c'è la spiritualità del Medioevo: di questa spiritualità
ormai al tramonto Petrarca sente però ancora il peso.

C'è insomma in lui l'uomo nuovo che sente il fascino della realtà mondana: che vuole dunque per sé amore e gloria.
Ma c'è insieme un uomo antico che subisce con altrettanta
forza il richiamo verso ciò che è ultraterreno, che vorrebbe
annullarsi in Dio e trovare pace in questo totale annullamento. Il dissidio tra reale e ideale diventa insanabile. Petrarca, come può, cerca di dare ordine al caos e di imporsi
una disciplina: scimmiotta in questo un poco Dante. Tra il
1347 e 1349 scrive il *Secretum*, che ha forma di un dialogo
con sant'Agostino.

Al Poeta il Santo rimprovera la debolezza di volontà, una
gracilità nel cedere facilmente al vizio: peccaminoso è l'orgoglio di Petrarca per la propria dottrina, come il desiderio
di una vita comoda nella ricchezza oppure il dolce cedere ai
piaceri dell'amor terreno. L'esame di coscienza è spietato, le
colpe sono confessate senza reticenza. Attraverso questa
pubblica confessione Petrarca vorrebbe purificarsi e raggiungere la quiete. E invece, quando si chiude l'opera, le
contraddizioni, tra aspirazioni ascetiche e tentazioni della
carne, sono sempre presenti, intatte e aperte.

Ci prova allora in un altro modo: con un poema. Nei
*Trionfi* (1351-1374), come Dante aveva fatto nella *Commedia*, Petrarca narra, sotto forma di una visione, il cammino
dell'anima che cerca un riscatto spirituale. Ed ecco allora in
scena, fra personaggi del mito e della storia, le figure allegoriche dell'Amore e della Pudicizia, della Morte e della Fama,
del Tempo e dell'Eternità. Prima prende campo la passione,
ma sull'amor terreno trionfa subito la castità, che mortifica
la carne; poi viene la morte che placa l'inquietudine; ma su
di essa trionfa a sua volta la gloria che ridà la vita; quindi viene il tempo che cancella ogni cosa e infine la pace eterna in
Dio, nella quale si confonde e tace ogni contrasto.

Anche in questo poema allegorico ordinato, Petrarca finisce per raccontare la propria vicenda personale e anche qui
ritorna a riproporre il dissidio non risolvibile tra ideale e
reale. L'unico modo per superare il contrasto, l'unica via per

mettere a tacere ogni contraddizione e ritrovare pace, rimane, per lui, il rifugio nello studio e nelle lettere.

Se di tutte le cose al mondo Petrarca sente la vanità e la fragilità al peccato, solo nelle "lettere" sente una forte compagnia. "Senza il conforto delle lettere – scrive nel *De vita solitaria* (1346 e seguenti) – la solitudine è esilio, carcere, tormento; al letterato invece è patria, libertà, diletto." Nasce così la riscoperta appassionata della cultura classica. Petrarca gira per l'Europa e visita le biblioteche dei monasteri. Si concentra in lunghe ore di studio e di fatica: legge antichi manoscritti e scopre qualche volta testi del tutto ignoti. Copia quei manoscritti, segna ai margini note e rimandi ad altri testi e poi comunica le sue scoperte ad amici letterati, sparsi per il mondo.

In questo lavoro accanito di filologo attento a una lettura ambientata nel tempo, Petrarca compie un itinerario intellettuale che è diametralmente opposto a quello della cultura medioevale, la quale aveva assimilato i testi della classicità alla visione cristiana. Petrarca non deforma il patrimonio culturale antico, lo riscopre invece nella sua genuinità: non si appropria dei classici, facendoli contemporanei a sé, come aveva fatto Dante. Lo studio della classicità, con i suoi valori di saggezza, di equilibrio, di serenità, con le sue perfette forme, porta il letterato appassionato al desiderio di farsi lui "contemporaneo" dei grandi del passato: di emularli, di imitarli, anche per dimenticare l'epoca meschina e barbara in cui vive.

Tutta questa vicenda intellettuale viene narrata da Petrarca nelle sue lettere, raccolte e ordinate già in vita; nei ventiquattro libri delle *Familiari* (1342-1358) e nei diciassette delle *Senili* (1361-1374). Da questo immenso epistolario balza fuori un altro autoritratto: ed è il ritratto di un intellettuale nuovo che si astrae per sempre dalla realtà e si confina in un mondo astratto fatto soltanto di parola.

Appunto la parola letteraria, quella parola che è autorizzata dagli antichi maestri della classicità, diventa un dispositivo di sicurezza: rimedio certo, rassicurante, che porta quiete nel disordine del mondo, che rende meno acerba, nel gioco della scrittura, qualsiasi contraddizione. Il gioco a na-

scondino della poesia in Italia si inaugura con Petrarca e durerà nei secoli come un dolce conforto nello scontro dei poeti con la realtà.

## Il "Canzoniere"

La poesia è una passione precoce in Petrarca, ma dura a
lungo nel tempo: incomincia sui vent'anni e smette soltanto
con la morte. Petrarca compone rime in volgare fin dal 1330
e riunisce queste rime in raccolte che diventano sempre più
ampie, fino all'ultima, ricopiata per intero di propria mano
nel 1374, nell'anno cioè della morte. La raccolta ha un titolo latino, *Rerum vulgarium fragmenta*, che significa "frammenti di cose in volgare". Rimarrà nota tuttavia con il titolo
di *Canzoniere*: è formata da trecentosessantasei componimenti, sonetti per lo più, ma anche canzoni, ballate, sestine
e madrigali.

I versi sono ordinati da Petrarca nel tentativo di seguire il
filo di una storia: la storia dell'amore per Laura, la donna in-
contrata dal poeta "il dì santo d'aprile" del 1327, in una
chiesa di Avignone. È una storia d'amore terreno che non
può avere sbocco. Sicché ci sono attese e tormenti, sogni e
speranze, sospiri e desideri, e tante lacrime, ma nei fatti non
capita proprio nulla.

Il poeta, tutto amore, contempla stupefatto l'immagine
della donna: la invoca e poi l'allontana, la desidera e quindi
la respinge, per ritornare ancora a invocarla. Deluso, perché insoddisfatto, Petrarca implora di venire liberato dalla
passione e infine, in una preghiera alla Vergine, chiede che
cessi il tormento, reclama pace e oblio. Laura è modesta,
casta, gentile. Così la vede il poeta innamorato. Le fanno
ornamento le virtù più alte. Ma tutto questo conta assai poco. Vale molto di più la sua immagine splendente di bellezza. I capelli sono d'oro, i begli occhi appaiono ora lucenti
ora soavi, il sorriso è dolcissimo e le labbra sono "rose ver-
miglie", il viso è di neve, il collo di latte, le mani bianche e
sottili.

Questa immagine accende la fantasia del poeta: ma il fuoco dura poco, perché gli ornamenti bellissimi di Laura diventano astratti nel momento stesso in cui si incarnano nella parola della poesia. Così intorno alla donna si apre un paesaggio leggiadro e ridente, ma irreale: le erbe, i fiori, i dolci colli, le acque limpide, i cieli sereni non hanno una consistenza concreta, sono soltanto parole dal bel suono, riecheggiano come note musicali. Così solo un bel suono armonioso è lo stesso nome di Laura: un suono che si modifica nel proprio significato (si fa "l'aura" o "lauro"), ma che rimane tale e quale (o varia di pochissimo) nel gioco delle vocali e delle consonanti.

C'è una tacita congiura di astrazione nelle rime di amore di Petrarca. La bionda fanciulla amata dal poeta è bellissima, ma è senza corpo, il suo profilo non si potrebbe definire, resta un profilo diafano, trasparente, come evanescente è lo spazio che la circonda: uno spazio che prende beltà da lei e le rende bellezza a sua volta.

Petrarca parla di Laura, dice e ridice a lettere chiare del suo amore per lei: ma la donna che invade con il proprio nome la poesia resta completamente assente e l'amore del poeta perde qualsiasi punto concreto di riferimento. Petrarca ama insomma soprattutto il suo amore. "Viva o mora, o languisca" l'amore, uno "stato" più gentile "del mio non è sotto la luna", scrive il poeta e in ciò resta contento. C'è allora un solo paesaggio che fa vero spettacolo nelle poesie: ed è quello dell'anima del poeta travagliata da inquietudini e incertezze, da dubbi e da pensieri.

Il *Canzoniere* di Petrarca, come già la *Commedia* di Dante, vorrebbe proporre la storia di un'anima che si libera dal peso del corpo e si alza verso Dio. Ma Petrarca è il poeta dell'autunno del Medioevo: il dissidio tra terra e cielo non può dunque essere più composto. La poesia di Dante era visitata dal continuo spavento del peccato, la poesia di Petrarca è invece turbata da un'ombra di malinconia. Quest'ombra malinconica viene anche da una forte nostalgia dell'infinito. Petrarca sente effimera ogni gioia del mondo: l'amore non può essere che deluso, il sogno della gloria si fa vano nel confronto con il tempo, la bellezza ha una sua fine. I begli occhi di Laura con la morte si sono fatti "terra oscura".

In questa sottile malinconia la poesia di Petrarca non interpreta un dramma soltanto personale, ma di un'intera età. Il conflitto tra la terra e il cielo era stato tipico dell'antica coscienza medioevale: la conciliazione fra carne e spirito sarà invece di lì a poco il grande sogno del Rinascimento. La malinconia petrarchesca nasce appunto da questa coscienza di non appartenere ancora a un ordine di valori già sicuri, da questo sentirsi a metà strada, in balìa del dubbio e dell'incertezza.

## "Cantando il duol si disacerba"

La malinconia di Petrarca sa farsi dolce, quando il poeta affida gli affanni alla parola. "Cantando il duol si disacerba": comporre versi vuol dire pacificare il cuore. I motivi autobiografici della poesia petrarchesca hanno una loro crudezza, che si fa però eco lontana nella parola scritta. Ogni conflitto dell'anima passa nella poesia come attraverso un filtro, che lo purifica e gli toglie vita, per dargli poi una vita nuova, protetta dall'armonia delle belle forme: questo filtro è l'alto decoro dello stile, appunto il gioco sublime della parola letteraria.

Un erudito potrebbe segnare con abbondanza, in margine ai versi puliti e tersi del *Canzoniere*, reminiscenze di pensieri e immagini, tracce di costruzioni sintattiche e di stile, che arrivano a Petrarca dagli amati scrittori della classicità, come dalla poesia provenzale e da quella siciliana, oppure dallo stil novo. Anzi, questo erudito, con saccente pedanteria, potrebbe leggere la poesia di messer Francesco come un *collage* sapiente di parole altrui. L'errore sarebbe davvero grande. Tutta la storia della poesia, a ben guardare, è sempre la storia di una rapina, senza complessi, di ciò che è stato già scritto da altri in altri tempi.

Le parole dei poeti del passato risuonano nell'animo di Petrarca, prima ancora di essere segnate sulla pagina, creano un clima di affetti trepidi e fanno compagnia: danno al gioco della poesia lo stupore del miracolo, creano la sensazione cara di una comunione universale di ogni spirito gentile, danno alla parola letteraria il potere magico di mutare segno a tutta la realtà, di trasformarla in una realtà nuova, che non soffre più di pene e di spaventi.

E allora lo stile limpido, l'armonia perfetta, la mirabile trasparenza della scrittura di Petrarca incarnano i bei sogni e le tristi delusioni, i tormenti e le speranze, legano tra loro irrequietezza e oblio. Tutto diventa gioco disinteressato: ma in questo gioco all'apparenza spassionato entra il mondo intero e l'anima che lo riflette. Si ripensa alla mescolanza, tipica della *Commedia*, di una materia sublime e turpe. Nel *Canzoniere* invece la realtà, con le sue durezze, con le sue asprezze, viene esclusa: nella poesia infatti ha diritto di cittadinanza soltanto ciò che è alto e nobile.

Se la *Commedia* dava l'impressione di un grande monte con dirupi e balzi, con declivi leggeri e orribili strapiombi, con prati verdi e lividi ghiacciai, il *Canzoniere* invece dà l'impressione di un bel colle dalle linee morbide, mai interrotte, dalle colorazioni tenui e sfumate. E questo accade appunto, soprattutto, nel linguaggio. La lingua di Dante era composita, stridente, perciò ricca di vocaboli aspri e impensati di origine ora dotta ora plebea. La lingua di Petrarca invece è sempre selezionata: rifiuta i vocaboli più forti, esclude ogni espressione rude, ogni cadenza aggressiva o arcigna, tende a un'uniformità rigorosa, a un'armonia di insieme.

Se Dante urla o fa la voce fioca, Petrarca colloquia invece sempre a voce bassa, con pacatezza, con amicizia. Nasce così con lui la lingua nuova della poesia italiana: una lingua astratta, ma cordiale, quasi una lingua degli angeli, colta, raffinata, che pare durare eterna, ma che sa restare familiare. Sarà la lingua a cui farà riferimento tutta la civiltà del Rinascimento. Sarà la lingua con la quale si confronterà in Italia ogni poeta, su su fino ad Alfieri, Foscolo e Leopardi; e ancora oltre, fino a D'Annunzio e poi a Gozzano.

# Giovanni Boccaccio

## Tra Napoli e Firenze

Dante era andato a imparare retorica da Brunetto Latini: di famiglia nobile, per quanto decaduta, poté studiare con tranquillità. Petrarca, figlio di un notaio benestante, seguì corsi regolari fra Montpellier e Bologna, in atenei famosi: non studiò lettere ma giurisprudenza, è vero, ma poté vivere ugualmente in compagnia dei suoi prediletti libri. Giovanni Boccaccio, per vocazione letterato, per studiare ciò che amava fu costretto a ritagliarsi il tempo. Figlio di un mercante, era stato destinato dal padre alla mercatura. Era nato a Firenze (o forse a Certaldo) nel 1313: appena uscito dall'adolescenza fu mandato dal padre a Napoli, per fare pratica in una banca.

Boccaccio ha dei bei danari e ne approfitta, senza ammazzarsi di certo per il lavoro. A Napoli infatti conduce una vita spensierata da gran signore. Nella città arrivano persone stravaganti da tutto il Mediterraneo. Ma a Napoli c'è soprattutto la corte raffinata degli Angioini: una corte dove si sa goder la vita. Boccaccio osserva il variopinto mondo che lo circonda, ci entra dentro, curioso e sempre aperto all'avventura.

C'è un solo problema per questo giovane esuberante: la forte nostalgia per quegli studi letterari regolari che gli sono stati negati. Il suo studio dunque è appassionato, ma senza disciplina: la sua cultura, insomma, è un po' casuale. È una cultura da autodidatta, a salti e per frammenti, che lo porta a leggere i classici, Dante, Petrarca, i poeti francesi, tutto alla rinfusa: ma è anche una cultura libera, che non subisce schemi preordinati.

Nel 1340 c'è una svolta. Il padre di Boccaccio resta coinvolto nel fallimento del Banco dei Bardi a Firenze, del quale era diventato socio. Giovanni perciò, da un giorno all'altro, è costretto a ritornare a casa. Napoli (sono parole sue) era città "lieta, pacifica, abbondevole, magnifica", Firenze invece gli appare triste e grigia, "noiosa" con quella gente che bada soltanto ai propri affari: una gente "superba", "avara", anche "invidiosa".

Nella realtà dei fatti la vita fiorentina non gli è gradita perché fatta di ristrettezze e quindi di privazioni. Boccaccio deve contare i soldi prima di spenderli, deve trovare anche il modo, con un impiego, di procurarsi di che campare: e ciò non gli piace affatto, perché la sua passione per il lavoro è poca cosa. Ciò nonostante negli anni che vanno dal 1340 al 1350 scrive tutte le novelle del *Decameron*. Il libro avrà fortuna. Farà il suo autore celebre e gli renderà la libertà. La fama di novelliere infatti gli regalerà, se non proprio una vita agiata, almeno un'esistenza quieta, senza pressanti assilli.

Nel 1362 Boccaccio si ritira nella sua casa di Certaldo e qui, senza più scialare, fa ciò che avrebbe dovuto fare in gioventù, se fosse stato meno spensierato: studia con metodo i classici latini e greci, legge con gran passione la *Commedia* (di cui darà lettura pubblica, in una chiesa a Firenze, nel 1372), coltiva soprattutto l'amicizia con Petrarca e con gli altri maggiori letterati del suo tempo. Morirà sufficientemente ricco e famoso, ma soprattutto soddisfatto, il 21 dicembre del 1375.

*L'uomo tranquillo*

Prima di scrivere il *Decameron*, Boccaccio svolge un'intensa attività letteraria, che si concretizza in opere mediocri: in esse tuttavia impara a dare forma di racconto a una materia autobiografica. Così in un poemetto del 1355, dal titolo *Filostrato* (che significa "vinto d'amore"), narra l'esperienza di una sua passione giovanile, ma la camuffa nella storia di un amore mitologico. Così in un testo narrativo in prosa del 1336-1338, dal titolo *Filocolo* (che vuol dire "pena d'amore"), racconta una serie di amori contrastati tutti a lieto fine. Nell'una e nell'altra opera Boccaccio sfoggia una cultura disordinata, che pesca libera dai testi antichi della classicità, come da quelli più recenti della tradizione romanzesca del Medioevo in Francia. Ma, soprattutto, nel *Filostrato* e nel *Filocolo* colleziona con gaiezza caratteri e casi umani, ambienti e situazioni narrative.

Questo gusto del catalogo, questo divertimento di classificare il mondo senza ingabbiarlo in schemi astratti, senza guardarlo troppo dal di dentro, resterà tipico di Boccaccio: diverrà anzi la caratteristica più visibile della sua scrittura letteraria, il modo originale cioè di trascrivere e interpretare il mondo nella parola.

Boccaccio cancella l'inquietudine del Medioevo, non soffre di malinconia, non guarda sopra di sé, su, verso il cielo: la nostalgia di Dio gli è sconosciuta. Boccaccio non si avventura, d'altra parte, neppure in viaggi introspettivi troppo profondi, non perde tempo a scrutarsi dentro, tiene invece gli occhi ben fissi sulla terra, osserva ciò che gli accade intorno e se ne sta tranquillo, in compagnia di ciò che il suo sguardo attento incontra nel mondo, sia esso bello o brutto importa poco.

Boccaccio è contemporaneo di Petrarca, gli sarà pure amico: lo ammira, ma non lo imita. Petrarca, lo si è visto, è attratto dalla terra, ma soffre di malinconia celeste. Per non correre pericoli eccessivi, prima di accogliere il mondo nella scrittura, lo seleziona: e la selezione è aristocratica, persino schifiltosa. Boccaccio invece non ha remore né timori: il mondo gli piace tutto e ne diventa cronista, con entusiasmo.

Il *Canzoniere* è l'opera di uno scrittore solitario che cerca compagnia: di uno scrittore che vive per conto proprio, bada soltanto a sé. Il *Decameron*, scritto tra il 1349 e il 1353, è invece l'opera di uno scrittore socievolissimo: di un uomo il quale sa stare bene anche con sé, ma al tempo stesso cerca di intrattenere piacevolmente gli altri, di far brigata con loro in allegria.

## La piacevole brigata

Difatti ciò che accade a un'allegra brigata di giovani spensierati fa da cornice alle cento novelle del *Decameron*. Nel 1348 a Firenze infuria la peste: Boccaccio immagina che una compagnia di sette donzelle e di tre giovani decida di cercar scampo al contagio in un rifugio sicuro di campagna. Qui la brigata, lontana dal pericolo, trascorre il tempo fra canti e balli, banchetti e giochi. Per le ore più calde del meriggio si stabilisce un rito. Sarà eletto un re o una regina fra i dieci, a turno per ogni giorno, e il re o la regina sceglieranno un tema, su cui ognuno racconterà una novella. Il rito si ripeterà per dieci giorni: di qui viene il titolo della raccolta, perché *Decameron* significa appunto "dieci giorni".

Nella prima giornata "si ragiona" di quello che più piace "a ciascuno": il tema è dunque libero. Nel secondo giorno si narra di chi, disturbato da mille ostacoli, "sia oltre alla sua speranza riescito a lieto fine": i racconti si snodano cioè sul tema del saper vivere, che sa piegare la forza cieca della "Fortuna". Nella terza giornata si rievoca la gioiosa commedia dell'amore terreno: ma anche questo è un semplice pretesto, per dire piuttosto dell'intraprendenza, attraverso cui l'uomo raggiunge il proprio scopo.

L'amore è il tema della quarta e quinta giornata: dapprima sono protagonisti delle novelle quelli i cui amori ebbero esito "infelice", poi quelli che "felicemente" raggiunsero il loro fine. La sesta, la settima, l'ottava giornata celebrano ancora, in forme via via diverse, l'arte del vivere. Nella sesta si ragiona "di chi con alcun leggiadro motto", oppure con "pronta risposta", seppe evitare a sé "perdita o pericolo o scorno". Nella settima si raccontano le "beffe" fatte ai mariti dalle donne, "o per amore o per salvamento" loro. Nell'ottava si discorre di "quelle beffe che tutto il giorno o donna a uomo o uomo a donna, o l'uno uomo all'altro" vanno a farsi.

La nona giornata di nuovo è a tema libero: riproduce, quasi in una forma di congedo, i motivi proposti e svolti nei giorni precedenti. La decima giornata conclude il libro su toni alti: racconta infatti di gesti nobili o di eroiche virtù.

C'è sempre nelle novelle una traccia visibile di vissuto. Il *Decameron*, spiega Boccaccio, nasce da un impulso di memoria e ha una finalità esplicita: quella di giovare, con la piacevolezza del racconto, a coloro che soffrano per amore o che per amore abbiano patito. Anzi Boccaccio è ancora più esplicito e preciso. Nel *Proemio* del proprio libro dice di volere soprattutto come pubblico un uditorio femminile: perché le donne, a cui la Fortuna ha negato la distrazione della caccia e del gioco, del commercio o del lavoro, solamente nel sentire narrare storie piacevoli possano trovare sollievo ai propri affanni sentimentali.

È importante questa definizione di un pubblico così particolare: perché crea uno spazio di risonanza alla parola letteraria, dà figura di un ambiente ideale, a cui Boccaccio pensa concretamente, mentre racconta. Dante voleva attraversare i secoli con il dire profetico della *Commedia*. Petrarca cercava un colloquio intimo, segreto, quasi sottovoce, con un lettore ideale, volta per volta privilegiato, a cui potersi aprire totalmente. Boccaccio invece ha bisogno per esprimersi di questo pubblico non troppo ampio, ma neppure troppo selezionato. Ha bisogno di questa corona di uditrici, che facciano circolo intorno a lui, per ascoltarlo e insieme per far eco alla sua parola, che gli garantiscano compagnia, subito, lì, nello stesso momento in cui si mette a raccontare.

## Il quadro e la cornice

Per abitudine scolastica un'opera la si legge a brani: si finisce così (senza neppure accorgersene) per identificarla in poche pagine esemplari. Questa abitudine andrebbe dimenticata: un'opera letteraria ha sempre una struttura che la regge e gli infiniti splendidi particolari che la compongono perdono significato e forza se vengono soltanto considerati in sé, dimenticando l'insieme a cui in realtà appartengono.

Per rimanere a Boccaccio, sarebbe davvero un grave errore sottovalutare l'importanza che hanno, nella struttura del *Decameron*, i resoconti che l'autore dà della festevole attività della brigata. Sarebbe un grave errore cioè non tenere conto degli intervalli narrativi che Boccaccio inserisce fra il racconto di una novella e l'altra. Da un lato dunque ci sono le cento novelle che i dieci giovani, per dieci giorni, sviluppano sui temi via via proposti. Dall'altro lato c'è quella che viene detta la "cornice": la descrizione che Boccaccio stesso dà di ciò che accade alla comitiva, del tempo e del luogo in cui i giovani trascorrono il loro lieto vivere.

Nelle novelle (lo vedremo) si muove un'umanità variopinta e sempre indaffarata; in esse si fa riferimento a una geografia ampia, che diventa teatro d'imprese ardite o truffaldine; nei cento racconti si evocano gesti e movimenti di ogni sorta. Nel quadro comunque domina sempre l'agire umano. Nella cornice invece prevale la contemplazione: i gesti dei protagonisti si fanno composti e lenti, come se si adattassero nel ritmo cadenzato a uno spettacolo di grazia e di armonia. Lo spazio si riduce a uno sfondo immobile: è lo scenario fisso, rasserenante, di una campagna idillica, che ben si addice al clima sereno di ozio e di vacanza. Su questo sfondo si stagliano i bei profili, i ritratti in posa dei dieci giovani.

La cornice è complementare al quadro: con esso costituisce un insieme indivisibile. Un'immensa esperienza di vita è presente nelle novelle del *Decameron*, fa ressa sulla pagina, si incarna con divertimento nella parola: ma è presente come può esserla a chi, dopo aver saputo entrare e vivere nel mondo senza paura, sappia anche contemplare il mondo con distacco, da un alto belvedere. Se nelle novelle si rappresentano infatti le "forme di vita" innumerevoli in cui gli uomini si agitano nel mondo, nella cornice Boccaccio invece guarda, curioso e compiaciuto, a un'ideale "vita di forme", che pure lo intriga.

Non a caso nel *Proemio*, lo abbiamo appena visto, Boccaccio dice di voler giovare, con il proprio libro, a tutti coloro che sono afflitti dalle pene dell'amore. E non a caso, qui, esce in un accenno esplicito alla sua personale esperienza di vita, raccontando del bel piacere che nasce quando si acquieta la tempesta delle passioni.

Boccaccio vuol dire che soltanto dalla vita può nascere una norma per imparare a vivere: e insieme che questa "arte

del vivere" così acquisita può, a propria volta, tornare utile
per conoscere meglio il mondo. La complementarità, quasi a
specchio, tra cornice e quadro, svela un'impalcatura visibile
nel *Decameron*. Dal di fuori quest'opera dà l'impressione di
un edificio, saldo e squadrato nelle linee esterne, armonico
in quelle interne, per quanto variabile all'infinito negli innumerevoli particolari. Questi particolari possono apparire di
volta in volta stravaganti, come se fossero sempre svincolati
l'uno dall'altro: e invece, se si sta attenti, sono disposti con
intelligenza, secondo simmetrie precise e calcolate.

L'ordine del *Decameron* non è quello della *Commedia*.
L'ordine di Boccaccio non è rigido come l'astratta e visionaria disciplina di Dante: è un ordine leggero che lascia margine alla bizzarrìa, che ammette l'eccezione, come una variabile prevista, per quanto incontrollabile nel proprio capriccio.
In Dante la disciplina al caos del mondo era imposta dall'alto e dal di fuori, veniva comunque da una forte regola intellettuale e insieme da una visione ispirata dalla teologia. In
Boccaccio invece il gusto della geometria ammette la libertà,
e il controllo consente la trasgressione: perché l'ordine nasce
all'interno dell'osservazione stessa della realtà umana. In
questa realtà disordinata Boccaccio se ne sta quieto, senza
spavento mai, spesso divertito invece, stupito sempre piacevolmente.


## Cronista nel caos del mondo

Il disordine del mondo entra dunque nel *Decameron*: ma
è un caos che invade spazio e tempo senza turbare nessuno,
che può anzi rallegrare chi l'osserva. C'è nelle pagine di Boccaccio, cronista di questo disordine divertente, una varia
geografia che si allarga a città e regioni d'Italia e d'Europa.
E c'è un tempo concreto che va dal presente al passato prossimo, come a quello più remoto di Roma e della Grecia antiche.

Nel *Decameron* ogni luogo, tutti i fenomeni naturali vengono registrati: ed ecco allora fiumi e mari, boschi, giardini,
città e campagne a rendere lieto il mondo. E ancora, una per

una, le ore del giorno e le diverse stagioni. Infine le tante vicende dell'atmosfera: piogge e venti, burrasche e cieli sereni.
Appaiono sulla pagina via via, come se si fossero dati convegno a una parata, gli uomini "gentili" o "vili", di una società
che ormai è in declino: re, cortigiani e feudatari, fra contadini, soldati e servi. Ma insieme a essi si mescolano anche gli
uomini della civiltà nuova dei Comuni: mercanti e medici,
giudici, artigiani e artisti.

Tutto ciò che accade nella vita è riprodotto nelle azioni
dei personaggi di Boccaccio: dalle più basse funzioni fisiolo-
giche alle più alte attività spirituali, dai gesti banali di ogni
giorno alle azioni rare ed eroiche. Così nelle cento novelle
trova spazio qualsiasi ideologia.

C'è la visione "cortese" del mondo, che esalta la liberalità
magnanima, ma c'è anche la visione "borghese" della vita,
che bada più al concreto: all'utile economico immediato, al
successo carpito dall'individuo sul momento. Questi valori,
nel mondo del *Decameron*, non si mettono in conflitto fra di
loro, non propongono quasi mai una secca alternativa, né
costringono a rigide scelte di princìpi. Possono convivere in
armonia o indicano addirittura un superiore ideale di civiltà:
i quattrini sono condizione indispensabile al vivere splendido e il vivere splendido giustifica il valore dato al danaro.

L'osservazione del disordine variopinto del mondo domina nel *Decameron*: ed è un'osservazione curiosa che si compiace a contemplare lo spettacolo dell'intelligenza umana
come della stupidità. Così Boccaccio indugia nel tratteggiare il profilo di ser Ciappelletto, eroe del traffico e dell'im-
broglio, il quale, dopo una vita di vizi e peccatacci, con una
falsa e sacrilega confessione, riesce a ingannare il mondo anche in morte: e acquista fama perpetua di santità. Così Boccaccio si ferma a raccontare la dabbenaggine davvero spettacolare di Calandrino, vittima di una beffa grossolana or-
ganizzata ai suoi danni, che gli procura non solo botte e sas-
sate, ma che lo chiude anche alla fine in una ridicola malinconia.

Vizi e virtù, arguzie e sciocchezze entrano in folla nel *Decameron*: ma non si deve pensare che tutto ciò sia accumula-
to alla rinfusa e senza senso, come in un bazar di cose strane.

Al contrario spesso questa rappresentazione tanto estesa svela un progetto di celebrare la qualità di un nuovo modello di
uomo. C'è nel *Decameron* un campionario di ostacoli e di situazioni difficili, di fronte a cui la Natura e la Fortuna mettono l'uomo. Ma proprio attraverso queste difficili situazioni l'uomo di Boccaccio verifica la sua arte del saper vivere.

Tipico è il caso di Andreuccio da Perugia, il quale, venu-
to a Napoli per acquistare cavalli con una borsa d'oro, si lascia abbindolare da una bella e astuta siciliana ed entra in un
labirinto, dove le strade facili si rivelano di colpo strette o
chiuse e dove invece i vicoli ciechi spalancano, per magia,
impensabili vie di uscita. Attraverso peripezie ed errori, Andreuccio impara a districarsi, e diventato esperto del saper
vivere si trae di impaccio, per poi riuscire a risolvere a proprio vantaggio la sua avventura.

Boccaccio insomma loda l'intelligenza attiva ed energica
della nuova società borghese, che sa dominare la realtà, pie-
gandola ai propri fini. Esalta l'abilità dell'uomo nel superare
gli ostacoli frapposti dalla Natura, dalla Fortuna, dagli altri
uomini. Magnifica la spregiudicatezza dell'azione quando sa
raggiungere lo scopo. Lo scopo è il godimento lieto di beni
molto terreni: l'amore, i cibi saporiti e le bevande, la vita
agiata, le ricche case, i bei divertimenti. Ma questo scopo
può essere anche il solo compiacimento nell'abilità di trarsi
da qualsiasi impaccio.

Così frate Cipolla, predicatore senza scrupoli, che sa stupire sempre il pubblico dei creduloni, risolve il possibile
danno di una beffa in un grande guadagno. Nel momento
più importante della sua predica scopre che un burlone gli
ha sottratto la penna di pappagallo che è solito contrabban-
dare come una penna delle ali dell'arcangelo Gabriele. Al
posto della penna trova infatti dei pezzi di carbone. Frate
Cipolla sa mutare però copione all'improvviso. Spaccia i
carboni come quelli del martirio di san Lorenzo e giocando
sulla sua stessa meraviglia riesce tanto più a colpire la fantasia di chi lo sta ascoltando.

Il mondo è vario e Boccaccio non rinuncia a nulla. Accanto all'ammirazione per l'intelligenza e per l'energica intraprendenza che sanno modificare la realtà, può stare sen-

za problemi il culto dell'alto contegno signorile, della nobile generosità spettacolare, dei gesti eroici. Insieme al piacere dei motti arguti e volgari può stare il gusto dei discorsi raffinati.

Accanto a ser Ciappelletto, a fra' Cipolla, a Andreuccio da Perugia, possono convivere infatti Federigo degli Alberighi, un giovane "in opre d'arme e in cortesia pregiato sopra ogni altro donzel" della Toscana, oppure Guido Cavalcanti, uomo "ricchissimo" e "leggiadrissimo", esperto parlatore, che ogni cosa "gentile" volle fare, "seppe meglio che altro uom fare".

Con il *Decameron* insomma la nuova società borghese va in armonia con i valori cortesi della vecchia civiltà del Medioevo: trova perciò la propria espressione letteraria più compiuta e in essa si nobilita per sempre.

# Dal Medioevo al Rinascimento

*Luci e ombre del Trecento*

Il *Decameron* di Boccaccio è il fiore più splendido della prosa trecentesca, ma non esce improvviso, né rimane isolato. Narrare belle storie o esemplari anedotti, divertire raccontando con saggezza e arguzia, è costume di una civiltà, nella quale il vivere intensamente (e il narrare la vita intensa) sa opporsi alle cupe paure d'oltretomba, alle forti passioni e agli affanni politici.

Negli ultimi decenni del Trecento c'è un'altra raccolta di novelle: è di **Franco Sacchetti** (1332-1400), fiorentino, mercante, nonché scrittore per diletto. Nel *Trecentonovelle* di Sacchetti non ci saranno gli intrecci complessi dei racconti di Boccaccio, né tanto meno la struttura salda del *Decameron*. Troveremo trame semplici, scorciate, molto spesso risolte nel gusto della battuta a effetto, del caso di vita curioso o stravagante: come è proprio, per l'appunto, di chi scrive per svagare o svagarsi, per distrarsi o distrarre un pubblico, al quale si vuol dare sollievo dalle cure del mondo.

Queste cure invece costituiscono lo sfondo delle opere di alcuni cronisti della vita politica fiorentina. **Dino Compagni** (1246/47-1324), già priore a Firenze nel 1289 e nel 1301, racconta con passione tutto ciò che visse. Nella *Cronica delle cose occorrenti ne' tempi suoi* di Compagni entra dunque la storia di Firenze dall'inizio del secolo, con lo scontro fratricida delle opposte fazioni, con gli intrighi di papa Bonifazio VIII: e poiché il cronista, come Dante, fu tra quelli che conobbero la sconfitta e l'esilio, il libro si ravviva in un'accanita discussione politica, si inasprisce in giudizi molto duri, quasi che la sua penna divenisse finalmente un'arma affilata per una giusta vendetta.

Vincitore al contrario fu **Giovanni Villani** (1267-1348) e perciò la sua *Cronica* è pacata, più attenta a minuzie, più entusiasta, si capisce, a narrare gli splendori della vita comunale fiorentina.

È un esercizio astratto, ma non arbitrario, il guardare a un insieme composito di scritture e di esperienze letterarie. I frammenti di tantissime voci lontane, e magari stonate fra di loro, costituiscono infatti alla fine un coro dissonante ma concreto della babilonia dei discorsi di una lunga stagione letteraria. E c'è allora nel Trecento chi vuole vivere le passioni politiche, per poi farsene testimone. Come c'è chi vuole starsene lontano, consapevole della propria lontananza, per scrivere solamente per svagarsi. Come c'è, soprattutto, chi si stacca per sempre dal mondo e ritorna all'antica vocazione medioevale di guardare verso il cielo, di gioire o soffrire con Dio.

Anche questo coro religioso di poeti e scrittori è un coro dissonante negli echi delle voci diverse che ci sono pervenute. Suona ancora forte nel Trecento il candore stupefatto della voce francescana: nei *Fioretti di san Francesco* (un'anonima raccolta di episodi esemplari) c'è di nuovo quel clima di attesa fiduciosa, quella compagnia universale delle tante creature, che animava il *Cantico di Frate Sole*.

Ma alla voce bianca della tradizione francescana si accompagnano nel coro altre voci cupe: e ritorna minacciosa un'immagine non cordiale di Dio, un'immagine terribile nella propria grandezza, nella sua lontananza dall'uomo. È un'immagine di Dio che spaventa nel giudizio, che propone di nuovo l'angoscia del peccato, con l'orrore della carne.

L'uomo perseguitato dal demonio seduttore, il corpo straziato e martoriato, le pene dell'Inferno, le visioni allucinate, i sogni stravolti dagli inganni del peccato: questi temi, tutti insieme, tornano nello *Specchio di vera penitenza* di **Iacopo Passavanti** (1302-1357). È un altro breviario a tinte tetre dell'immensa paura medioevale di Dio: un breviario nel quale tornano a dominare i motivi della morte, del giudizio terribile di Dio, delle pene d'oltretomba.

C'è una voce diversa, più complessa, nell'autunno del Medioevo: ed è quella che si ascolta nelle *Lettere* di santa **Caterina da Siena** (1347-1380). Caterina lascia il mondo, si fa monaca, attraversa anche lei l'esperienza del martirio corporale, del cilicio e del digiuno, ma alla fine approda a visioni liete e luminose.

Caterina scrive al Papa, scrive a re, a regine, scrive a prìncipi, a fratelli e sorelle, scrive a tutti perché vuole raccontare a ognuno ciò che ha visto e vissuto dentro sé. Caterina, senza averne spavento, è discesa nell'intrigo misterioso dell'anima, per sentire, con dolcezza e con tremore, ogni moto del cuore. Ha scoperto alla fine che il sentire terreno non esclude l'amore per Dio. È una grande scoperta. È una luce che allieta. E Caterina la comunica con gioia.


## La rinascita umanistica

Con santa Caterina da Siena l'oppressiva spiritualità religiosa del Medioevo sembra ormai già al tramonto: il peccato non è più fatale condanna per l'uomo, diventa una libera scelta. Ciò significa che l'uomo finalmente può tornare padrone del suo destino. E difatti fra la fine del Trecento e l'inizio del Quattrocento si afferma pian piano il mito della "rinascita".

Il Medioevo aveva proposto un'immagine debole ed effimera dell'uomo, segnata per sempre dal peccato di origine, oppressa dalle miserie della carne, minacciata dalle insidie del demonio. L'uomo umiliato poteva sperare la salvezza solo da Dio: e guardava allora verso il cielo, estasiato o impaurito. Ora invece ritorna a guardare se stesso e ciò che gli si muove intorno: riscopre la propria energia, la propria forza creativa.

L'uomo della "rinascita" sarà un essere liberato: consapevole della propria intraprendenza, cosciente della capacità di piegare la realtà, di rifarla o modellarla con l'intelligenza. La scoperta è magnifica: è un risveglio da una lunga oppressione, un ritorno finalmente a respirare l'aria aperta e leggera. È un risveglio che promette giorni splendidi di avventure in una nuova conoscenza.

Il futuro è grandioso nelle promesse, ma intanto il presente, anche solo il presente, appaga, perché l'uomo rinato può intanto contemplare, soddisfatto, il già fatto e narrarselo come suo. "Nostre infatti, e cioè umane perché fatte dagli uomini", dice un **Giannozzo Manetti** (1396-1459), declamando spavaldo un'orazione sulla *Dignità e eccellenza dell'uomo*, "sono tutte le cose che si vedono: le case, i villaggi, le città; tutte infine le costruzioni della terra che sono tante e tali, che per la loro grande eccellenza dovrebbero a buon diritto essere ritenute opere piuttosto degli angeli... Sono nostre le pitture, le sculture, le arti e le scienze..." Pare un inno felice, in cui l'uomo si riappropria alla fine di sé.

Gli uomini della nuova cultura, che sarà poi detta umanista, lentamente maturano la loro esperienza ed esprimono una rinnovata concezione di vita, confrontandosi con il passato, studiando, leggendo, scegliendo i maestri lontani o vicini nel tempo. Riascoltano ovviamente l'eco ancor viva delle voci di Petrarca e Boccaccio, ma vanno soprattutto, con spirito completamente nuovo, a riscoprire i classici: i latini specialmente.

Nei testi degli antichi scrittori trovano una concezione di vita più affine alla loro: ritrovano un modello di uomo consapevole della propria dignità, del suo grande destino terreno, nel quale si riconoscono pienamente. Dopo aver rinnegato il Medioevo come età di barbarie, interposta fra passato e presente, questi nuovi umanisti si daranno con passione allo studio dei classici, scopriranno in quei testi congeniali la misura per comprendere se stessi, e insieme, per l'appunto, il modello ideale da cui trarre ogni stimolo e guida a pensare e operare.

*La passione filologica*

Più avanti nel tempo, lo vedremo, sarà proposto un vero e proprio canone di imitazione. Ma per ora il problema più urgente è quello di rimettere alla luce i testi dei classici: di rileggerli soprattutto nella loro integrità. Gli umanisti si muovono dunque verso le vecchie biblioteche dei conventi a cercare gli antichi manoscritti. Ed è un frugare attento, un esplorare entusiasta e paziente per scoprire e poi leggere, postillare e quindi trascrivere, per trasmettere infine le scoperte ad amici vicini e lontani.

C'è quasi un furore religioso nella comune passione di questi umanisti. È uno dei momenti assai rari della nostra storia letteraria, nel quale tanti uomini soli e assorti in un sogno si aggregano in un gruppo compatto e trovano una interiore compagnia che fa bene. Girano infatti per tutta l'Europa lettere esaltate e commosse. **Poggio Bracciolini** (1380-1459), per esempio, dal convento di San Gallo, vicino a Costanza, parla di un'inaspettata scoperta. Tra la muffa e la polvere della biblioteca di quel convento ha trovato un codice intatto. Ne scrive con animo lieto, festante, a un amico: racconta la scoperta come avesse davvero liberato un tesoro sepolto in un "carcere" dai "barbari" del Medioevo.

Gli umanisti scovano dunque i manoscritti e poi li studiano con grande amore. Nascono allora accademie, congreghe, sotto la protezione discreta di prìncipi colti. L'Umanesimo ha la sua culla a Firenze, all'inizio fra i discepoli di Petrarca e Boccaccio; poi gli umanisti si riuniscono alla corte di Lorenzo il Magnifico. A Roma i Papi incoraggiano gli scavi archeologici. A Napoli la corte degli Aragonesi, a Ferrara quella degli Este, a Mantova quella dei Gonzaga chiamano a raccolta poeti e studiosi.

La passione dei classici comporta comunque un'analisi serrata e profonda. Rileggere i testi antichi significa per gli umanisti studiarli con metodo e disciplina. Nasce così la nuova scienza filologica: si tratta di studiare da capo il latino dei classici, bisogna attrezzarsi di strumenti adatti all'indagine scrupolosa del mondo antico, bisogna – prima ancora – restaurare quei testi tramandati molto spesso da copisti ignoranti e distratti.

La scienza filologica ha un esito immediato: porta chi studia a riacquistare il senso della storia. Questa scienza esprime infatti una nuova misura del sapere. Conoscere non può più significare soltanto accettare l'autorità indiscussa dei "padri" del passato, di Aristotele e san Tommaso, per esempio. Conoscere vuol dire affidarsi invece all'esperienza diretta, significa cercare, trovare, confrontare, verificare comunque su dati di fatto concreti, visibili, per capire, distinguere ciò che è vero da ciò che ha solo l'apparenza della verità. Il conoscere cessa dunque di essere un'azione passiva e diventa un'azione diretta: si fa avventura, ricerca senza fine. È quello che accade nello studio degli antichi manoscritti, accade nello studio della natura.

## L'avventura della conoscenza

**Leonardo da Vinci** (1452-1519) lascia scritto, in uno dei suoi tanti frammenti di diario, un breve episodio di vita. Un giorno, mentre cammina, viene a trovarsi per caso all'entrata di un'enorme e oscura caverna. È attratto dal buio che avvolge ogni cosa, tirato da una voglia "bramosa" di andare a scoprire le "vane e strane" forme nascoste in quel buio. Il passo non è facile. Se è forte il "desiderio", forte altrettanto è la "paura": paura per le minacce possibili celate dalla "scura spelonca", "desiderio" di vedere cosa "fusse" là dentro, nell'attesa di trovarvi "alcuna cosa miracolosa".

L'episodio è simbolico. L'avventura della conoscenza, nel secolo XV, è davvero un salto coraggioso nel buio: a vedere e stupirsi, a toccare con mano, misurare, sezionare le forme, per sapere, per conoscere i grandi miracoli della natura. Rimane intatto, stupefatto, lo sgomento religioso nei confronti del mistero: ma è più urgente, più potente, il bisogno di indagare. L'avventura non si ferma in brevi orizzonti, diventa avventura totale. Conoscere il mondo significa studiare tutto: entrare curiosi in qualsiasi scienza, accostarsi a ogni segreto, per tentare, se possibile, di svelarlo.

Nasce allora, con l'Umanesimo, una nuova figura di intellettuale: ed è quella dell'uomo poliedrico che allarga l'interesse di studio a tutte le forme del sapere. Così è appunto Leonardo da Vinci: pittore grandissimo, scultore, matematico, studioso di tutte le scienze, dall'idraulica alla meccanica, dall'anatomia umana alle scienze naturali. Così era stato, ancor prima, **Leon Battista Alberti** (1404-1472): architetto insigne, teorico raffinato delle arti figurative, matematico anch'egli, fisico, musicista, oltreché, ovviamente, letterato.

La ricchezza di queste personalità poliedriche, la loro attenzione curiosa per qualsiasi fenomeno dell'arte e della natura interpretano molto bene la freschezza giovanile del nostro Umanesimo: il senso dell'autentica e integrale rinascita di un uomo, il quale, mentre riscopre se stesso, si appropria anche di quello che ha intorno. L'umanista è un uomo proteso verso un sogno: il sogno magnifico di uno sviluppo armonico e totale di ogni facoltà, il sogno di sentirsi in tutto e per tutto artefice primo del proprio destino.

Questo sogno trova anche un'espressione letteraria importante nell'*Orlando innamorato* di Boiardo. **Matteo Maria Boiardo** (1441-1494) riprende i temi della vecchia epopea carolingia, ma trasforma Orlando, che era stato il grande paladino medioevale della fede e dell'ubbidienza, nell'eroe della nuova cultura. Orlando si fa infatti l'uomo nuovo che sa abbattere ogni ostacolo, che sa imporsi alla Fortuna, che afferma se stesso e ottiene la gloria e la fama.

Ma quest'uomo non è ricco soltanto di forza e di gloria: è sensibile, sa incantarsi di fronte alla bellezza, sa amare con infinita tenerezza. Nell'*Orlando innamorato* ci saranno pertanto grandi battaglie, duelli epici, spettacoli di ardire e di forza, ma insieme mille altre avventure meravigliose, dove mostri, giganti, fate diventano proiezioni figurative di un groviglio vitale di passioni, emozioni, sensazioni: un groviglio che ha la propria misura nella sua stessa esuberanza.

## L'armonia del mondo

Il sogno degli umanisti è tuttavia breve, si corrompe troppo presto in un gioco vago, in un culto astratto di un'armonia ideale che diventa fittizia. C'è nel secondo Quattrocento un'altra personalità poliedrica ed è quella di **Lorenzo de' Medici** detto **il Magnifico** (1449-1492): politico accorto, abilissimo diplomatico, tanto che riuscì per parecchi anni a mantenere la pace e l'equilibrio fra i vari stati italiani; e ancora poeta, curioso di tutte le esperienze letterarie; e infine mecenate davvero "magnifico", capace di raccogliere intorno a sé il fior fiore dell'intelligenza del tempo. Alla sua corte a Firenze (come del resto a quella degli Este a Ferrara e in altre ancora) convengono i letterati da ogni parte d'Italia: protetti dal principe, sollevati da ogni cura, vivono il sogno di un'armonia perfetta, lasciandosi assorbire dalle letture dei classici e dal gioco delle belle parole. Il gusto della riscoperta dei testi antichi, il lungo lavoro filologico per rimetterli alla luce, l'innamoramento nello studio degli antichi manoscritti finiranno per far scovare in essi e poi imporre dei modelli di perfezione da imitare. Da principio contava soprattutto riscoprire in quei testi il prototipo di un uomo compreso della propria dignità. Finirà poi invece per attrarre molto di più nei classici l'assoluta perfezione delle forme.

C'era stata una stagione giovane dell'Umanesimo, nella quale la coscienza della "rinascita" aveva portato a un furore di ricerca, a un ansioso frugare fra i segreti delle biblioteche, come fra quelli della natura. E c'è invece un'altra stagione, più matura (ma anche più invecchiata), nella quale gli umanisti si accomodano in un pigro ideale di vita letterario: dove il sogno dell'armonia del mondo viene appunto incarnato soltanto negli antichi miti leggiadri e nei giochi preziosi di parola.

Il poeta umanista più importante di questa stagione matura è **Angelo Poliziano** (1454-1494). Le sue *Stanze per la giostra* sono scritte con il pretesto di celebrare la vittoria di Giuliano de' Medici (il fratello di Lorenzo) in un torneo d'armi ed esaltano il mito classico dell'eterna bellezza. Il tema è assai gracile. Ciò che conta nelle *Stanze* è tuttavia il decoro: l'apparenza preziosa delle immagini, il perfetto suono del verso, l'intreccio melodioso delle strofe, tutto quanto insomma riproduce pari pari lo splendore dei testi antichi.

Il mondo di Poliziano si fa astratto nel suo idillio perfetto: è un mondo che decora la realtà, una sorta di Eden incantato che ignora la morte e il dolore, che si specchia compiaciuto nella propria armonia. In questo Eden è perenne la primavera. In questo Eden trionfa solamente la bellezza. L'armonia regna dunque sovrana e la quiete sembra eterna.

*L'avventura della parola*

Lo stacco fantastico dal reale, il chiudersi in un mondo ideale di bellezza e armonia, di eterna giovinezza, è un dolce sogno. Ma c'è pure il momento del risveglio che fa male: il momento in cui si prende coscienza che appunto solamente di un sogno si tratta, che è possibile, per quanto lo si neghi, l'improvviso sfiorire di questo bel sogno. Tanto più allora il poeta si accanisce nella fuga dal reale, tanto più si fa avvolgere dalla rete protettiva delle belle parole.

L'astrazione diventa totale e lo stacco fantastico assoluto. Poliziano decora il reale. Sannazaro, un altro poeta della fine Quattrocento, lo cancella e ritorna in Arcadia. Ritorna nella mitica regione della Grecia, isolata sui monti, lontana dal mondo civile, dove vivevano soltanto i pastori a contatto con la natura, in un ozio perfetto. **Iacopo Sannazaro** (1456-1530) sogna dunque l'Arcadia: e la sogna attraverso le parole degli antichi poeti, di cui dà un mosaico limpidissimo, un incastro perfetto, nella propria melodia smemorante.

Questa forte idolatria per l'antica parola, per la sua armonia avvolgente, protettiva, che estrania dagli affanni del mondo, questo amore feticista per il bel suono che sa tutto cancellare riesce ancora tuttavia ad avere uno scatto di vita, perché riesce a riprodurre in sé il motivo stesso da cui nasce. L'avventura della parola letteraria può restare ancora avventura vitale: e tanto più lo diventa quando accoglie in se stessa il reale, quando, si vuol dire, non nega la realtà, ma la interpreta. E ciò accade nel *Morgante* di Pulci, composto tra il 1478 e 1482.

**Luigi Pulci** (1432-1484) ripropone nel suo poema gli scenari e i personaggi dell'antica epopea cavalleresca, come aveva già fatto Boiardo. La materia cavalleresca anche qui è un pretesto: offre infatti al poeta lo strumento per dar corso a un errare fantastico fra le cose mutevoli del mondo, in un gioco libero (e lieto) di parola.

Perché Pulci è attratto dalla splendida mutevolezza delle cose: dal variare delle forme, delle linee, dei colori. La sua gioia è perciò nel dar forma a tutto ciò: la sua gioia sta nell'incarnare nella scrittura questo mondo sempre nuovo, sempre strano. Pulci va allora a cercare le parole più impensate e le accosta tra di loro con capriccio, le stravolge nel significato, le combina in continue sorprese.

Nel "pasticcio" linguistico che compone pesca ovunque: dà la caccia a vocaboli che arrivano dal greco, dal latino, dal francese, va a frugare nell'ebraico e nell'arabo. Si serve di termini tecnici del linguaggio d'ogni scienza e arte. Attinge soprattutto ai diversi dialetti italiani. Il suo impasto linguistico singolare riesce dunque a tradurre, in parole, l'avventura mutevole del contrasto delle cose: delle tante emozioni, degli svariati sentimenti, di cui è ricca la realtà.

Siamo certo su un versante di esperienze ben lontano dalla rigida selezione delle forme che era stata di Poliziano. Tutto ciò conta però poco. È comune l'amore totale per la lingua letteraria, è comune – e matura – la scoperta che la parola in poesia può tradurre tutto il mondo. Non importa poi se per descriverlo o negarlo. Quel che importa è la certezza del forte dominio della parola.

## Il Rinascimento e le corti

Il mito della "rinascita" raggiunge il culmine nei primi decenni del Cinquecento, quando si inaugura la civiltà che viene detta, appunto, del Rinascimento. Questa civiltà è il frutto maturo dell'Umanesimo: è splendida certamente, ma finisce per specchiarsi e chiudersi ostinatamente nel suo splendore. Amplifica ed esalta la scoperta della grande energia creatrice dell'uomo nel mondo, ma insieme la corrompe e la snatura.

L'Umanesimo era nato a Firenze, in un libero Comune che credeva ancora in se stesso: perciò, da principio, lo scrittore umanista era un libero cittadino, confidente in sé, economicamente slegato da ogni potere. Poi invece, con il passare del tempo, questo libero scrittore si aggrega a una corte, va ubbidiente al servizio di un Signore e lo celebra. Ciò accade in maniera vistosa a Firenze, alla corte di Lorenzo il Magnifico, ma accade anche altrove: a Urbino con i Montefeltro, a Ferrara con gli Este, a Roma con i Papi. Il passaggio è fatale e diventa obbligato. La storia di gran parte della nostra cultura rinascimentale appare infatti raccolta all'interno della magnifica cornice di una vita di corte.

Il Signore si fa mecenate delle arti: accoglie a palazzo poeti e pittori, scultori e architetti, li protegge, li paga anche bene, li stimola, senza troppo forzarli nel loro lavoro. Se ne serve talvolta per delicate missioni diplomatiche o per propaganda politica. Ma vuole soprattutto trarre dal loro intelletto lustro e prestigio e insieme vuole esserne lodato, celebrato: gli artisti, pigri, svagati, stanno al gioco, diventano letterati di professione, contenti troppo presto di rivivere quel lontano passato, già vissuto da uomini come Virgilio e Orazio, nella Roma degli Imperatori.

Il poeta diventa mercenario: passa da corte a corte, si lascia ingaggiare e comprare. Tra Ferrara, Urbino e poi Roma si muove, per esempio, Pietro Bembo. Lo stesso itinerario, con la sola variante della partenza dalla corte mantovana dei Gonzaga, percorre Baldassar Castiglione. Con molti altri, Bembo e Castiglione se ne stanno sereni nel chiuso splendore dei palazzi: si adoprano anzi a rendere ancora più splendidi quei palazzi, a dettare regole raffinate di vita e dimenticano intanto la triste realtà delle cose. Sull'Italia scendono Francesi e Spagnoli, cancellano i piccoli stati, li inglobano nei loro più forti giochi di potere. Gran parte dei poeti fanno finta di niente.

Rimane ancora una corte italiana che offre, almeno per ipotesi, l'illusione di condurre una vera politica autonoma di prestigio: la corte romana dei Papi. È un fatto avvilente, ma accade, che gran parte degli scrittori del nostro Rinascimento cerchino, ignorando ogni pregiudizio morale, privilegi ecclesiastici.

Bembo diventa segretario pontificio, più tardi sarà cardinale. Castiglione è protonotario del Papa e quindi nunzio apostolico. Ariosto, anche lui, gode dei benefici ecclesiastici e coltiva persino la speranza di una dignità vescovile, quando sarà eletto papa Leone X, suo amico. Così è pure per i minori: Folengo è monaco benedettino, Firenzuola vallombrosano, Berni si muove ligio al servizio di potenti signori della Chiesa.

Accade anche che Machiavelli e Guicciardini, gli intellettuali più "laici" del nostro Cinquecento, facciano i conti con la Curia. Guicciardini sarà luogotenente delle truppe pontificie. Machiavelli non potrà evitare di guardare alla Chiesa, nel proprio sogno di un principato italiano.

## Il mito della perfezione

Nei raffinati ambienti delle corti rinascimentali si raccolgono dunque gli ingegni d'Italia: sono uomini, tutti, che conoscono e predicano il culto della misura, del decoro, della sobria eleganza di gesti e parole, di un ragionevole equilibrio interiore, che eviti ogni eccesso. Questi uomini tornano a studiare Platone e scoprono che può esistere, al di sopra del mondo reale, transitorio e imperfetto, un mondo ideale, che è invece perfetto, senza tempo. Ripensano a questo mondo ideale e cercano di riviverlo tra di loro: di farlo concreto per se stessi, creature dotate di una superiore cultura e di un genio creatore.

Nasce un progetto grandioso. L'uomo del Rinascimento guarda se stesso e si piace: ma pensa che potrebbe divenire ancora più bello, se riuscisse a esaltare le sue qualità sia del corpo che dell'anima. Basterà dare forte dominio alla ragione sui sensi, senza doverli per questo mortificare del tutto. Basterà coltivare il gusto della bellezza e dell'armonia, il piacere di essere cortesi e generosi. E allora si potrà diventare "perfetti" davvero.

L'ideale della perfezione non è soltanto un bel sogno campato per aria: è un progetto a cui lavorano alacri questi bravi, compìti, letterati. Un progetto nel quale gli artisti e gli studiosi si occupano con impegno e piacere, protetti come sono dagli ambienti di corte, magnifici nella loro sobria eleganza, maestosi nel loro misurato decoro.

**Baldassar Castiglione** (1478-1529) dà allora nel *Cortegiano* il ritratto dell'uomo di corte perfetto: è un uomo superiore, si intende, olimpico nella calma, dotato di una cultura eccellente, di bei modi, ha una grazia naturale di parola, ha una giusta "sprezzatura", che lo fa non troppo spontaneo, né troppo sorvegliato, noncurante magari, ma mai trascurato.

**Pietro Bembo** (1470-1548) invece si occupa dell'amore in un dialogo dal titolo *Asolani*: predica un giusto controllo delle basse passioni, una loro sublimazione nel platonico esercizio di una moderata elevazione dello spirito.

Verrà più tardi **Giovanni Della Casa** (1503-1556) a insegnare con il *Galateo* persino i dettagli più minuti delle buone maniere; intanto **Agnolo Firenzuola** (1493-1543) si preoccupa di dare un ideale ritratto della bellezza femminile: disegna il profilo di una splendida donna in carne, alta, bionda e formosa, che si oppone alla diafana, astratta bellezza medioevale.

Verranno molti altri manuali: il *Principe* di Niccolò Machiavelli e la sua *Arte della guerra* daranno l'immagine dell'uomo politico perfetto, così come della perfetta teoria dell'arte militare. Ma intanto è naturale che tanti letterati, così compiaciuti nel dettare le norme precise per la vita, rivolgano l'attenzione ai problemi del loro mestiere e pensino di indicare, con regole dettagliate, i modelli perfetti di lingua e di arte, nonché dei vari generi letterari.

C'è un comune fervore di intenti, un cordiale e continuo scambio di idee nelle dotte e piacevoli conversazioni che si svolgono nelle tante accademie sorte all'ombra delle corti. E in queste accademie si commenta la *Poetica* di Aristotele, nella fresca traduzione in latino, si discute della lingua letteraria in prosa e poesia. La perfetta letteratura sarà ovviamente la letteratura dei classici che ha raggiunto per sempre l'armonia, che ha segnato un modello ideale insuperabile di bellezza: un modello da imitare attraverso un codice di regole precise.

Per la lingua il problema è più serio. Gli dà soluzione Pietro Bembo. Nelle *Prose della volgar lingua* il modello è segnato nella lingua fiorentina di Petrarca e Boccaccio. Per lo scrivere in prosa il discorso è più vago. Per lo scrivere in versi si concorda su un paradigma: la parola poetica sarà astratta, armoniosa, più importante nel suono che in ciò che rappresenta. Il decoro, la misura, l'armonia hanno dunque la precedenza assoluta su tutto.

# Ludovico Ariosto

## Un uomo tranquillo

Si può vivere sognando e illudersi di vivere in un sogno per davvero. Si può tentare di tradurre in frammenti di esistenza concreta un ideale di vita armonioso: un ideale di vita ordinato da una ragione che vigila sempre, anche quando la mente segue la fantasia. Questi frammenti di esistenza tuttavia non sono la vita, che scappa da tutte le parti e non si lascia inglobare in alcuno schema.

E allora un conto è scrivere un manuale di buone maniere, un trattato, preciso nei dettagli, sulle norme della vita di corte, oppure un prontuario di regole per comporre un perfetto poema. E un conto è invece scrivere poi quel poema, incarnare in parole ben disposte la propria ragione e la propria fantasia. Un conto – ancora più banalmente – è vivere sempre e soltanto di buone maniere e di regole. Così capita per il primo grande poeta del nostro Rinascimento, per quell'Ariosto che entra sorridente, sereno, nella nostra storia letteraria: un uomo tranquillo, beato, soddisfatto – per programma –, contento di esistere e volenteroso di campar bene.

Ariosto diventa l'interprete appunto di un grande ideale di vita. Incarna il simbolo della stessa condizione dell'uomo del suo tempo: un uomo padrone di sé, del proprio destino, un uomo al centro di un mondo di perfetta armonia, un mondo geometrico ma insieme fantastico, e quindi variabile ed estroso nella geometria. C'è un noto ritratto (dipinto da un bravo pittore) che traccia il profilo di Ariosto e lo fa nobile, grande signore. Lo sguardo, in questo dipinto, è forse

un po' astratto: è lo sguardo di un uomo che vuole dimostrare di essere felice, soddisfatto, che ostenta pertanto con-
tentezza, ma con qualcosa di troppo.

A questo ritratto dipinto da un artista entusiasta, si oppone – per correggerlo – un autoritratto famoso di Ariosto affidato ad alcuni versi delle *Satire*. Gli occhi di questo autoritratto sono molto più belli: non sono più fissi, incantati, si-
gnorili nel distacco, sono invece più mobili, curiosi, talvolta
corrucciati, due occhi lo stesso fuggenti, ma molto più veri.

Ariosto era nato a Reggio Emilia (nel 1474), ma visse quasi sempre a Ferrara: diventato ben presto letterato di fama, fu
infatti accolto alla corte del duca Alfonso degli Este. Più tardi farà solo il poeta: ma prima dovette dare anche lui i propri
servigi. Perciò, per lunghissimi anni (dal 1503 al 1517) fu impiegato in missioni diplomatiche per conto del cardinale Ippolito, fratello di Alfonso; e quindi (dal 1522 al 1525) fu, senza grande vocazione né voglia, governatore della Garfagnana. Soltanto negli ultimi otto anni di vita (morirà nel 1533)
gode di un meritato riposo: e allora rivede, per correggerlo,
per limarlo, per farlo ancora più bello, l'*Orlando furioso*, il
poema in ottave a cui si era impegnato a partire dal 1505.

Ariosto sogna una vita tranquilla e domestica, raccolta
soltanto nello studio, nell'unico impegno che conta per lui
di scrivere versi armoniosi; ma è orfano di padre troppo presto e ha una madre e fratelli, ai quali è costretto a badare.
Non ama viaggiare e invece il suo cardinale-signore lo vorrebbe portare con sé nella triste Ungheria. Amerebbe starsene quieto, con la propria famiglia, a Ferrara, e invece è obbligato a prendersi cura dei mille problemi minuti della
Garfagnana.

Ariosto è un uomo molto onesto. Se viaggia o governa
controvoglia, si adatta e si impegna ugualmente. Se la cava,
del resto, molto bene: non scansa fatiche e disagi, ma quando ci pensa e riflette con sé solo, borbotta vistosamente. E
questo borbottìo interiore è raccolto nelle *Satire*. Ariosto rimane bonario nel tono, ma è anche polemico, talvolta stiz-
zoso: se elogia l'esistenza tranquilla (domestica) è anche perché vede corrotta (e non poco) la vita di corte; se rimpiange
il libero scrivere bei versi è anche perché sa sentire compro-

messa dal volere del signore a cui appartiene la propria autonomia di scrittore.

Ludovico allora è tutt'altro che un uomo soddisfatto: patisce le beghe del mondo, le piccole miserie quotidiane, le chiacchiere inutili. Patisce la stessa servitù cortigiana. Ma non si dispera. Accetta la realtà delle cose, con qualche brontolìo, per ciò che riguarda la vita di ogni giorno, e poi, per il resto, si distrae: evade, sognando, e vede in un sogno palazzi incantati, boschi bellissimi, idillici prati, creature stupende, che sono lontanissime dal mondo e tuttavia non riescono a dimenticarlo quasi mai.

Quest'uomo un po' contrariato, talvolta francamente scocciato, quando riesce alla fine a starsene solo e, protetto dal silenzio dello studio, intinge la penna nell'inchiostro, si sente davvero un dio sulla terra: un dio che crea e trasforma qualsiasi cosa, che può reinventare a piacimento oppure accettare la realtà. E allora i suoi occhi diventano due occhi nobilissimi e distratti di un grande signore. Sono occhi sfavillanti di una luce superiore: sono gli occhi sorridenti che hanno visto l'universo dell'*Orlando furioso*.

## Angelica e Orlando

L'*Orlando furioso* è un sogno fantastico nel quale può accadere di tutto: un sogno senza spazio e senza tempo, o meglio che occupa ogni spazio e ogni tempo, che accoglie con leggerezza qualsiasi avventura possibile nel mondo, che rende insieme verosimile e assurda ogni cosa.

Ariosto seduto allo scrittoio, assorto, lontano dal mondo, ripensa alle storie degli antichi cavalieri medioevali e va con la fantasia in terra di Francia, a Parigi, per assistere allo scontro decisivo tra soldati saraceni e cristiani. La battaglia può essere anche cruenta, ma contano molto più per il poeta curioso le strane vicende dell'amore.

Carlo Magno ha fatto prigioniera la bellissima Angelica, che è amata da Rinaldo e Orlando: la promette in sposa a quello dei due paladini che avrà combattuto con maggiore valore.

Ma Angelica fugge e con lei corre per il mondo la libera fantasia dello scrittore. Angelica è inseguita da tutti, da eroi cristiani e saraceni. Non può però essere presa: possiede infatti un anello incantato che è in grado di renderla invisibile, se occorre.

Angelica scappa verso una mèta lontana: questa mèta è il Catai, la Cina, sua patria. Per strada, in un bosco, incontra Medoro, un fante saraceno ferito: lo cura, si innamora di lui, lo sposa e continua la propria fuga. Rinaldo e Orlando sono dunque beffati. Rinaldo si libera della sua ossessione amorosa bevendo alla fontana dell'oblio. Orlando invece si infuria, dà in ismanie e impazzisce per amore.

C'è un luogo, tuttavia, nel quale si trova ogni cosa smarrita dall'uomo sulla terra: è la luna. Astolfo, cugino di Orlando, cavalca l'ippogrifo, il cavallo che vola, raggiunge la luna, recupera il senno smarrito da Orlando. Questi alla fine rinsavisce, torna così a combattere e sconfigge i nemici saraceni infedeli.

Le vicende di Angelica e Orlando costituiscono una parte sola delle tante avventure del *Furioso*: nel poema si accavallano infatti storie diverse e si muovono tantissimi personaggi. Le storie si interrompono di continuo: hanno inizio e non fine. L'avventura resta aperta, devia spesso dal tracciato previsto, dona sempre al lettore la sorpresa di un percorso impensato. E ciò accade perché nel *Furioso* regna soltanto l'estro fantastico di Ariosto, che rimane sempre padrone assoluto nella propria creazione.

Il poema offre allora, nella struttura, l'esatto contrario delle rigide architetture medioevali: non si trova insomma costretto, ingabbiato, da una rigida disciplina, non dà ordine al mutevole disporsi del mondo. All'opposto resta sempre libero nell'accogliere qualsiasi avventura, esibisce un'estrema apertura nei suoi spazi, nei suoi tempi, nelle proprie situazioni narrative: offre dunque un movimento continuo.

Le vicende narrate tuttavia non sono certamente dominate dal caso. Le vicende sono invece tutte quante previste, coordinate dalla mente del poeta, dominate dallo sguardo dall'alto e alla fine ben disposte in una piacevole armonia: l'armonia superiore, per l'appunto, che presiede al mutare del mondo, al continuo movimento delle cose, da cui l'uomo nuovo del Rinascimento non si lascia travolgere e nel quale, al contrario, sa sempre farsi dominatore.

## L'armonia ariostesca

L'uomo nuovo è quindi ancora il paladino: il cavaliere fedele, certamente, al Signore e alla Chiesa, ma anche, anzi soprattutto, il libero eroe che cerca fama e gloria, che intende realizzare se stesso. L'Orlando di Ariosto è tuttavia "furioso": geloso per l'amore che lega l'amata Angelica a Medoro, diventa una belva, un gigante dalla forza selvaggia e brutale che sradica alberi e devasta tutto quanto, che uccide uomini e bestie, dimenticando la propria dignità. È quindi un uomo superbo e grande, ma anche vulnerabile: dunque più autentico.

D'altra parte la folla dei personaggi che gremisce lo spazio dell'*Orlando furioso*, l'insieme delle tante strane situazioni narrative, finiscono per costituire una sorta di fantastica inchiesta sull'uomo: un uomo indagato nelle qualità dell'anima e del corpo, nell'eccellenza d'intelletto, ma anche nella debolezza e nella ricchezza sentimentale.

Nel *Furioso* ci può essere l'epos guerresco: lo spettacolo cioè della forza e insieme dell'astuzia. Così può trovare spazio il gusto del gesto nobile, dell'antica cortesia. Ma insieme, nel poema, c'è il nuovo ideale dell'amicizia; come c'è una varia casistica d'amore: l'amore è ora tenero e sublime, ora comico e sensuale; l'amore può essere tragico, oppure diventare patetico.

È come se Ariosto avesse voluto davvero disegnare un grandissimo atlante della natura umana: un atlante nel quale entrano, insieme alle immagini concrete, quelle del sogno, in cui convivono in equilibrio l'ideale e il reale: il primo corretto dal secondo e viceversa.

Il lettore del *Furioso* può leggere gli innumerevoli episodi del poema e vederli come paesaggi tra loro diversi: sono paesaggi che segnano via via il percorso di un viaggio molto lungo. Le tappe del viaggio incantano volta per volta, di per sé.

Ma ancora più splendido è il viaggio nell'insieme. Il singolo episodio funziona infatti all'interno di una macchina narrativa perfetta che mescola tutto e mentre lo mescola lo rende uniforme.

Così è dello stile: Ariosto sa mediare toni alti e bassi. Le sue ottave si snodano dolci, su un ritmo di equilibrio che smorza in una scrittura chiara le punte espressive del linguaggio. È questa l'armonia ariostesca: un tono di olimpica serenità che dà luce splendente all'*Orlando furioso*. Questo gusto dell'armonia sfuma ogni coloritura troppo forte, riduce tutto a un tono di media umanità.

Valga solo l'esempio di Angelica. Se l'Angelica di Boiardo era una donna capricciosa, crudele e sensuale, l'Angelica di Ariosto è invece una figura femminile tenera e spaventata, che difende continuamente dalle insidie del mondo la propria purezza minacciata. La sua fuga determina scompigli: ma è una fuga che ha una méta. Questa méta è il ritorno alla pace domestica di una casa, dove Angelica sogna un futuro coniugale tranquillo con Medoro, che è l'uomo del suo cuore.

Se ci sono gli amori tempestosi dei paladini, se Angelica deve subirne le brame, se ci sono dunque violenze e rapimenti, duelli e assalti, c'è anche questo idillio: l'idillio di una "sposa" e di un "marito" nella "casa" lontana del Catai. L'idillio sognato dà concretezza all'immagine ideale di Angelica, rende visibile, appunto nel contrasto con la forza tremenda di Orlando, la verità di una donna terrena, che, in un mondo di tempesta, sa vivere pura e imprendibile.

Anche in ciò Ariosto è figlio prediletto della civiltà cinquecentesca, di quel Rinascimento idealizzante che sa dare disciplina alla realtà, che sa mediarne ogni estremo, nella ricerca sempre di una misura superiore di equilibrio e compostezza. A ciò porta tanto più l'ironia ariostesca, che è il sorriso dell'autore nei confronti della sua amata creatura. Il sorriso di un dio, si direbbe, che, creato un bel mondo, lo contempla sereno: lo guarda dall'alto, compiaciuto di sé, soddisfatto nel proprio distacco contemplante, divertito da ogni cosa, grande o piccola che essa sia.

# Niccolò Machiavelli

*L'uomo politico*

L'*Orlando furioso* è pieno di sontuosi palazzi e di magnifici castelli, in cui gira curiosa la fantasia per fare, dentro di sé, più lieto e lontano il mondo: Ariosto, per poter sognare libero e sicuro, se ne resta a casa, in pantofole, borbottando se qualcuno lo chiama al di fuori.

Curioso invece della realtà, ansioso di visitare il mondo e di conoscerlo, quasi divorato dalla passione di divenirne protagonista e interprete insieme è Niccolò Machiavelli, l'uomo politico per vocazione del nostro Rinascimento. Un uomo politico deluso tuttavia nella sua forte vocazione, costretto a vivere per forza come un recluso nel proprio studio: segregato, con una violenza che patisce, a ragionare, anziché messo in grado di agire. Perciò un uomo sdegnoso e altero nella sua bella e grande intelligenza.

Machiavelli nasce a Firenze nel 1469 da una famiglia aristocratica. Cerca, fin da giovane, il successo nella vita politica della Repubblica fiorentina. Di questa Repubblica sarà segretario e da essa inviato, a partire dal 1498, come osservatore in varie corti d'Italia e d'Europa. Lo troviamo infatti a Urbino presso Cesare Borgia, a Roma al tempo dell'elezione di papa Giulio II, e ancora in Francia, alla corte di Luigi XIII e a quella dell'Imperatore Massimiliano d'Austria.

Machiavelli viaggia negli anni in cui più acuta si fa la crisi politica degli Stati italiani: negli anni cioè in cui quasi tutti questi Stati perdono la loro indipendenza politica. C'è una causa certa per Machiavelli a tale destino di schiavitù: gli Stati non dispongono di una propria milizia, non hanno quindi forza e sono fragili perché costretti ad affidarsi agli eserciti mercenari: eserciti fedeli solo a chi può dare loro molti danari. Machiavelli sa vedere bene in prospettiva, sa guardare lontano: studia perfette strategie politiche a tavolino, cerca di prevedere tutto ciò che potrebbe accadere e tenta quindi di prefigurare ciò che andrebbe fatto.

Non bada invece a quello che si fa lì, sul momento, non sta attento a chi gli sta d'intorno e allora si muove maldestro, senza tattica, con chi entra o esce dal palazzo del potere. Una cosa sola gli interessa, in perfetta buona fede: entrare in quel palazzo, per far del bene come sa a uno Stato. Chi abiti quel palazzo, quale sia la qualità politica di uno Stato, tutto ciò gli interessa molto di meno.

Quando, nel 1512, cade a Firenze la Repubblica e tornano i Medici, Machiavelli fa atto di sottomissione ai nuovi Signori e si mette a loro completa disposizione, per essere impiegato a servire lo Stato. Non gli viene concessa fiducia: i Medici anzi lo inviano al confino. Soltanto più tardi, nel 1520, Machiavelli sarà reintegrato nella vita pubblica e accolto nel palazzo.

I Medici non gli offrono però gran che: lo impiegano in uffici modesti, lo usano soprattutto come uomo di penna, affidandogli, per esempio, l'incarico di scrivere una storia di Firenze. È poco. È quel che basta però a compromettere Machiavelli con la Signoria. Perciò, quando sarà restaurata la Repubblica, nel 1527, quest'uomo politico deluso sarà emarginato un'altra volta dalla vita attiva: sarà salvato finalmente dai suoi ossessivi fantasmi d'impotenza ad agire dalla morte, che lo coglie (e lo libera) in quello stesso anno.

## Il vizio dell'intelligenza

Ariosto avrebbe voluto vivere in ozio perenne e fu invece costretto a muoversi e a governare: ad andarsene scontento per il mondo. Machiavelli avrebbe invece voluto agire, starsene comunque dentro il mondo: e invece fu costretto a oziare, a chiudersi in uno spazio solo mentale. La passione politica lo divora e insieme lo annienta, ma lo rende lo stesso grandissimo: è un demone che lo possiede e quindi lo esalta, mentre lo umilia. Negli anni del confino, tra il 1512 e il 1520, Machiavelli si accanisce a leggere e a studiare per scrivere: il *Principe* (1513), i *Discorsi sopra la prima deca di Tito Livio* (1513-1519), il dialogo *Dell'arte della guerra* (1519-1520), la *Mandragola* (1517) sono tutti di questi anni.

Lo scrivere però nasce dalla rabbia: la rabbia, come dice Machiavelli all'amico Francesco Vettori in una lettera, di starsene "cheto", lontano dalla politica attiva, con i propri "castellucci" mentali: di essere condannato a "ragionare" solo in astratto, anziché di godere la libertà di agire concretamente nella realtà.

Al confino Machiavelli, di giorno, vaga senza méta precisa: va a spasso nei boschi e chiacchiera con i rari taglialegna che la sorte gli fa incontrare, oppure frequenta le bettole, dove gioca a dadi e litiga con altri sfaccendati. La sera invece ritrova se stesso, nel suo "scrittoio": si spoglia allora dell'odiata "veste cotidiana", imbrattata di fango, e indossa i "panni regali e curiali".

Accigliato, annoiato dal mondo volgare, leggendo, studiando, scrivendo, Machiavelli entra nelle splendide corti del passato e parla con gli uomini "antiqui", discorre con questi uomini, si identifica nel loro agire e pensare, riflette sulla storia, guardando però sempre al presente. Il tempo allora trascorre veloce: bandita è la "noia", lontano è ogni "affanno", la "morte" è per sempre annullata.

La calma dello studio e però solo apparente, la quiete è di superficie: c'è un'ansia tremenda che cova dentro e sbotta violenta talvolta, fino a svelare un grave vizio mentale. Il vizio della passione politica inespressa, l'attesa spasmodica che "questi signori Medici", come scrive all'amico, "cominciassero" finalmente a volerlo "adoprare, se dovessino cominciare" anche solo dal fargli "voltolare un sasso". Perché, "quindici anni che io sono stato a studio dell'arte dello stato, non gli ho dormiti né giuocati", dice sbottando alla fine della lettera al Vettori.

Il vizio mentale è acquisito tuttavia una volta per tutte e provoca un curioso spostamento di prospettiva. Poiché Machiavelli è costretto a pensare soltanto la politica e non a farla, poiché la frattura tra prassi e teoria è insanabile, quest'uomo deluso rovescia le carte e le legge al contrario. Alla fine è svilita la prassi: la vita resta una volgarità. Invece è esaltata la teoria: sublime diventa il gusto del calcolo della mente, il senso dell'astratto e creativo lavoro del pensiero.

Capita allora, per esempio, che, studiando le storie di Livio, Machiavelli passi in rassegna tutte le forme di governo di Roma, per trarne pretesto a impossibili verifiche nel presente. Oppure accade che, trattando dell'arte della guerra, ipotizzi un esercito perfetto in ogni dettaglio, dalla scelta delle armi a qualsiasi movimento strategico sul campo, senza fare mai i conti con la realtà.

C'è una fredda ragione che tutto dispone a scacchiera, che vigila implacabile e sicura, mentre pacatamente scandisce serrati argomenti: ma basta un attimo di poca concentrazione e saltano improvvisi, tra le righe, incarnati in esempi della storia oppure in lucidi concetti, gli antichi, nostalgici, fantasmi di ardore polemico di un uomo tutto solo, condannato a starsene rinchiuso nel proprio vizio mentale.

## Il "Principe"

C'è dunque in Machiavelli un nodo problematico: ed è quello che nasce dal contrasto forte tra il piacere sublime della meditazione intellettuale e lo squallore volgare dell'agire concreto. Da questo nodo problematico scaturisce il *Principe*, scritto quasi di getto, con rabbia nella concentrazione, fra il luglio del 1513 e la fine di quello stesso anno. È un trattato nel quale Machiavelli discute sui "principati": di quale "spezie" siano, come "si acquistano", come si "mantengono", perché si "perdono". Dunque un *vademecum* del potere politico: una sorta di breve guida essenziale per farsi "Principe" di uno Stato e quindi mantenersi tale.

Machiavelli guarda apparentemente al presente, considera il passato, ma nella sostanza è invece tutto proiettato verso il futuro: e anche se può dare l'impressione di parlare di ciò che gli accade intorno, anche se fa riferimento esplicito a personaggi reali del tempo, il suo discorso rimane astratto. È un discorso calato nel regno del possibile, tutto proiettato a disegnare un grande modello.

L'obiettivo vuole essere quello di indicare le vie e i modi attraverso cui fondare un nuovo principato: e questo principato nuovo è quello che dovrà sorgere in Italia, in un'Italia che è divisa, attraversata e sconvolta dagli eserciti stranieri. Il modello di Machiavelli ha una possibile incarnazione in Cesare Borgia, detto il Valentino: l'uomo che, con l'aiuto del padre, papa Alessandro VI, e con le truppe ottenute dal re di Francia, si era fatto duca di Romagna e ambiva a farsi Signore dell'Italia centrale.

Il duca Valentino fu certamente disinvolto nel proprio agire, ma il modello di Principe che su di lui ritaglia Machiavelli diventa esemplare nella sua spregiudicatezza. La spregiudicatezza fa parte del potere: nel senso che l'acquisto del potere implica di per sé mezzi e azioni eccezionali.

Il cinismo, la mancanza di scrupoli morali sono facoltà essenziali al Principe: l'inganno, l'omicidio stesso rientrano fatalmente tra i "mezzi" straordinari di cui si deve servire il "Principe nuovo", per ottenere il proprio "fine". Questo Principe insomma deve saper essere insieme "golpe" e "leone": deve cioè usare l'astuzia della volpe e la violenza del leone.

C'è dunque un ribaltamento dei valori della morale tradizionale, di cui Machiavelli è consapevole: il Principe non deve avere le qualità richieste da quella morale, deve piuttosto "parere d'averle". Al Principe è "necessario" evitare quei "vizi" che gli toglierebbero lo Stato, mentre non si deve preoccupare di quegli altri vizi, senza i quali invece difficilmente potrebbe conservarlo. Il Principe può essere allora, di volta in volta, crudele e pietoso, fedifrago e fedele, lascivo e casto, religioso e incredulo: l'utile, il successo, il risultato diventano i nuovi criteri morali che determinano i valori.

In ciò Machiavelli si fa teorico dell'autonomia politica, la quale si pone al di qua e al di là dei confini del bene o del male tracciati dalla morale tradizionale. C'è per Machiavelli insomma un nuovo concetto di "virtù": questa virtù, tutta terrena, ripropone i valori dell'intelligenza e dell'energia dell'uomo tipici del Rinascimento. Anche il Principe infatti è l'uomo rinascimentale che sa opporsi alla "Fortuna", per piegare il mondo e quindi farlo suo.

L'uomo energico e intraprendente della civiltà rinascimentale era tuttavia più lieto nella coscienza del proprio dominio sulla realtà: portava in sé la forza insieme di trasformare il mondo e farlo bello. Il Principe di Machiavelli invece è grande ugualmente, ma cupo: come cupa, persino truce, talvolta orrenda, è la realtà che lo circonda.

Il *Principe* di Machiavelli allora si trasforma da libro di politica, da *vademecum* del potere, in un grandissimo documento letterario: quasi in una tragedia di forte presa figurativa. In questa tragedia, da un lato c'è l'eroe, il Principe appunto, ricco di virtù, dall'altro ci sono le cose, la realtà, l'umanità comune sottoposte al capriccio della Fortuna.

Tra l'eroe e la Fortuna si ingaggia una lotta dura, il cui esito non è affatto scontato: e in questo sta il forte senso tragico di Machiavelli. La Fortuna è un fiume che straripa e può abbattere tutto, senza trovare resistenza: ma l'uomo, "quando i tempi sono quieti" può opporre a tale forza argini e ripari. Da un lato c'è la furia devastatrice del fiume, cioè della Fortuna. Dall'altra la preveggenza dell'eroe, cioè del Principe.

L'eroe di Machiavelli non è perciò in realtà l'eroe dell'azione, è soprattutto l'eroe dell'intelligenza. Non vale tanto in lui la virtù di agire, quanto quella di prevedere, di pensare. Ciò che conta per il Principe di Machiavelli è soprattutto il momento del progetto, della riflessione, del dominio intellettuale sul reale: la sua capacità di prevenire, con il pensiero, ciò che potrà accadere.

La verifica di quello che accade, la prova dei fatti non interessano molto a Machiavelli: il suo tempo prediletto è il futuro, il suo modo verbale preferito è il condizionale. Machiavelli si innamora della propria creatura e sogna per lui uno splendido futuro.

Il suo "fantasma" mentale prende corpo per un attimo e diventa atteso, in un teatro tutto ideale naturalmente: è atteso come se fosse un "redentore" dell'Italia.

A un tale Principe, capace di piegare il mondo, di superare qualsiasi ostacolo opposto dalla Fortuna, "quali porte se li serrerebbano, quali populi li negherebbano la obedienzia? quale invidia se li opporrebbe? quale Italiano li negherebbe ossequio"? "A ognuno puzza questo barbaro dominio", in cui l'Italia cade: e Machiavelli al "puzzo" oppone il profumo forte della sua idea.

Un'idea che si precisa per opposizione di argomenti, in un ragionamento fitto, serrato, inconfutabile in una logica sempre precisa. Ed è un'idea che si affida a una prosa secca, spoglia, rapidissima, che corre dietro ai concetti, senza badare troppo al gioco dei bei suoni, anzi quasi ostile a ogni ornamento: una prosa sgarbata, si direbbe, nella stessa costruzione della sintassi.

# Verso l'autunno del Rinascimento

## La "realtà effettuale" di Guicciardini

Machiavelli guarda alla realtà per costruirsi i propri "castellucci": perciò da un fatto particolarissimo riesce a organizzare un bel teorema della mente, e non importa poi che il teorema risulti campato in aria. Guicciardini invece è tutto concretezza: guarda anche lui al mondo, lavora con l'intelligenza, ma sa restare coi piedi saldi in terra, mentre osserva con attenzione la realtà. Accade dunque che Francesco Guicciardini (nato a Firenze nel 1483 e morto nel 1540) fu in vita ciò che avrebbe voluto essere Machiavelli: fu cioè un energico uomo politico, con il senso giusto dell'autorità, e fu anche un abile diplomatico.

Nel 1512 lo troviamo in Spagna, ambasciatore della Repubblica fiorentina. Quando a Firenze tornano i Medici Guicciardini offre alla Signoria i propri servigi. Nel 1516 è alle dipendenze di Leone X, un Medici anche lui: sarà governatore della Romagna, e poi di Reggio e Parma, quindi presidente della Romagna, infine luogotenente delle milizie pontificie. La sua carriera, è vero, finisce con una sconfitta. Guicciardini si trova infatti coinvolto nel sacco di Roma del 1527 a opera dei Lanzichenecchi. Ma anche questa sconfitta fa parte di una vita che è stata sempre comunque attiva.

Guicciardini è un politico versatile, ma è anche un intellettuale. Agisce e scrive. Non si preoccupa però di pubblicare i propri scritti, che appaiono per lo più legati alla sua attività politica: così è del *Diario del viaggio in Spagna* (1512) e della *Relazione di Spagna* (1513). Così è dell'*Oratio accusatoria*, dell'*Oratio defensoria* e della *Consolatoria* (1527), che

formano un trittico di riflessioni sulle responsabilità che
Guicciardini si riconosce o meno sul sacco di Roma. Solo
dopo il 1527, quando si ritira a vita privata, Guicciardini si
impegna nella scrittura della *Storia d'Italia*, che resterà il suo
capolavoro.

Prima, negli anni Venti, sia pure a frammenti, questo
scrittore non a tempo pieno aveva via via compilato pagine e
pagine di *Ricordi politici e civili*. Questi ricordi disegnano un
ritratto intellettuale. Guicciardini osserva la realtà, rifiuta
qualsiasi schema astratto d'interpretazione e punta tutto sulla "realtà effettuale delle cose". La realtà, per lui, deve essere indagata "giornata per giornata" e non accettata dunque
in sistemazioni astratte.

Se Machiavelli scarnifica i fatti, per organizzare poi le
proprie riflessioni politiche in paradigmi logici e psicologici,
in un sistema perfetto o addirittura in una precettistica dog-
matica, Guicciardini, tutto al contrario, si impegna in un'a-
nalisi scrupolosa dei minimi particolari di ciò che gli accade
intorno, osserva nella loro interezza i fatti, li studia nella
complessa interferenza dei dettagli.

Machiavelli parlava di "virtù" dell'uomo. Guicciardini
propone invece il concetto di "discrezione". La "virtù", lo
abbiamo visto, era l'espressione dell'intelligenza dell'uomo
rinascimentale, capace di dominare la Fortuna. Invece la
"discrezione" è la capacità dell'uomo di cogliere negli avvenimenti la loro particolarità specifica e di modificare in base
a essa i comportamenti.

Proprio di qui nasce la nuova concezione di Francesco
Guicciardini. Nella storia c'è una sequenza di avvenimenti
che non consentono mai ipotesi astratte: un piccolo acci-
dente di fortuna può infatti cancellare in un attimo qualsiasi
progetto, anche il più grande. E allora unica guida all'agire
umano diviene l'interesse dell'individuo: il suo "particula-
re". Ciò non vuol dire tuttavia che l'individuo non possa nu-
trire nobili aspirazioni. Guicciardini non disprezza affatto
l'ideale: è solo consapevole che negli spazi stretti, pericolosi,
della politica è necessario sapersi destreggiare per affermarsi. La sua vita stessa è una dimostrazione pratica della teoria.

Anche se aveva sognato una Repubblica fiorentina stabile

e ordinata, Guicciardini accettò pure di mettersi al servizio della Signoria dei Medici, per tentare di moderarne il possibile assolutismo. Così, pur desiderando, in sogno, un'Italia libera dagli stranieri, si compiacque per la presenza di due potenze, l'una contro l'altra armata, perché tra due poteri diventava possibile destreggiarsi per trarne magari qualche vantaggio.

## La "Storia d'Italia"

Questa attenzione ai fatti, ai dettagli innumerevoli attraverso cui si manifesta la realtà, è prima dote dell'uomo politico, ma diventa poi qualità anche dello scrittore storico, come stanno a dimostrare i venti libri della *Storia d'Italia*, composti da Guicciardini tra il 1537 e il 1540 e pubblicati postumi nel 1561. Venti libri che studiano un arco cronologico assai breve, che va dal 1492, l'anno della morte di Lorenzo il Magnifico, fino al 1534, l'anno della morte di papa Clemente VII.

La sproporzione tra l'ampiezza dell'opera e la brevità del periodo studiato è già significativa di per sé: dice subito dell'attenzione dello storico al minimo particolare. Questa attenzione si rivela un valido strumento per comprendere gli avvenimenti storici, anche se Guicciardini soffre però dei limiti propri di tutta la storiografia rinascimentale: dell'esclusiva preoccupazione cioè per i problemi politici e militari, con il rifiuto invece di affrontare quelli dell'economia e della società.

La *Storia* di Guicciardini è prevalentemente dunque una storia militare: ma poiché, nella concretezza di ciò che accade, la guerra è la grande realtà di questo quarantennio, l'insistere su di essa si risolve in una fedeltà scientifica dello storico ai fatti. Accanto alla guerra, la politica rappresenta l'altro polo di attenzione per Guicciardini storico. Ed è una politica che si fa spettacolo, nei propri aspetti pubblici e nei suoi segreti intrighi. Uno spettacolo grandioso animato dagli uomini principali del tempo. Sulla scena si muovono grandi personalità: da Carlo VIII a Luigi XII, da Ferdinando d'Aragona a Massimiliano d'Austria, da Cesare Borgia ad Alessandro VI, da Giulio II a Clemente VII.

Nel rappresentare le storie di questi prìncipi, sensibili soltanto all'ambizione di potere, a ciò che è utile per farsi grandi, Guicciardini sa cogliere, mentre narra le vicende delle diverse Signorie, il loro intreccio articolato. La sua *Storia* allora si fa nuova nel panorama della storiografia rinascimentale, proprio per questa capacità di un superiore sguardo complessivo. Così è originale la consapevolezza in Guicciardini dell'alta dignità dello storiografo: il quale non è più solo l'appassionato cronista del suo tempo, ma anche l'intellettuale attrezzato di strumenti di metodo, capace di uno scientifico distacco dalla materia che sta studiando.

## La perfezione e il particolare

C'è stato, lo abbiamo visto, un Rinascimento che si caratterizza come civiltà raffinata, tutta proiettata verso il mito della perfezione. È una civiltà che detta un'astratta precettistica per formare un ideale uomo di corte o anche solo per definirne le buone maniere, che stabilisce le regole per una poesia ideale o per un'ideale lingua letteraria. La perfezione a cui mira la civiltà rinascimentale vuole essere, lo sappiamo, l'esaltazione di tutte le qualità migliori dell'uomo, il quale torna a farsi protagonista in piena luce, dopo i secoli bui del Medioevo, dopo tanta soggezione al volere oscuro di Dio, dopo tanto spavento per il peccato.

È anche vero però che questo gusto fanatico della perfezione finisce, nella sua astrattezza, per diventare eccessivo e assurdo: finisce, soprattutto, per coprire la realtà di un'elegante patina levigata che rischia di rendere tutto uniforme. La civiltà del Rinascimento è soprattutto questo, ma non è soltanto questo: esalta l'armonia, ma guarda anche, anzi osserva attentamente le asperità e le disarmonie del mondo.

Il Rinascimento infatti fu via via religioso e ateo, cristiano e pagano, adoratore della bellezza e creatore di nuovi valori morali: la sua vera ricchezza sta nella propria complessità o, magari, nella sua contraddittorietà. Accade perciò che la civiltà rinascimentale affianchi a una tendenza idealizzante, espressa da scrittori come Bembo e Castiglione, una tendenza realistica, fatta di spirito pratico e di osservazione acuta e spesso spregiudicata del mondo. È questa la tendenza (almeno all'apparenza) testimoniata dal *Principe* di Machiavelli, con la scoperta dell'autonomia politica. Ma è questa, più ancora, la tendenza testimoniata dall'opera di Guicciardini, con la scrupolosa valutazione della realtà.

Da un lato dunque ci sono Bembo e Castiglione, Della Casa e altri precettori dell'ideale. Ancora. Da un lato c'è Ariosto e attorno a lui tanti novellieri e romanzieri comici che sanno intrattenere un pubblico ozioso, per dimenticare la realtà, per visitare con la mente i castelli incantati della fantasia. Dall'altro lato ci sono scrittori che vanno a scovare un'umanità minore, che vive concretamente, allegra o disperata, dentro le miserie di ogni giorno. Questi minori intellettuali vivono appartati, al di fuori dell'ambiente delle corti, interpretano i problemi del mondo contadino, diventano i cantori della vita anonima di un'umanità subalterna: un'umanità che sta ai margini della storia, tutta assorbita dal dramma solo "economico" della fame, della miseria, dell'ignoranza.

## Realismo cinquecentesco

Nelle *Prose della volgar lingua*, Pietro Bembo aveva dettato un modello linguistico schifiltoso che selezionava le parole con criteri freddi e libreschi. Machiavelli nel suo *Discorso o dialogo intorno alla nostra lingua* proponeva invece l'uso di una lingua più viva e concreta, vicina al parlato. Capita allora nel Cinquecento che, accanto a chi canta di dame e di cavalieri, di corti e di castelli, ci sia chi si impegna, anche solo per burla, su temi più bassi. C'è allora **Francesco Berni** (1497-1535) che celebra, per esempio, nelle sue *Rime*, le anguille, le pesche, i cardi, la gelatina. Ma soprattutto c'è **Pietro Aretino** (1492-1556) che, nei suoi *Ragionamenti*, mette in scena dialoghi e racconti di meretrici, le quali narrano, compiaciute, nel loro linguaggio forte e crudo, le situazioni più scabrose.

Avventuriero della cultura, spregiudicato nel cercare comunque il proprio tornaconto, Aretino fu autore anche di sei volumi di *Lettere*, nelle quali si fa schiavo e tiranno insieme di cardinali e prìncipi, di sovrani e cortigiani: può essere in queste lettere ipocrita e sfacciato, adulatore e calunniatore, sfrontato e malizioso. Si può atteggiare a martire e dirsi vittima, lamentarsi di venire disconosciuto o fingere persino di sentirsi offeso. Poi, subito dopo, con arroganza, può farsi ricattatore a propria volta e millantare meriti che certo non sono suoi.

La verità per Aretino è dunque solo un'ipotesi, attorno alla quale gira l'intelligenza per trarre da ogni situazione un buon vantaggio. Che Aretino fosse un malfattore, anzi addirittura qualcosa come un "camorrista" (parola di De Sanctis), interessa però poco la storia letteraria: interessa invece molto di più il suo linguaggio ricco di termini dialettali, spesso gergali, tutto rifatto sul ritmo del parlato: una lingua viva, colorita, popolareggiante, che si oppone al modello della lingua selezionata di Pietro Bembo, anche se rimane (sia pure in un esito del tutto opposto) ugualmente colta e raffinata, seriamente impegnata nel suo gioco.

Così come colto e raffinato, anche se all'apparenza sguaiato e ignorante fino all'ostentazione, è il latino maccheronico del *Baldus* di **Teofilo Folengo** (1491-1544): un latino deformato che gioca per lo più l'effetto comico sull'uso delle desinenze latine applicate alle parole dell'italiano. Il *Baldus* è un poema in cui viene proposto sostanzialmente il tema del contrasto tra campagna e città. La città è estranea, indifferente, ai problemi del contado. La città è il mondo della giustizia: ma solo della giustizia dei cittadini. E allora i contadini, quando lasciano le zappe per venire in città, anziché giustizia trovano le "bastonatas" dei soldati oppure incontrano uomini scaltri che li beffano e li derubano dei loro "pochis baiocchis".

Accanto dunque a un Rinascimento tutto in ghingheri, c'è un Rinascimento che si compiace di essere straccione. Sono stracci finti (quasi composti in un *casual* in verità assai raffinato) quelli di Aretino e di Folengo. Sono invece stracci autentici, e dunque splendidi nella loro forza d'espressione, quelli del padovano **Angelo Beolco** (1496-1542), detto il **Ruzzante**, dal nome del personaggio che interpretava egli stesso, recitando come attore nelle sue commedie.

Protagonista del teatro di Ruzzante è ancora il contadino: un contadino osservato nel proprio faticoso lavoro, nell'ossessione di sentirsi povero e sfruttato. Così è nel *Parlamento*, in cui si assiste alla "parlata" (da cui appunto il titolo della commedia) del protagonista, reduce da un campo militare. In questo lungo monologo, Ruzzante narra la tragedia del villano che è andato in guerra per arricchirsi, per sfuggire a un destino di fame e di miseria, e ritorna più miserabile e stracciato di prima, pieno di pidocchi e di paura per l'esperienza che ha vissuto.

Diverso sarà il caso del protagonista della *Moscheta*, dove Ruzzante è il contadino inurbato, che cerca di integrarsi nella vita cittadina, ricorrendo, per scongiurare l'emarginazione, a ogni espediente. Qui si smorza il discorso saturo di immagini e di vendetta che era tipico del *Parlamento*: ma non perciò viene meno la carica realistica.

Quella stessa carica realistica tipica della *Venexiana*, la commedia anonima composta tra il 1535 e il 1537, che attraverso le sfortunate vicende sentimentali di due nobildonne veneziane, traccia il quadro di una società, la quale si specchia nel proprio fallimento. L'intraprendenza dell'uomo rinascimentale che domina con l'intelligenza il mondo si riduce a un'allegra arte del vivere, o meglio del sopravvivere, un'arte dell'adattarsi allo sfacelo del mondo, per tentare solamente il proprio riscatto personale.


*L'autunno del Rinascimento*

Sia quando appare agghindato ed elegante, sia quando veste come un poveraccio (siano veri o falsi gli stracci di cui si copre), il letterato del Rinascimento, nel culto dell'armonia universale, oppure nell'esuberanza stilistica, dà sempre l'impressione di un troppo di sicurezza in sé, in bilico perennemente – solo che si distragga un attimo – su un baratro di inquietudine.

La civiltà letteraria del primo Cinquecento ha dunque la sembianza di uno splendido frutto maturo, che può da un momento all'altro marcire e corrompersi per sempre. Nella storia del teatro rinascimentale c'è una commedia di Machiavelli (la *Mandragola*) che si fa simbolica di questa pericolosa situazione: qui vengono ripresi i temi della drammaturgia comica del Cinquecento, ma soprattutto si celebra il nuovo mito dell'"astuzia", che sa celebrare le sue vittorie sulla "Fortuna".

L'astuzia non è più l'intelligenza: ha in sé qualcosa di più fosco, di più torbido. Non è più luce piena che invade il mondo e lo possiede, ma è luce a lampi intermittenti, che implica zone d'ombra, che sottintende di nuovo un buio inpenetrabile. Difatti, intorno alla metà del Cinquecento, all'immagine di un mondo ideale di calma e di equilibrio, un mondo armonico, nel quale la realtà appare disciplinata in una perfetta geometria ordinata secondo modelli astratti, subentra l'immagine di un mondo intricato, nel quale la realtà si spezzetta in forme sempre diverse, fra cui l'uomo rischia di perdersi come dentro a un labirinto.

Quando si supera la metà del secolo XVI sono già morti tutti i grandi autori della civiltà rinascimentale: da Bembo a Castiglione, da Ariosto, Machiavelli a Guicciardini, da Folengo a Ruzzante. Ma soprattutto, intorno alla metà del secolo, matura una serie di situazioni che incideranno notevolmente sulla vita sociale italiana e determineranno perciò un'atmosfera culturale sensibilmente diversa da quella del Rinascimento.

In questi anni si consolida il predominio degli Spagnoli in Italia, mentre tramonta definitivamente l'autonomia degli stati regionali. La borghesia mercantile cittadina che, con la sua intraprendenza, era stata protagonista della vita economica nei decenni precedenti, tende sempre di più a trasformarsi in borghesia terriera: diventa una borghesia sedentaria, attenta solo al proprio predominio.

Infine, con l'inaugurazione nel 1545 del Concilio di Trento, si apre l'epoca della Controriforma, in cui la Chiesa per fronteggiare il protestantesimo restaura con forza il principio dell'autorità e torna a spaventare il mondo con l'incubo del peccato. La Controriforma riporta, con violenza, alla paura dell'aldilà. Cancella lo spirito di tolleranza, elimina la spregiudicatezza intellettuale che avevano caratterizzato la civiltà del Rinascimento: ripropone lo spettro della fragilità dell'uomo, della sua limitatezza.

Si entra così nel clima di quello che si può chiamare l'autunno del Rinascimento, in cui si sgretola la fiducia umanistica e si preannuncia lo smarrimento intellettuale dell'età barocca. Le tinte splendide del grande quadro rinascimentale si accentuano in un quadro carico di colori sfarzosi: la delicatezza delle linee e delle sfumature si corrompe in una spezzettatura, in un intrico di segni sovrapposti, di tinte a forte contrasto.

Un grande artista eclettico, Leonardo da Vinci, aveva inaugurato l'avventura della conoscenza del Rinascimento, aveva riportato alla luce tutto quanto appariva nascosto in un profondo buio. Un altro grande artista, Michelangelo, inaugura questa nuova, torbida, stagione. Nelle sue *Rime*, **Michelangelo Buonarroti** (1475-1564), con uno stile scarno, spezzato, con un linguaggio contorto, parla della paura di vivere, del suo rifiuto del mondo e dell'amore, dell'attesa della morte, del terrore del peccato.

## La crisi dei valori

Qualcosa sfugge all'uomo rinascimentale, anche quando appare energico e volitivo, come era stato il Principe di Machiavelli: pian piano alla "Fortuna", contro cui questo uomo con la sua intelligenza aveva ingaggiato una guerra personale, subentra la "Provvidenza" che ne spegne l'intraprendenza e lo rifà succube al volere di Dio. Così alla pacata e sana razionalità del Rinascimento succede, subdola dapprima, camuffata ancora in vitalismo, una sensibilità malata, turbata da squilibri intellettuali e dall'ossessione dei sensi.

La letteratura esprime molto bene questo nuovo clima ambiguo di incertezza e di inquietudine. Da un lato, alla sensualità senza complessi di colpa e di peccato, che era pura e schietta gioia di vivere, subentra una sensualità che è invece

morbosa e torbida nell'intricato gioco dei divieti e delle tra-
sgressioni. Dall'altro lato si registra una forte ansia morale e
una religiosità spesso solo repressiva. Così mentre continua
a essere coltivata una teoria che assegna all'arte il compito di
dilettare, si fa largo una nuova concezione che affida alla letteratura un forte impegno morale.

L'autunno del Rinascimento si caratterizza in questa du-
plicità ambigua di atteggiamenti. Dentro lo spazio severo
delle accademie si torna a studiare Aristotele e, attraverso
l'insegnamento del grande filosofo greco, si fonda una severa precettistica: un insieme di regole cioè che stabilisce dettagliate norme per ogni genere letterario.

Il "modello" ideale che aveva caratterizzato la civiltà del
Rinascimento si irrigidisce (e si impoverisce) in uno schema
che bada soltanto all'esteriorità. Se Bembo aveva discusso
un modello ideale di lingua, gli accademici della Crusca, a
Firenze, compilano un *Vocabolario*, procedono a una rigorosa selezione fra vocaboli buoni e cattivi, scelgono con pedanteria – come dicono – tra il fiore della farina e la crusca.

Ma ciò non accade solo per la lingua, accade anche per la
poesia, per il teatro, per la novellistica, per la teoria politica
e via dicendo. Accade cioè che si verifichi un lento ma progressivo corrompersi dei valori e quindi delle forme su cui si
era fondata la civiltà rinascimentale.

Così, per non fare che un solo esempio, al principio ma-
chiavellico dell'autonomia politica si sostituisce il concetto
modificato della *Ragion di Stato*, come dice il titolo di un'o-
pera di Botero del 1589: secondo **Giovanni Botero** (1544-
1617) lo Stato appunto ha una "ragione" superiore alla morale, a cui devono uniformarsi gli individui, salvo l'ossequio
alla Chiesa, un ossequio tuttavia che ha qualità più politiche
che spirituali.

Così il classicismo può corrompersi in un eccesso di decorazione: accade nella libera traduzione dell'*Eneide* di Virgilio, eseguita da **Annibal Caro** (1507-1566), con un fasto
espressivo sovrabbondante che fa presentire la sensibilità
barocca. Così infine, per passare alla novellistica, il modello
di Boccaccio viene interpretato da **Matteo Bandello** (1485-
1561), nelle *Novelle*, soprattutto nella prospettiva del reali-

smo: sicché qui si assiste a un campionario gremito quasi soltanto di fatti di cronaca, che finisce per proporre il "diverso" della vita come alternativa all'"ordine" dell'arte.

## Le regole e l'infrazione

Il culto delle regole esasperato porta a forzature che si esprimono anche nella ricerca di temi nuovi. Come capita nella novellistica, così accade nella lirica e nel teatro, dove si stabilisce appunto un gusto nuovo del fastoso, e insieme dell'orrido e del macabro, del patetico e del sentimentale: un gusto che era del tutto estraneo al razionalismo e al culto dell'armonia del Rinascimento.

Oppure per reazione aperta alle regole si determina un'inquieta volontà di sperimentazione. Nasce così, per fare un solo esempio, la Commedia dell'Arte, che si affida alla recitazione improvvisata dell'attore su una semplice traccia scritta. Nasce, allo stesso modo, il melodramma: una forma di rappresentazione teatrale che accompagna alla musica la parola.

Ma l'espressione forse più tipica dell'autunno del Rinascimento è lo svilupparsi di un fitto esercizio letterario di biografie e autobiografie: quasi un esercizio applicato alla celebrazione dell'uomo.

**Giorgio Vasari** (1511-1574), nelle *Vite dei più eccellenti pittori e scultori e architettori*, dà una vasta raccolta di oltre duecento biografie, che parte da Cimabue e arriva all'autore stesso della raccolta. È il primo grande esempio di una storia dell'arte italiana, dove domina l'esaltazione dell'artista come figura eccezionale, studiata non solo più attraverso l'esame delle opere, ma attraverso anche tutta una serie di particolari biografici, con un gusto che giunge sino alla registrazione dell'anedotto gustoso e colorito.

La stessa esaltazione dell'eccellenza dell'artista si ritrova nella vita di **Benvenuto Cellini** (1500-1571), orafo e scultore fiorentino. Uomo irrequieto e stravagante, Cellini visse, ospite di Papi e prìncipi, tra lo splendore delle corti e lo squallore delle prigioni: uccise l'assassino di suo fratello, tol-

se la vita, perché offeso, a un orafo concorrente, fu carcera-
to, evase di prigione, fuggì a lungo.

La sua è una vita avventurosa e l'autobiografia allora, pur
scritta nella vecchiaia, non ha i toni quieti di chi ricorda con
distacco avvenimenti passati. Al contrario l'originalità di
questa *Vita* sta proprio in una potente violenza sanguinosa,
di chi rivive gli avvenimenti come se fossero attuali, ancora
carichi di passione. L'uomo rimane protagonista nel libro di
Cellini, ma è un uomo molto più grande, quasi un eroe tragico, appassionato fino alla violenza, e insieme un uomo
rimpicciolito, meschino nella sua insofferenza: un uomo comunque assai lontano dall'elegante, composto, misurato
gentiluomo di corte del *Cortegiano*.

# Torquato Tasso

*Fantasmi e fughe*

"Guardate in viso Petrarca e Tasso", scriveva volando tra i secoli De Sanctis, "tutti e due hanno la faccia assorta e distratta, gli occhi gettati nello spazio", perché guardano solo dentro se stessi. Ma Petrarca "ha la faccia idillica e riposata di un uomo che ha già pensato ed è soddisfatto del suo pensiero". Tasso invece "ha la faccia elegiaca e torbida" di chi cerca sempre qualcosa senza trovarla mai.

L'*identikit* interiore di un uomo può anche venire ricostruito per sovrapposizioni assurde. Del resto può essere pure arbitrario dare un ritratto collezionando ciò che rimane di una vita. E ciò che resta, per un *identikit* di Tasso, è soprattutto la traccia di tante esperienze irrequiete, spesso interrotte, e insieme di una continua e profonda malinconia.

Torquato Tasso era nato nel marzo del 1544 a Sorrento: suo padre Bernardo era poeta, poeta di buon prestigio alla corte di Urbino. Con il padre Torquato gira l'Italia, di corte in corte: va a Venezia prima, poi a Padova, infine si stabilisce a Ferrara, presso gli Este. A Ferrara arriva nel 1565, ci resta fino al 1575, l'anno in cui termina la composizione della *Gerusalemme liberata*. Saranno questi gli anni più sereni della sua vita: quelli comunque di una relativa calma e stabilità.

Da questo 1575 qualcosa si rompe definitivamente nella mente di Tasso. Non è neppure pensabile di entrare nel labirinto di una malattia mentale. Rimangono solo, con la loro spettacolarità, i gesti esterni di uno squilibrio: cioè i comportamenti strani. È tuttavia uno spettacolo povero che dice poco dei percorsi intricati del pensiero, quando questo pensiero entra in lotta con i suoi fantasmi interiori. Tasso si sente perseguitato, fantastica per esempio di essere spiato: gli accade un giorno di scagliare un coltello contro un servo, per cacciare appunto uno dei fantasmi mentali che si fanno sempre più opprimenti. Viene allora segregato. Poi scappa e vaga inquieto per l'Italia.

Sorrento, Mantova, Padova, Venezia, Urbino, Torino: sono le tappe più importanti di una fuga da se stesso, di un viaggio comunque verso un "altrove" qualsiasi, purché lontano dal luogo in cui via via si trova. Poi c'è, forse, il recupero di una memoria più salda di se stesso e quindi il ritorno, nel 1579, a Ferrara.

Nella corte degli Este si stanno preparando però le terze nozze del duca Alfonso II. C'è confusione: il ritorno del poeta passa in sordina. Tasso si sente trascurato. Cerca di attirare su di sé in qualche modo l'attenzione. Dà un'altra volta in smanie e viene di nuovo dunque rinchiuso. La segregazione è questa volta dura: Tasso è incatenato, come frenetico, nell'ospedale di sant'Anna. Quando è rimesso in libertà, nel 1586, ricomincia il vagabondaggio triste e angoscioso, fino a quando, nel 1595, la morte lo coglie a Roma e lo libera dalla tirannia violenta della sua mente.

## La corte e l'accademia

La vita di Torquato Tasso è attraversata dunque dall'ombra sinistra della follia, ma più ancora dall'onda continua dell'irrequietezza e della malinconia. Si pensa per contrasto al vivere quieto (sia pure per ipotesi) di Ludovico Ariosto: al suo accontentarsi di starsene in riposo nello spazio piccolo di Ferrara, al desiderio di viaggiare, con la fantasia, dietro fantasmi lieti di uomini e paesaggi. Lo spostarsi smanioso di Tasso per l'Italia, il suo fuggire dietro fantasmi orrendi segnano allora la distanza immensa che separa la civiltà irrequieta e tormentata dell'autunno del Rinascimento, da quella fiduciosa e paga in sé del primo Cinquecento.

Nella vita di Tasso ci sono due punti di riferimento, da cui si parte e a cui si ritorna di continuo: sono la corte e l'accademia. La corte diventa luogo mitico di una vita in festa e sempre in ordine, in cui sono negate la solitudine e la malinconia, in cui tutto sta al proprio posto, tutto splende di luce, di ricchezza, e tutto è compagnia. L'accademia è l'istituzione che non solo promette gloria e riconoscimento dei valori, ma soprattutto il luogo dove si trovano per raccogliersi gli spiriti eletti dei poeti: dove il lavoro stesso del letterato trova una giustificazione e viene autorizzato.

Tasso cerca la vita di corte: vorrebbe da questa vita protezione. Tasso vuole l'accademia: cerca nell'accademia il riconoscimento del suo valore di poeta. Ma la vita di corte, tanto splendida nel sogno della fantasia, ha nella realtà concreta le sue meschinità: promuove intrighi e distrazioni, obbliga a schermaglie e destreggiamenti. E l'accademia, se rassicura con la propria autorità, esercita pure l'autorità in modo ottuso.

Allora il sogno cozza drammaticamente con la realtà e l'illusione subisce lo scacco duro della smentita. Quanto più la fantasia ricrea un mondo che è perfetto e ordinato, tanto più il pensiero verifica il disordine e la rottura: la mente vaga quindi in un labirinto buio senza uscita e suggerisce una frenesia di gesti, di fughe e inseguimenti, nella quale possono prendere ancora più corpo le ossessioni.

Quanto più Tasso sente ostile ogni costrizione esterna, tanto più cerca, con cocciuta caparbietà e sempre dal di fuori, un consenso, tanto più, con disperazione, nega a se stesso ogni trasgressione. Vengono così i suoi trattati teorici sulla poesia: dai *Discorsi sull'arte poetica* (1567) ai *Discorsi del poema eroico* (1594). Viene così il martirio a cui si sottopone nella revisione del suo poema, preso da scrupoli stilistici e religiosi: un martirio che troverà fine, poco prima della morte, nella stesura della *Gerusalemme conquistata*.

Basti un dettaglio solo per comprendere il doloroso intrico della mente di Tasso. Preso dall'ossessione di essere eretico, il poeta sottopone per due volte la *Gerusalemme liberata* al giudizio del Tribunale dell'Inquisizione. Viene assolto nel 1575 e nel 1577: ma non è pago e dentro di sé mette in dubbio il valore di quel giudizio. Il labirinto della mente è assolutamente chiuso a ogni via possibile d'uscita: Tasso si accusa e si giudica, per condannarsi da sé solo: i fantasmi della mente cercano una verifica della realtà solo per farsi ancora più aggressivi.

Un campionario di questi fantasmi, che prendono le sembianze di paesaggi o di immagini femminili, è costituito dalle *Rime*. Sono versi composti lungo un vastissimo arco di tempo, che precede e supera quello della *Gerusalemme*. Sono versi densi di luci strane e di colori, ma soprattutto sono versi tormentati dall'uso di artifici tecnici, da una sovrabbondanza di metafore, eppure riescono versi di una dolcissima musicalità: incarnano insomma lo spavento e la malinconia di una mente turbata.

## La "Gerusalemme liberata"

Sterminata è la produzione in versi di Tasso: dal poema *Rinaldo* (1562) della prima giovinezza all'*Aminta* del 1573, una favola pastorale che narra l'amore del giovane Aminta per la bella Silvia, fino alle *Sette giornate del mondo creato* (composto tra il 1592 e il 1594), una sorta di celebrazione epica della creazione. Ma l'esperienza di Tasso si compendia nella *Gerusalemme liberata*: il capolavoro, a cui il poeta giunge attraverso un lavoro di oltre trent'anni. Un lavoro che parte, nell'adolescenza, dal *Gierusalemme* e attraverso la *Liberata* (conclusa nel 1575), prosegue fino agli ultimi anni della vita con la *Gerusalemme conquistata*.

Il tema del racconto è lo scontro di armi tra cristiani e saraceni sotto Gerusalemme: ma l'attenzione di Tasso va più spesso a seguire le trame delle tante storie d'amore mai compiute. L'avventura vera del poema sta dunque soprattutto in un fitto gioco di inganni e delusioni, di fughe e inseguimenti.

I crociati dunque, sotto la guida di Goffredo di Buglione, si preparano a stringere d'assedio la città santa. Dentro Gerusalemme i saraceni si dispongono alla difesa e cercano l'aiuto delle forze infernali. Idraote, mago e re di Damasco, invia al campo dei nemici la bellissima Armida, maga anche

lei, perché con i suoi incantesimi seduca i soldati cristiani.
Di Armida si innamorano i cavalieri, i quali per inseguirla lasciano le armi.

Non ci sono però soltanto gli incantesimi di Armida a distrarre i paladini. Scoppiano tra loro anche forti litigi: così Rinaldo, il più terribile guerriero fra i crociati, uccide un compagno e per sfuggire alla giusta punizione abbandona il campo. La perdita è grave per l'esercito cristiano, tanto più che l'altro gran campione, Tancredi, ferito in un duello con il pagano Argante, è per ora escluso dal combattimento.

Intorno a Tancredi gravita il nucleo più importante delle vicende sentimentali. Tancredi è innamorato di Clorinda, una giovane e forte guerriera saracena da cui non è riamato. Di Tancredi è invece innamorata la bella Erminia, già sua prigioniera e orfana del re di Antiochia. Erminia viene a sapere che Tancredi è ferito, esce perciò dalla città assediata per curarlo. Indossa le armi di Clorinda: e ciò le è fatale. I guerrieri cristiani la braccano ed Erminia inseguita fugge.

Tancredi viene informato del pericolo che corre quella ch'egli crede Clorinda: non ancora guarito dalle ferite, corre lo stesso, per amore, in soccorso dell'amata. Accade dunque che Erminia venga inseguita da Tancredi: senza però essere raggiunta. Tancredi infatti perde le tracce della fuggitiva e nel proprio errare cade anch'egli nei tranelli della maga Armida.

Per i crociati, privi dei migliori paladini, ci sarà una serie di gravi sconfitte. Viene però in soccorso l'arcangelo Michele. Rinaldo allora torna al campo, parte e va a liberare i guerrieri prigionieri dell'incanto della maga Armida. È vero, rimarrà egli stesso sua vittima, ma intanto gli altri paladini (e tra di loro Tancredi) tornano a combattere i saraceni.

Proprio Tancredi affronterà in battaglia Clorinda, che porta altre armi e quindi non può essere da lui riconosciuta: la colpirà a morte e avrà soltanto la consolazione, nel riconoscerla, di battezzarla. Anche Rinaldo infine sarà liberato dall'incantesimo di Armida. L'esercito cristiano è al gran completo. Nella battaglia decisiva soccombono i migliori guerrieri pagani: Argante è ucciso da Tancredi, Solimano sconfitto da Rinaldo. Gerusalemme è assalita e quindi conquistata: Goffredo di Buglione entra nella città santa e vi adora il "grande sepolcro".

*Il tema della corte*

C'è un ordine esterno assai visibile nella *Gerusalemme liberata*: un ordine d'architettura intanto, che ripropone – all'apparenza – il gusto raffinato delle giuste proporzioni, delle perfette simmetrie rinascimentali. Quest'ordine però è forzato, tanto da apparire maniacale. C'è un troppo di perfezione insomma che sa costringere l'universo intero in una griglia di regole precise, come se il virtuosismo tecnico, l'obbedienza fissa a leggi astratte agissero in chiave d'esorcismo.

Uno dei temi fondamentali del poema è quello della corte. Una corte vera è quella che si raccoglie intorno a Goffredo di Buglione, il quale governa secondo la ragion di Stato e chiede ai paladini ciò che è proprio del loro grado. Ma corti, nella *Gerusalemme*, sono anche quella celeste e quella infernale. Il Paradiso infatti ha figura di un bel palazzo rinascimentale, nel quale attorno a Dio re si muove, devota e pronta, una gerarchia angelica. E così è pure dell'Inferno dove re è Satana. Ovunque insomma si ritrova l'immagine di un mondo che ubbidisce a rituali.

Grandiosi sono i duelli messi in scena, costruiti sempre con uno scrupoloso ossequio delle regole della cavalleria, così come della tecnica della scherma: esemplare è quello di Tancredi e Argante, dove "due maestri della guerra" danno spettacolo nel loro "schermir l'arte con l'arte". Anche le battaglie vengono descritte con precisione tecnica, tanto che alcuni passi della *Gerusalemme* possono essere letti come brani di un trattato di arte militare. E così è dell'arte magica, presente con i propri riti e con la scenografia nera delle sue visioni. Così è persino dell'arte della seduzione espressa in formule da Armida.

Il tema della corte è presente anche in un modo più mediato, nel gusto vivo dello spettacolo e della decorazione. Nella *Gerusalemme* si assiste a sontuose parate militari, a processioni solenni, a feste liturgiche, a rituali magici: e in tutto c'è sempre una perfetta coreografia di forme e di colori, di gesti e voci. Così il gusto della decorazione coinvolge anche la natura: il giardino incantato di Armida è un esempio di decorazione che sembra preannunciare il gusto della sovrabbondanza che sarà della civiltà barocca.

## Il tema della solitudine

Il gusto delle simmetrie perfette e delle regole sicure, il gusto della decorazione costituiscono lo sfondo fisso su cui si muove, nella *Gerusalemme liberata*, una diversa vita. Alla geometria esteriore non corrisponde infatti un linguaggio lineare. Al contrario lo stile del poema è zeppo di chiaroscuri, è tutto musicalità, nei propri echi di sospiri e pianti, quasi una melodia struggente. Così al gusto della decorazione si oppone spesso la nostalgia di un "altrove": e tutto sembra interiorizzato, persino la natura.

Appaiono nei versi di Torquato Tasso paesaggi solitari, deserti sconfinati, immense distese marine: infuria sui paesaggi una pioggia tempestosa, oppure soffia un vento violento. La natura compare comunque ostile all'uomo, quando non ne commenti l'eterna malinconia e lo respinga nell'angoscia di una solitudine irrimediabile: all'uomo infatti la vita è sempre nemica, avara di un sorriso.

Il tema della corte, con la sua spettacolarità, con il proprio gusto della tecnica e delle regole, costituisce il tema di fondo della *Gerusalemme liberata*: la corte rappresenta infatti un ideale di vita, un'illusione sempre coltivata, il simbolo di una civiltà felice. Ma nel poema a questo tema si oppone, costantemente, quello della solitudine dell'uomo: ricacciato dentro di sé da una disillusione che non può mancare. Esemplari in questo senso sono le vicende sentimentali di Tancredi, Clorinda ed Erminia: storie che si realizzano in inseguimenti senza fine.

Tancredi è innamorato di Clorinda. Ma il suo amore non può essere appagato. Il fascino di questo amore nasce dall'impossibilità di un incontro, di un colloquio, di un affiatamento. C'è un destino invincibile di lontananza che caratte-

rizza questo amore. Quando ai due sarà concesso di superare lo spazio fisico che li tiene sempre separati, sarà solo per
concedere loro un abbraccio da nemici in quel duello, in cui
saranno ignoti l'uno all'altra. E allora Tancredi appare "so-
spiroso", perennemente triste nel suo portare "basse le ci-
glia e di mestizia piene". Mentre Clorinda prende risalto
nella propria bellezza femminile, solo perché è condannata a
vivere irraggiungibile e inviolabile.

Così accadrà per Erminia, che è costretta a celare al mondo la passione per Tancredi. Ed è una passione che la rin-
chiude in se stessa, che la espone infine alla drammatica lotta tra Amore e Onore, quando la donna deciderà di recarsi
al campo dei crociati per curare Tancredi ferito. Ma anche
questo sogno d'amore è destinato allo scacco: per lei si apre
infatti solo uno spazio di fuga, di lontananza, che la porta ad
"alberghi solitari", in "remote parti" della terra, in "solitudini secrete", in "solitari chiostri".

La situazione insuperabile di solitudine non coinvolge solo i personaggi implicati nelle storie d'amore, coinvolge tutti nel poema. Così è per Goffredo di Buglione, che nelle in-
tenzioni dell'autore vuole incarnare il perfetto principe cristiano, il re modello della Controriforma, ma che vive nella
poesia solo per lo spazio di silenzio che lo circonda. Goffredo è condannato a interpretare in pubblico la certezza del
principe sicuro nell'agire, invece è tormentato dal dubbio
che lo assale e che non può mai comunicare ad altri, per non
turbare la sicurezza dei suoi soldati.

Allo stesso modo in uno spazio interiore di solitudine vivono anche Argante e Solimano, i due grandi guerrieri saraceni. La selvaggia umanità di Argante si esprime in una orgogliosa fiducia in sé, in un disprezzo per gli altri, in una violenza contro tutto e tutti. Argante non esce mai da sé: vive
chiuso nella sua passione guerriera. Respinge con ogni forza
tutte le possibilità di un qualsiasi rapporto umano. Resta
perciò assolutamente solo: non ha un Dio sopra di sé, non
un re a cui piegarsi, non un compagno che accetti accanto,
non un nemico a cui cavallerescamente possa rendere omaggio di onore e di pietà.

Così è di Solimano, il quale è re. Ma a differenza del barbaro Argante, Solimano non ha una vita istintiva: vive invece nella storia e la patisce umanamente. Sconfitto due volte, ritenta invano la rivincita. Solimano aveva dovuto lasciare la terra natìa e seguire la via dell'esilio. La memoria di questo passato di sconfitta non lo abbandona e lo sospinge verso un futuro di vendetta, di progetti grandiosi di riscatto.

L'agire nel presente è determinato da quel passato, orientato verso quel futuro. Da questa passione che tutto lo prende, nasce la sua tremenda solitudine, che è la solitudine di chi vive sprofondato in un unico pensiero, nell'assenza di un qualcosa che gli è stato tolto e che egli invano tenta di riconquistare. È questo il motivo fondamentale del resto di tutta la *Gerusalemme*: un ritmo perenne di estraniamento dalla realtà e insieme di nostalgia struggente della vita, che chiude l'uomo in un cerchio di solitudine dolorosa.

# La civiltà barocca

## *L'incertezza e la "meraviglia"*

La civiltà del commercio e dell'industria, che pian piano si era affermata negli anni tra la fine dei secoli XIV e XVI, perde progressivamente forza. Con questa civiltà intraprendente cade il mito dell'energia e del protagonismo dell'individuo: cessa la fiducia nelle possibilità fattive dell'uomo, delle sue capacità di dare ordine al mondo.

Il dominio politico spagnolo e quello della cultura della Controriforma, nel Seicento, frenano in Italia la libera iniziativa e mentre impongono un'economia più pigra, di nuovo fondata sulle proprietà terriere, tolgono slancio anche alla creatività della letteratura: la fossilizzano spesso in inutili esercizi di spettacolare ma sterile arditezza formale.

Una storia della letteratura, lo si è già detto, è soprattutto una storia di capolavori, in cui grandi poeti e scrittori propongono realtà assolute e irripetibili. Ma una storia della letteratura, quando vengano a mancare questi protagonisti, può diventare la storia appassionante di uno svolgimento delle idee, che si affida a tante voci minori, le quali sanno interpretare con i vizi le virtù di una civiltà.

Nel Seicento in Italia, come in Europa, c'è un fenomeno culturale che investe, solo apparentemente di striscio, la letteratura. Grazie alle ricerche e alle grandi scoperte della scienza si realizza una rivoluzione intellettuale che cambia gli antichi punti di riferimento della conoscenza. Gli studi di Copernico sconvolgono addirittura le prospettive di veduta abituali: la terra cessa di essere al centro del cosmo e si apre all'improvviso una nuova prospettiva dell'universo, affascinante ma spaventosa, in cui l'uomo non può più essere l'assoluto protagonista.

Galileo con il suo cannocchiale spalancava i confini del cielo. Altri scienziati, con il microscopio, indagavano nell'infinitamente piccolo un'insospettabile complessità della materia. "Il cielo soprannaturale, la scienza occulta, il mistero, il miracolo scompariva innanzi allo splendore di questo lume naturale dell'occhio e della mente", ha scritto De Sanctis: "La magia, l'astrologia, l'alchimia, la cabala sembravano povere cose innanzi ai miracoli del telescopio... Sulle rovine delle scienze occulte sorgevano l'astronomia, la geografia, la fisica, l'ottica, la meccanica, l'anatomia".

"La filosofia", sono parole di Galileo, "sta scritta nel libro grandissimo della natura." "Il mondo è il libro, dove il Senno eterno scrisse i propri concetti", afferma **Tommaso Campanella** (1568-1639). I fondamenti della nuova conoscenza umana stanno in un'attenta osservazione, che precede l'analisi e lo studio. Ciò non comporta soltanto quel ribaltamento del sapere che darà nel tempo frutti più maturi. Comporta ora, nel presente immediato, anche una perdita non indolore di antiche certezze.

Se la civiltà del Medioevo aveva trovato un suo equilibrio, abbandonandosi alla sovrannaturale onniscienza di Dio, se la civiltà rinascimentale si era invece esaltata nella concezione di un uomo autonomo, libero e arbitro del suo destino, la civiltà secentesca riesce a smarrire la fede nel trascendente e insieme la fiducia nelle conquiste dell'uomo. Si affida ai nuovi strumenti di osservazione, affina i metodi di studio: ma l'unica certezza che raggiunge diventa paradossale. La nuova certezza dell'uomo consiste nella coscienza dell'instabilità, della mutevolezza continua del reale, sta nella consapevolezza dell'ingannevole apparenza delle cose, nella coscienza dunque della stessa precarietà dell'esistenza.

L'uomo del Seicento può cedere alla tentazione di esaltarsi, quando considera la grande potenzialità della sua intelligenza, quando misura la capacità di incontrare, mentre osserva e studia, cose sempre nuove. Ma appunto lo spalancarsi della conoscenza, l'acquisizione continua di parziali verità, di frammentarie e spesso contraddittorie conquiste scientifiche possono anche sconcertare l'uomo del Seicento, possono dargli il senso doloroso della propria piccolezza.

L'inquietudine per uno stato perenne di incertezza, il timore per la possibile perdita di identità, la paura di essere sopraffatti dalle contraddizioni, la nuova allarmante visione del mondo sono i temi interpretati da grandi scrittori come Shakespeare in Inghilterra o come Góngora, Cervantes e Calderón in Spagna. Nella letteratura italiana manca invece una personalità di spicco che sappia incarnare nella parola questi temi inquietanti. La nuova sensibilità della civiltà barocca si risolve al contrario in una condizione attenuata di irrequietezza e di instabilità, si arresta a una superficiale sensazione di stupore.

La "meraviglia" diventa il nucleo del programma poetico della nostra letteratura barocca. La "meraviglia" riesce a interpretare infatti, senza eccessivo spavento, lo stupore dell'uomo davanti al rivelarsi della continua mutevolezza e dell'infinita variabilità del mondo.

La "meraviglia" si fa soprattutto forma: una forma che mira a stupire il lettore con giochi di prestigio, con esercizi meccanici di stile, con artifici nei quali tutto viene affidato al suono, all'incanto della musicalità della parola, alla stravaganza delle metafore: all'uso cioè degli accostamenti verbali tra cose assai lontane tra di loro. È un modo di addolcire nel decoro l'instabilità del reale, di allontanare la paura per la metamorfosi incessante delle cose.

Una precisazione. Con il termine "barocco" veniva designato, in filosofia, un particolare tipo di ragionamento solo apparentemente logico; veniva designato, nelle arti figurative, un modo singolare di rappresentare la realtà, in cui sulla regola delle giuste proporzioni finiva sempre con il prevalere il capriccio dell'artista. Nell'uno e nell'altro caso questo termine ha assunto valore spregiativo: e negativo infatti è generalmente il giudizio storico che si è dato sulla civiltà del secolo XVII.

Ebbene, nella storia letteraria della nostra civiltà barocca, la "meraviglia", anziché diventare uno stato d'animo sofferto, un punto di vista doloroso, resta troppo spesso un semplice esercizio artificioso dello scrittore, il quale vuole appunto stupire il lettore con immagini ardite e ingegnose.

La "meraviglia" insomma raramente è "causa" del far poesia. La "meraviglia" diventa più facilmente "fine": è la "meraviglia" che il poeta cerca per coinvolgere il lettore, e non importa con quale mezzo. Si può arrivare così a paragonare l'uomo a un cavallo a cui Dio donerà, dopo la morte, "biada d'eternità, stalla di stelle". Il gioco sui suoni delle sillabe, la stravaganza delle metafore sono esercizi di una compiaciuta e gratuita genialità che annulla qualsiasi possibile paura sentimentale.

## Il barocco in verso e in prosa

Un grande giocoliere, il "re del secolo", come è stato definito, è il napoletano **Giambattista Marino** (1569-1625). Poeta cortigiano visse a lungo a Roma, al servizio del cardinale Aldobrandini, poi a Torino, presso Carlo Emanuele I, e infine a Parigi, presso la corte di Maria de' Medici e di Luigi XIII. Consegnò, in un ampio epistolario, un ritratto di sé non edificante: il profilo di un uomo che, nel suo vivere mondano, si muove spavaldo e ipocrita, astuto e meschino, diplomatico e pettegolo, attaccato alle ragioni del puntiglio, sempre venale e smanioso di una gloria immediata.

La poesia per Marino diventa subito mestiere: si fa l'ornamento prezioso di un'esistenza lussuosa che scansa i problemi e non conosce scrupoli morali. Il suo capolavoro, l'*Adone* (1623), è la breve favola dell'amore di Venere e Adone, troncata dalla morte dell'uomo, ucciso da un cinghiale che Marte (geloso di Venere) gli ha scatenato contro. La favola esile è diluita esageratamente in venti canti, spezzata da una serie di digressioni, frammentata da altre favole secondarie. Manca insomma al poema una vera trama e una salda struttura: e anche gli stessi personaggi sono privi di vita.

Ma il significato dell'*Adone* va cercato soprattutto in una volontà di raccogliere le voci più diverse della realtà, di adunare oggetti in una sorta di museo ideale, di preziosa galleria. L'*Adone* diventa insomma una specie di ampia enciclopedia: un inventario di cose meravigliose, o meglio di cose collezionate appunto per suscitare la meraviglia, con uno sfoggio di lusso espressivo.

La "meraviglia" è dunque, prima di tutto, oggettiva, un effetto tenacemente cercato. È il fine di un programma codificato da Marino in versi rimasti celebri:

> È del poeta il fin la meraviglia:
> parlo dell'eccellente, non del goffo:
> chi non sa far stupir vada alla striglia.

Ma esiste anche, nell'*Adone*, una "meraviglia" soggettiva. È l'emozione che il poeta prova di fronte all'abbondanza di cose belle e preziose, di cui il suo mondo è popolato. Sono lo stupore, la gioia del possesso, il godimento delle squisitezze, l'avidità e l'ebbrezza del lusso di questo mondo. Nell'*Adone* sfila infatti una moltitudine sterminata di luoghi e di oggetti (architetture di palazzi, parchi, fontane), di animali e piante, di metalli preziosi, di ninnoli e monili, di stoffe e stoviglie raffinate, di tappeti, di mobili, di quadri e libri.

Se nel poema manca un intreccio di sentimenti e di passioni, abbonda in compenso un intreccio di parole. Il mondo delle parole diventa alternativo a ogni altro, in un gioco fantastico sfarzoso, che può diventare però anche mostruoso nelle metafore impensate, nell'accozzarsi dei suoni, nei bislacchi accoppiamenti verbali, nella stessa stravaganza dei cataloghi.

Ciò capita nella poesia di Marino e dei cosiddetti marinisti, come vedremo subito, ma ciò accade anche nei tanti libri dei prosatori secenteschi, fra i quali spiccano quelli di **Daniello Bartoli** (1608-1685) definito da Leopardi il "Dante della prosa italiana": tanto questo scrittore cercò di interpretare la meraviglia del mondo, nel proprio periodare fiorito e prezioso, sontuoso e solenne.

Nelle prose di Bartoli, come, sia pure in maniera più esteriore, nell'*Adone* di Marino, si celebra il senso di una vita piena, spesso colma, comunque gioiosa. Ciò non esclude che su questa vita gioiosa possa allungarsi un'ombra di malinconia e di morte: il sentimento del tempo che trascorre inesorabilmente, la coscienza della vita che passa e annulla nella morte lo splendore di tutto ciò che appare.

La coscienza del tempo che passa e distrugge, l'incubo della morte saranno presenti anche nella poesia dei marinisti. La pietra sepolcrale, la putrefazione della tomba, lo scheletro, il teschio sono tra le immagini più ricorrenti e ossessive della fantasia barocca. Sulla morte, avvertita come nemica, sulla morte che porta tristezza e paura, si ferma smarrito lo sguardo dei poeti del Seicento, per i quali rimane sostanzialmente ignota qualsiasi apertura verso l'eternità.

Ciò non toglie che nei marinisti continui a ricorrere vistoso il gusto della "meraviglia", che porta, una volta di più, all'allestimento di straordinari cataloghi della realtà. Basti pensare alla raffigurazione della bellezza femminile, che provoca un repertorio raffinato di paragoni: i capelli diventano d'oro, le labbra sono rubini, i denti perle e così via. Non solo. Il campionario raccoglie ogni bizzarria. Compaiono perciò nella poesia barocca la bella "guercia", la bella "balbuziente", la bella "gobba", la bella "zoppa". E anche il "brutto" viene glorificato. Il "brutto", limitato prima a esperienze di specifici generi letterari o introdotto a produrre, per esempio, effetti particolari nella poesia burlesca o nella commedia, entra dunque per la prima volta – a pieno diritto – nella vita della poesia.

## La "meraviglia" della scienza

Sulla letteratura italiana del Seicento, si è detto, grava un giudizio frettolosamente negativo. Il giudizio è valido certamente per una storia della letteratura intesa come storia di puri episodi poetici. In una prospettiva più aperta invece, nella prospettiva cioè di una storia della civiltà letteraria, non potranno essere omessi nomi di scienziati come Galileo, di storici come **Paolo Sarpi** (1552-1623), di filosofi come Campanella: tutti e tre anche autentici e ottimi scrittori.

Esemplare è il caso di **Galileo Galilei** (1564-1642), che inventò (o meglio perfezionò) il cannocchiale: lo strumento che gli consentì di contemplare e scrutare il firmamento, per poi rivelare un universo del tutto nuovo. Galileo è una figura originale di scienziato: fonda la metodologia della ricerca moderna. Alla scienza tradizionale che si acquietava nel dogma della Chiesa o nei paradigmi astratti rinascimentali, Galileo oppone lo studio della natura attraverso l'osservazione e l'esperienza: e dalla sua appassionata curiosità di indagare il mondo nascono *Il Saggiatore* (1623) e il *Dialogo sopra i due massimi sistemi* (1632), i manifesti della nuova scienza.

L'importanza della sostanza del discorso scientifico di Galileo non è di competenza di chi traccia un profilo storico della letteratura. Interessa invece qui la forma del discorso. Intanto va segnato un fatto di non poco rilievo. Contro la tradizione che imponeva l'uso del latino nella trattatistica scientifica, Galileo scrive in volgare.

Come scrittore volgare Galileo è anche il fondatore di una prosa scientifica chiara, nitida e incisiva. Propone un modello di discorso lontano dall'ideale stilistico secentesco. E tuttavia l'opera di Galileo rimane lo stesso un esempio fondamentale della nostra civiltà barocca. Non esiste per lui un soggetto capace di conoscere (lo scienziato) e di fronte un oggetto (la natura) ben definito e tutto conoscibile, come un equivalente esatto di ciò che i sensi comunicano.

In altre parole, per Galileo, lo scienziato non ha a sua disposizione strumenti e metodi di conoscenza che ritenga definitivi: né la natura che è l'oggetto della ricerca si riduce soltanto a ciò che è visibile, anche grazie a quegli strumenti e a quei metodi. Tutto invece è relativo. E la conoscenza si muove, nel dubbio, alla ricerca di ciò che sfugge al controllo immediato di chi studia.

La ricerca è avventura nella "meraviglia". Il mondo è un "laberinto", dice Galileo, nel quale è necessario entrare con entusiasmo e senza paura. Ecco, da un lato dunque, l'uso del cannocchiale, che spalanca il mondo: "Quel cielo, quel mondo e quello universo che io con mie meravigliose osservazioni e chiare dimostrazioni aveva ampliato per cento e mille volte più del comunemente veduto da' sapienti di tutti i secoli passati".

Ecco, dall'altro lato, l'ammirazione dello studioso di fronte alle meraviglie dell'infinitamente piccolo, svelate dal microscopio: "Io ho contemplati moltissimi animalucci con infinita ammirazione: tra i quali la pulce è orribilissima, la zanzara e la tignuola son bellissimi; e con gran contento ho veduto come facciano le mosche e altri animalucci a camminare attaccati a' specchi, e anco di sotto in su".

Ma qui la "meraviglia" non è – come avveniva nella poesia marinista – esteriore: la meraviglia da provocare in altri, cioè nei lettori. Qui è invece intimamente vissuta, è un'esperienza personale, unica, che accompagna la scoperta di nuovi mondi: è insomma la meraviglia dello stesso scienziato-poeta. In Galileo dunque la "meraviglia" non è un programma di tecnica letteraria, una superficiale volontà di sorprendere e di riscuotere applausi. È un modo di scoprire e conoscere la natura, attraverso l'osservazione e lo studio.

# Dall'Arcadia all'Illuminismo

*Semplicità contro meraviglia*

Uno storico francese ha scritto che gli anni fra il Sei e il Settecento sono stati gli anni in cui è maturata la "crisi della coscienza europea". C'era stata una civiltà fondata sul senso del dovere: il dovere dell'uomo nei confronti di Dio, dapprima, il dovere nei confronti del sovrano, poi. Nasce invece una nuova civiltà che oppone al senso opprimente del dovere quello più gioioso del diritto: il diritto dell'individuo, il diritto del cittadino, il diritto della ragione.

La "ragion di Stato" era stato il dogma indiscutibile della vecchia società dei secoli XVI e XVII. La nuova società matura un ideale che cerca di proiettarsi verso il sogno della "pubblica felicità". Con quell'approssimazione che è tipica di qualsiasi semplificazione schematica, quando sono in gioco grandi mutamenti nella storia, potremmo dire che in sostanza la vita sociale, prima esclusivamente considerata dal punto di vista del sovrano, incomincia a essere osservata nella prospettiva opposta dei sudditi.

Il dibattito culturale in Europa si svolge su questi temi, proprio mentre si viene a stabilire una nuova situazione politica nelle nostre regioni. Con la guerra di successione spagnola, l'Italia torna a essere territorio di conquista delle diverse potenze europee. La caduta del dominio spagnolo non significa un ritorno alla libertà, si risolve in un asservimento che è più frazionato. Ma questo, il cadere, voglio dire, di un'unica egemonia, finisce con il giovare comunque allo sviluppo della nostra cultura, che nel Seicento si era chiusa in un pericoloso isolamento, in un pigro servilismo cortigiano verso gli Spagnoli.

I letterati italiani, costretti dalla realtà storica, tornano a guardare verso l'Europa e guardano prevalentemente alla cultura dominante, cioè a quella francese di Racine e di Corneille, di Molière e di Bossuet: ma soprattutto di Descartes, il grande filosofo della ragione. Il contatto con le nuove idee ringiovanisce gli spiriti, anche se il rinnovamento si manifesterà, come è naturale, in un percorso fatto all'inizio di strade tortuose. La prima svolta però è obbligata: sta, come sempre accade, nel rifiuto radicale dell'immediato passato.

Già negli ultimi anni del Seicento si erano manifestati segni di insofferenza per la poetica della "meraviglia", per le bizzarrie della civiltà letteraria barocca. Il "gusto" del barocco, con il culto esasperato dell'artifizio, diviene presto il "cattivo gusto" per eccellenza. Alla poesia della "meraviglia", alla poesia della stravaganza, si oppone la poesia della ragione. E la ragione significa, in Italia, innanzi tutto ritorno all'ordine.

Dalla cultura francese giungevano indicazioni in vero ben più radicali. Il giudizio sull'arte italiana, da Tasso a Marino, era un giudizio duramente negativo: si parlava apertamente di degenerazione barocca. E i letterati francesi proponevano, contro la stravaganza dell'eccesso della "fantasia" secentesca italiana, una disciplina della ragione molto rigorosa: né la ragione poteva soltanto limitarsi a un ritorno all'ordine, doveva soprattutto puntare a un'attenzione alla realtà, ai fatti della realtà.

I letterati italiani ascoltano questi giudizi ma, quasi per una sorta di patriottismo intellettuale, tentano dapprima una conciliazione, o forse sarebbe meglio dire un innesto del metodo della ragione sulla propria secolare tradizione: interpretano cioè il rinnovamento soprattutto come un ritorno alla semplicità e alla razionalità dei classici, senza negare così del tutto l'antica vocazione alla fantasia, senza soprattutto soffocare nei termini dell'utilità la poesia, continuando anzi a riconoscerne l'autonomia.

## L'Accademia dell'Arcadia

Nel 1690 a Roma alcuni studiosi, tra i quali vanno ricordati almeno **Gian Vincenzo Gravina** (1664-1718) e **Giovan**

**Mario Crescimbeni** (1663-1728), fondano l'Accademia dell'Arcadia. Il nome di questa accademia ripropone quello di una terra mitica e felice, cantata dalla poesia pastorale della classicità: e "pastori" infatti si chiamano tra loro gli accademici, i quali, guidati da un "custode", fingono di vivere in un paese ideale di semplicità, separato dagli intrighi del mondo; oppure quando accettano contatti con il mondo lo fanno soltanto per prenderne pretesto di una graziosa, ragionevole, decorazione.

È fatale che anche l'Arcadia debba perciò ben presto degenerare in un'altra forma di manierismo. Tuttavia il suo impulso originario è di riproporre subito un ideale di poesia semplice e naturale contro il fasto, la bizzarria e l'artifizio del culto barocco della "meraviglia". Alla troppo disinvolta certezza dei poeti barocchi nella superiorità dei "moderni" sugli "antichi", i poeti dell'Arcadia oppongono allora il primato dei classici. Assumono i grandi poeti antichi come modelli della nuova poesia: che sarà insieme la poesia della ragione e dell'eleganza.

Non ci farebbe una buona compagnia intrattenerci con i poeti-pastori dell'Arcadia: dovremmo convivere con un mondo spesso frivolo, popolato di damine incipriate e di cicisbei, travestiti con abiti bucolici, dovremmo soffermarci su un mondo animato da galanterie maliziose e languori sentimentali, dovremmo sorbirci una quantità di rime formalmente perfette, scritte per matrimoni e funerali, per nascite e monacazioni.

Basterà un breve incontro con il più acclamato esponente di questa scuola, **Pietro Metastasio**, nato a Roma nel 1698 e morto a Vienna nel 1782. Famoso in tutta Europa, di cui frequentò assiduamente le corti, celebrato come il "divino Metastasio", questo "musico" scrittore (come amava definirsi) interpreta con i suoi melodrammi, dalla *Didone abbandonata* (1724), all'*Olimpiade* (1733), all'*Attilio Regolo* (1740), l'eleganza formale aggraziata, la semplicità e la chiarezza nel far versi, ma anche i limiti vistosi di quella scuola.

Sull'esempio dei grandi tragici francesi del Seicento (Racine e soprattutto Corneille), Metastasio sembra tentare una ricerca di contrasti drammatici, giocati, per esempio nella *Didone abbandonata*, sull'opposizione fra amore e dovere, fra amore e ragione, fra amore e gloria. Ma il dramma punta presto a un effetto di naturalezza, propone un equilibrio tra "ragionevolezza" e "sensibilità", sì da ridursi a commedia. Accade allora che Enea prenda le vesti di un galante cavaliere e Didone quelle di una damina di corte. E quando arriva il momento dell'abbandono, ecco Enea, quasi come un piccolo "filosofo" della ragione, valutare il pro e il contro sul restare o partire, sull'abbandonare Didone o star con lei:

> Se resto sul lido,
> se sciolgo le vele,
> infido, crudele,
> mi sento chiamar.
> E intanto, confuso
> nel dubbio funesto,
> non parto, non resto,
> ma provo il martire,
> che avrei nel partire,
> che avrei nel restar.

Nel melodramma di Metastasio i grandi conflitti insomma rimangono come su uno sfondo elegante di cartapesta: danno soltanto una verniciatina di nobiltà a vicende sentimentali banali e quotidiane, raccontate in ariette cantabili, confezionate in oggetti di una perfetta bigiotteria, che non può essere però scambiata, in nessun modo, per preziosa gioielleria.

## Il senso della storia

Il rinnovamento del primo Settecento si sviluppa dunque, dapprima, in un recupero attento del passato. Ciò avviene, come si è appena visto, attraverso l'Arcadia, in modi che diventano subito frivoli e spesso stucchevoli. Ma il rinnovamento si manifesta, in maniera molto più seria e articolata, attraverso una fioritura di dotti studi storici, che vogliono diffondere il gusto di una conoscenza scientifica del passato.

Così, per fare solo qualche esempio, il pugliese **Pietro Giannone** (1676-1748), nella sua *Istoria civile del Regno di Napoli* (1721-23), fa un'appassionata difesa dell'autonomia dello Stato dalle interferenze della Chiesa. Mentre studia la storia delle usurpazioni ecclesiastiche ai danni del Regno di Napoli, elabora una concezione politica, interpretata come l'arte di adeguare, attraverso il diritto, il funzionamento delle istituzioni alla soddisfazione delle esigenze delle comunità. Così, senza piglio polemico, ma con attento scrupolo di accanito ricercatore, **Ludovico Antonio Muratori** (1672-1750) costruisce una monumentale raccolta di documenti che riguardano la storia d'Italia dal 500 al 1500.

Nei suoi *Rerum italicarum scriptores* ("Scrittori di cose italiane") attinge, con infinita pazienza, materiali dai più svariati archivi pubblici e privati. Riesce non soltanto a dare una rassegna degli eventi storici più visibili (le guerre, le vicende politiche, le transazioni diplomatiche), ma sa anche dipingere un grande quadro delle concrete condizioni di vita nelle società, che analizza nella sua ponderosa opera, in venticinque volumi, attenta alla logica concatenazione delle vicende umane regolate da ragioni e scopi che si fanno, in una ricostruzione minuziosa, concreti e verificabili, comprensibili e giudicabili.

Il recupero del passato, il gusto della ricostruzione storica, porta anche a una riflessione sul senso della storia, che scaturisce in Italia a esiti assai originali. Il razionalismo settecentesco europeo propone una concezione della storia in cui il passato, con i propri errori, viene studiato in esclusiva funzione del presente: e lo studio porta alla celebrazione della ragione che governa serenamente il presente, di cui il passato, appunto, non è altro che una lenta e progressiva preparazione.

Ben più avanti si porta nella riflessione il napoletano **Giambattista Vico** (1668-1744): figura d'intellettuale solitario, appartato dalla cultura ufficiale del tempo, geniale nelle sue intuizioni. L'opera più importante sono i *Principi di Scienza Nuova*, che uscirono in diverse edizioni, tra il 1725 e il 1744, dove Vico sintetizzava l'intera storia umana in un pensiero sistematico. "Gli uomini" dice Vico "*prima sento-*

*no*, senza avvertire, *dappoi avvertiscono* con animo perturbato e commosso, *finalmente riflettono* con mente pura." Questa vicenda dell'uomo si identifica nelle sue tre età: la fanciullezza, tutta sensibilità, la giovinezza, tutta fantasia e passione, la maturità, tutta riflessione. Ma questa stessa vicenda si riflette nella storia.

La storia dell'uomo attraversa tre stadi: "l'età degli dei", in cui Dio stesso governa il mondo e dove prevale la sensibilità; "l'età degli eroi", dominata dalla fantasia e dalla passione, in cui prevale la forza, in cui al potere vanno gli aristocratici; "l'età degli uomini", in cui si afferma una civiltà temperata dall'intelligenza, che propone un diritto "dettato dalla ragione" e dà origine a "umani" governi, a repubbliche o monarchie. Compiuto l'intero ciclo, ogni società sprofonda nella barbarie, per rinnovarsi e per ripetere nuovamente il ciclo, in una alternanza di *corsi* e *ricorsi*. Aperto a una valutazione insieme distaccata e amorosa delle età antiche, studioso soprattutto del "primitivo", Vico viene così ad anticipare quei concetti che saranno poi elaborati, nell'Ottocento, dagli storici romantici.

## Il regno della ragione

Con il trattato di Aquisgrana del 1748 e fino alla discesa di Napoleone in Italia del 1796, l'Europa vive quasi mezzo secolo di pace. In questo spazio di tempo si diffonde, anche nel nostro paese, la civiltà dell'Illuminismo: il grande, ambizioso, movimento di pensiero che si propone di diradare le "tenebre" dell'ignoranza e del pregiudizio, appunto con i "lumi" della ragione. "L'Illuminismo", dice Kant, "è l'uscita dell'uomo dallo stato di minorità che egli deve imputare a se stesso. Minorità è l'incapacità di valersi del proprio intelletto." L'uomo deve avere il coraggio – continua Kant – di servirsi della propria intelligenza. "È questo il motto dell'illuminismo."

Sul piano politico, sociale, economico, religioso, gli illuministi vorrebbero costruire una società più giusta (e più razionale), nella quale vengano rispettati i "diritti naturali" di ciascuno. Il progetto comporta quindi subito il riconoscimento e di conseguenza l'eliminazione degli errori del passato, comporta in prospettiva una ferma opposizione alla violenza e all'oppressione di qualsiasi potere basato soltanto sulla forza.

Il progetto comporta un senso di tolleranza dell'individuo verso gli altri: "Non sono d'accordo con te", dice Voltaire, "ma darei la vita per consentirti di esprimere le tue idee". E in questa prospettiva il riconoscimento degli altri, l'accettazione del diverso, portano l'uomo a sentirsi vero cittadino del mondo. L'uomo nell'età dei lumi diventa dunque "cosmopolita".

I maggiori intellettuali illuministi sono francesi. Voltaire nega ogni forma di intolleranza e di superstizione religiosa e propaganda invece una religione naturale, senza dogmi e senza forme di culto, fondata esclusivamente sulla ragione. Diderot e D'Alembert, nella loro *Enciclopedia*, propongono una monumentale ricapitolazione di tutte le conoscenze umane. Montesquieu, nello *Spirito delle leggi*, offre uno schema fondamentale sul quale, di fatto, si modelleranno poi tutte le costituzioni liberali dell'Ottocento. Rousseau, ginevrino, nel *Contratto sociale*, dà il disegno di una società basata su un "contratto", attraverso cui ogni individuo si impegna a limitare la libertà personale a vantaggio della comune libertà.

Gli intellettuali insomma sognano una vita che li faccia protagonisti della società. Il pensiero degli illuministi infatti vuole trasformarsi in azione: e trasformarsi concretamente, accettando inevitabili compromessi. L'obiettivo rimane – come si è detto – quello di non ripetere gli errori del passato. L'obiettivo è quello di cancellare privilegi secolari, che si sono trasformati via via in oppressioni dell'individuo. Simili obiettivi tuttavia non possono essere raggiunti realisticamente senza la collaborazione (e l'iniziativa) di chi detiene il potere.

Gli intellettuali illuministi finiscono per accettare l'"assolutismo". Riconoscono legittimo il potere dei sovrani, desiderano tuttavia lavorare accanto a loro: li vogliono "illuminare" con il proprio pensiero, perché i sovrani si servano utilmente del loro potere per realizzare le "riforme" necessarie a rinnovare la società. È così che nasce, nella seconda metà del Settecento, una nuova figura di intellettuale. Non più un uomo appartato in una scontrosa solitudine, oppure un cortigiano disposto a magnificare comunque il suo Signore, ma un intellettuale invece radicalmente impegnato nella società, pronto a collaborare con i sovrani "illuminati" dal loro pensiero.

Il progetto ha uno sbocco e anche un obiettivo letterario. Viene bandita la letteratura intesa come ozio, come esercizio esclusivamente formalistico, condotto all'interno di una casta chiusa di uomini dotti, che dona i frutti del proprio "gioco" soltanto nei salotti e nelle corti. Si propone, al contrario, e con forte decisione, una letteratura che si renda utile alla pubblica felicità.

L'ondata di riforme investe tutta l'Europa e raggiunge anche l'Italia. Il centro più importante della cultura illuminista è Milano, dove sorgono due accademie. L'Accademia dei Trasformati e quella dei Pugni. La prima accoglie le idee dell'Illuminismo con moderazione, cercando di interpretarle all'interno della tradizione classica.

L'Accademia dei Pugni invece è più battagliera, più radicale nel contrapporsi alla vecchia cultura. Da questa accademia verrà Parini, ma all'interno di essa si forma intanto il gruppo che si raccoglie intorno al "Caffè", fondato nel 1764 dai fratelli **Pietro** (1728-1797) e **Alessandro Verri** (1741-1816): il "Caffè" è un periodico che, nello stesso titolo, porta impresso il carattere democratico e borghese della nuova cultura. Si dedicherà soprattutto alla divulgazione e alla discussione di conoscenze tecniche e scientifiche. Dal punto di vista della storia letteraria, che più ci interessa, è importante che ingaggi una battaglia per una nuova cultura, la quale diventa subito una battaglia per una nuova lingua.

"Consideriamo ch'ella è cosa ragionevole che le parole servano alle idee, ma non le idee alle parole, onde noi vogliamo prendere il buono quand'anche fosse ai confini dell'universo, e se dall'inda, o dall'americana lingua ci si fornisse qualche vocabolo ch'esprimesse un'idea nostra, meglio che colla lingua italiana, noi lo adopreremo."

Così scrive Alessandro Verri in un articolo dal titolo programmatico: *Rinunzia avanti notaio degli autori del presente foglio periodico al Vocabolario della Crusca*. È un programma chiaro, con una decisa provocazione: c'è il progetto di rendere cosmopolita la nostra letteratura, di romperne il secolare isolamento, c'è il progetto di una rifondazione che parta proprio dall'essenziale misura espressiva della lingua, con la proposta di una lingua alternativa a quella purista, letteraria, pedante dei cruscanti, allora ancora ben attiva.

Lo stesso spirito di radicale rinnovamento si ritrova anche nella concezione letteraria. La lotta da principio ha un obiettivo preciso: è guerra ai "parolai", come dice Pietro Verri, è lotta soprattutto alle "pastorellerie". La nuova letteratura dovrà invece essere fatta di argomenti vivi, attuali, sarà una letteratura "utile", piena di "cose", più che di "parole", o meglio animata di parole nutrite di cose: non più uno spazio vuoto riempito di artifizi e decori, ma uno spazio colmo di idee.

Verranno Goldoni e soprattutto Parini a interpretare il nuovo ideale letterario. Ma accanto a loro va ricordato subito almeno il torinese **Giuseppe Baretti** (1719-1789), compilatore, sotto lo pseudonimo di Aristarco Scannabue, della "Frusta letteraria", un periodico pubblicato dal 1763 al 1765. Baretti interpreta il ruolo di un nuovo critico, ex soldato, giramondo, che ritiratosi in campagna si mette a leggere libri. Il critico non è più un dotto e pedante signore che giudica secondo vecchie norme una letteratura "soporifera" e provinciale, è invece un uomo vivo, spregiudicato che, mentre invita ad aprirsi alla cultura europea, lancia le proprie stroncature alla vecchia Italia accademica e arcadica.

La "Frusta", ha scritto Momigliano, è "rivolta contro la letteratura oziosa dei burleschi, contro quella ambiziosa degli scrittori togati, degli scimmiotti, degli acchiappanuvole, infine contro i poeti a cui manca il senso della realtà e il senso comune". La polemica di Baretti insomma è una polemica che si arma di ragione e buon senso.

## I mostri e i sogni della ragione

La civiltà sognata dagli intellettuali illuministi, anche se darà buoni frutti più avanti nel tempo, vive tuttavia, per chi l'aveva disegnata, una stagione molto breve. Agli inizi dell'ultimo decennio del Settecento infatti il grande ideale di una società governata da sovrani "illuminati", pronti a realizzare le riforme, entra in crisi. Scoppia la Rivoluzione francese: e il sogno della civiltà dei lumi viene travolto dall'esplosione della violenza rivoluzionaria, che è la negazione più radicale della ragione.

La Rivoluzione francese è un trauma storico che non nasce tuttavia all'improvviso. Ciò significa che la seconda metà del Settecento, mentre in superficie appare tutta compresa nella celebrazione della ragione, vive una sua vita nascosta più torbida e complessa (talvolta contorta), che si esprime, anche sul piano culturale, in fermenti che negano il regno della ragione o lo portano a impensate conseguenze.

Il ritorno a considerare il primato dell'uomo ha anche sbocchi più radicali, o si direbbe meglio più esasperati, in quella corrente che nelle storie letterarie si suole definire del Preromanticismo. Alla ragione si oppone il sentimento dell'uomo. Contro l'ottimismo illuminista riaffiorano gli antichi terrori della morte e dell'aldilà. Nasce così quella letteratura sepolcrale, inquietante, che avrà l'espressione più alta nei *Canti di Ossian*. Sono rielaborazioni libere di antichi canti della Scozia composte da James Macpherson e da lui pubblicate (nel 1762-1763) come traduzioni dei poemi di Ossian: un leggendario guerriero e cantore del III secolo. Questi poemetti sono tradotti in Italia, in vari tempi, a partire dal 1763, da **Melchiorre Cesarotti** (1730-1808) e propongono alla fantasia dei poeti dell'Ottocento, insieme a immagini malinconiche di amori sfortunati, visioni notturne e spettrali: metafore degli incubi di morte dell'anima moderna.

Ma ancora, in contrasto con la realtà storica delusa dal sogno tramontato della ragione trionfante e tormentata dagli incubi della Rivoluzione, negli ultimi anni del Settecento, risorge fortissima una nostalgia della classicità: la nostalgia di forme armoniche di una bellezza senza tempo, nella cui contemplazione si possano dimenticare i travagli della storia.

"La generale e principale caratteristica dei capolavori greci è una nobile semplicità e una quieta grandezza", scrive l'archeologo tedesco Winckelmann, nella sua *Storia dell'arte nell'antichità*: "Come la profondità del mare, che resta sempre immobile per quanto agitata ne sia la superficie, l'espressione delle figure greche, per quanto agitate da passioni, mostra sempre un'anima grande e posata".

L'eco di questa teoria in Italia si risentirà, come presto vedremo, nella poesia di Vincenzo Monti, ma si può cogliere subito anche nella ripresa di nuovi esercizi di traduzione dei classici della letteratura greca e latina, di cui l'esempio più importante rimarrà l'*Odissea*, tradotta da **Ippolito Pindemonte** (1753-1828), dopo un lavoro faticoso durato quindici anni.

# Carlo Goldoni

*Lo spettacolo del mondo*

Ci sono scrittori che, con distacco ironico e con leggerezza di spirito, offrono il quadro del loro tempo. Ci sono altri scrittori che ne rappresentano la coscienza, con sguardo cupo e senso del dramma. Goldoni appartiene alla prima schiera: assiste alla vita come a un onesto divertimento, offre, in uno spaccato particolare, una raffigurazione lieta della società settecentesca. Ciò non vuol dire tuttavia che ne ignori i problemi.

Prima ancora di studiare l'opera teatrale, per entrare in sintonia con questo scrittore, bisogna leggerne le *Memorie*, scritte a Parigi (e in francese), tra il 1783 e il 1787, dunque in età molto avanzata.

Carlo Goldoni nasce a Venezia nel 1707. Figlio di un medico irrequieto e vagabondo, girovaga con il padre, negli anni dell'infanzia e dell'adolescenza, per diverse città dell'Italia centrale e settentrionale. Nella giovinezza c'è qualche sbandamento. Gli studi non sono certamente regolari. Papà Goldoni vorrebbe il figlio dottore in legge. Ma Carlo non ha troppa voglia di studiare: anzi è un giovanotto che corre qualche avventura pericolosa. Solo con il matrimonio darà un minimo di ordine e di regolarità alla sua esistenza.

Goldoni, morto il padre nel 1731, mette la testa a partito. Si laurea in legge a Padova, dopo – si racconta – una nottata trascorsa al tavolo di gioco. Che il fatto sia vero o no, resta un segno simbolico della sua maturità e della sua spregiudicatezza. Di fatti esercita solo per qualche anno e con poca diligenza la professione d'avvocato. Da sempre affascinato dalle scene teatrali, ben presto cerca di affermarsi come drammaturgo: il che vuol dire (ed è un fatto nuovo, si badi bene) che si ripromette di campare con ciò che gli procura la sua attività esclusiva di scrittore. Ci riuscirà con alterne vicende.

Dal 1747 al 1762 lavora a Venezia, in un clima di continui contrasti con le varie compagnie di "comici", che non vogliono accettare la sua idea di un teatro scritto. Nel 1762 Goldoni viene chiamato alla *Comédie Italienne* e va a stabilirsi a Parigi, dove conosce uomini come Voltaire, Diderot e Rousseau, dove scrive, oltre ad alcune commedie in francese, le *Memorie* e dove muore nel 1793.

Le *Mémoires pour servire à l'histoire de sa vie et à celle de son théatre* ("Memorie destinate a servire alla storia della sua vita e a quella del suo teatro") sono uno sterminato documento della bonaria indulgenza di Goldoni nel guardare alla sua e alla vita altrui. Costituiscono anche un quadro ottimista della civiltà settecentesca. Il quadro ha come sfondo un paesaggio quasi esclusivamente cittadino, affollato di uomini indaffarati e contenti: che questi uomini lavorino o si trastullino nell'ozio, lo fanno sempre con divertimento.

A Venezia "si canta nelle piazze, nelle strade, sui canali. I mercanti cantano offrendo le loro mercanzie, gli operai cantano lasciando i loro lavori, i gondolieri cantano aspettando i loro padroni". Parigi è il regno della comodità e della vitalità: una vitalità sempre spettacolare, persino nei semplici gesti della vita quotidiana.

Le *Memorie* sono importanti anche, anzi soprattutto, per la quantità enorme di notizie che offrono sul far teatro di Goldoni: sulla sua "riforma" teatrale. Narrano gli inizi di un apprendista volenteroso che si forma prima sui testi comici greci e latini, quindi su quelli rinascimentali, e si ferma infine sulle opere di Molière. Sfatano comunque la leggenda di uno scrittore senza cultura, che si improvvisa drammaturgo.

La "riforma" si attua per gradi. C'è un periodo di tentativi e di sperimentazioni pratiche: un lungo periodo in cui Goldoni si adatta a scrivere canovacci per i "comici" della Commedia dell'Arte, in cui cerca di assecondare le esigenze degli attori, di scrivere pensando specificamente al loro modo di recitare. Ma soprattutto in questo periodo Goldoni cerca, con umiltà e curiosità, di interpretare i gusti del pubblico e, mentre si preoccupa della messa in scena dei propri lavori, guarda bene a quello che vuole il "mercato".

È un fatto molto importante. Per Goldoni rimarrà essenziale la concezione di un teatro come spettacolo, basato sul gusto dell'azione serrata e del movimento, oltre che sulla freschezza e la prontezza del dialogo: di un teatro che sappia stuzzicare e accontentare il pubblico. Ma il teatro non si riduce naturalmente soltanto a questo: il teatro per Goldoni deve rappresentare anche il mondo.

È questo il punto che determina lo stacco definitivo dalla Commedia dell'Arte: non sono più messi in scena caratteri astratti ripetitivi, ma figure verosimili di uomini, nelle quali il pubblico si può riconoscere. Non più maschere, ma volti di individui, le cui espressioni traducono moti interiori. Il teatro di Goldoni insomma deve saper testimoniare la realtà, pur attraverso la tecnica e il decoro del suo specifico linguaggio.

## Il mercante protagonista

Il teatro di Goldoni, ha scritto Attilio Momigliano, "è, nel campo comico, quello che fu nel campo drammatico il teatro di Metastasio. Un teatro di semitoni: pieno di avventure che lasciano il tempo che trovano, di giocondità senza entusiasmi, di bontà senza eroismi, di vizi senza colpa, di verità senza rilievo".

Il giudizio è vero soltanto in parte. Certo "non c'è commediografo più festoso" di Goldoni: il suo teatro è un teatro di intrattenimento. Ma lo spettacolo che vuol far divertire, intende allo stesso tempo portare in scena il mondo. E il mondo entra nella commedia goldoniana, almeno nella prima stagione, soprattutto con la figura del mercante veneziano: una figura che sarà interpretata per lo più da Pantalone, una vecchia maschera della Commedia dell'Arte, viziosa e libertina, che Goldoni sa reinventare in modo originale.

Del mercante si tessono prima gli elogi. Nel *Cavaliere e la dama* (1749) il protagonista Anselmo fa l'esaltazione della mercatura: oppone l'operosità e l'intraprendenza all'ozio parassitario degli aristocratici. "La mercatura", dice a un nobile, "è una professione industriosa, che è sempre stata ed è anco al dì d'oggi esercitata da cavalieri di rango molto più di lei. La mercatura è utile al mondo, necessaria al commercio delle nazioni, e chi l'esercita, come fo io, non si dice uomo plebeo; ma più plebeo è quegli che per aver ereditato un titolo e poche terre, consuma i giorni nell'ozio e crede che gli sia lecito di calpestare tutti e di viver di prepotenza."

Il mercante si fa portavoce insomma di valori semplici e positivi: il senso e il piacere del lavoro, una dirittura morale di sostanza, una schietta sincerità. Come dice Pantalone nel *Bugiardo* (1750), "l'omo civil no se distingue dalla nascita, ma dalle azion". E il "credito" del mercante, di fronte al mondo, "consiste in dir sempre la verità": perché "la fede xe el nostro mazor capital".

Goldoni propone dunque i valori di una nuova morale: la morale dei ceti medi e produttivi. Ma non c'è in questa discreta celebrazione nulla di provocatorio e men che meno alcunché di rivoluzionario. Il confronto fra nobili e borghesi viene rappresentato dalle commedie con affabilità: viene proposto come un dato di fatto da registrare, senza nessuna pretesa di critica alla società.

Al contrario, per esempio nelle *Femmine puntigliose* (1750), Rosaura viene criticata apertamente perché osa provare a contendere con i nobili nella "conversazione". Il mercante vuole il rispetto della propria dignità, vuole magari il riconoscimento dei suoi valori, ma deve anche sapere stare sempre al proprio posto.

Se trasgredisce a questa regola elementare per lui sono guai sicuri, come accade esemplarmente nella *Famiglia dell'antiquario* scritta nel 1749. Qui il mercante Pantalone commette un grave errore: consente che la figlia Doralice vada in sposa a Giacinto, figlio di Isabella e del conte Anselmo: un nobile spiantato che ha la mania delle antichità. Sulla scena prende spazio lo scontro tra Doralice e la contessa Isabella. La nuora mette in campo, con sfacciata ostentazione, i "ventimila scudi" portati in dote. La suocera le oppone la fierezza del proprio sangue blu, la sua boria di nobildonna. Tutto si confonde e si sfalda, tutto si inasprisce in questo scontro senza sbocco.

Pantalone, il vecchio mercante saggio, che crede nel valore dell'onestà e della sincerità, che rimane fedele alla religione del desco familiare, scende in campo per impedire la rovina della famiglia, per scongiurare la burrasca del disordine. Sistema come può le cose, ma non può mettere pace fra le due donne, l'una contro l'altra armata. Perciò la commedia non può avere, per una volta tanto, il lieto fine scontato.

"Quanto facile mi sarebbe stato", aveva scritto Goldoni nella *Prefazione*, rendere le due donne "sulla scena pacificate", ma "altrettanto sarebbe stato impossibile dare ad intendere agli Uditori che fosse per essere la loro pacificazione durevole: e desiderando io di preferire la verità disaggradevole ad una deliziosa immaginazione, ho voluto dar un esempio della costanza femminile nell'odio". Lo spettacolo, il divertimento, hanno dunque sempre un limite preciso, invalicabile, nella verità del racconto.

## Dalla "Locandiera" alle "Baruffe"

La verità storica, quello che accade, lo spettacolo del mondo, hanno un peso sempre determinante nel teatro di Goldoni. Perciò, quando, a partire dalla metà degli anni Cinquanta, si registra nella società veneziana il declino della borghesia mercantile, incapace di mutare i rapporti sociali, di imporsi come classe dominante, Goldoni descriverà questo declino e sposterà la prospettiva di osservazione: con occhio ancora più divertito, guarderà ai casi del vivere comune, cercando di tessere l'elogio, con una leggerezza di rappresentazione ancora maggiore, dei valori della sincerità e della convenienza.

Nasce così il suo capolavoro, *La locandiera* (1753). Ecco la figura popolana di Mirandolina, la bella e scaltra locandiera. Ed ecco di fronte a lei gli aristocratici sciocchi e vanagloriosi: il marchese di Forlinpopoli, orgoglioso del proprio casato, ma senza il becco di un quattrino; il conte di Albafiorita, tronfio nella propria ricchezza, con la quale si è acquistato il titolo; il cavaliere di Ripafratta, insopportabile nemico delle donne.

Mirandolina ha idee ben chiare: "Tutto il mio piacere consiste in vedermi servita, vagheggiata, adorata. Questa è la mia debolezza, e questa è la debolezza di quasi tutte le donne. A maritarmi non ci penso nemmeno; non ho bisogno di nessuno; vivo onestamente, e godo la mia libertà. Tratto con tutti, ma non m'innamoro di nessuno. Voglio burlarmi di tante caricature d'amanti spasimanti; e voglio usar tutta l'arte per vincere, abbattere e sconquassare quei cuori barbari e duri che sono i nemici di noi, che siamo la miglior cosa che abbia prodotto al mondo la bella madre natura".

Dunque Mirandolina si destreggia con malizia fra i due "nobili" spasimanti, beffandosi di loro, e fa di tutto per vincere la ritrosia del cavaliere misogino. Quando alla fine il cavaliere si innamorerà di lei, Mirandolina sposerà il cameriere della locanda.

Non sarà, si badi bene, un matrimonio d'amore, sarà un matrimonio di convenienza: perché Mirandolina vuole avere soltanto qualcuno che la protegga, senza dominarla. Insomma il suo è un gesto di libertà e di convenienza, ma insieme di irrisione verso chiunque pensi con spocchia di potersi comperare tutto.

Mirandolina è un caso a sé, nella storia del teatro goldoniano. Quando Goldoni torna al personaggio più frequentato dalla sua fantasia, torna cioè al mercante, già protagonista della prima stagione teatrale, impoverito ora nella propria condizione, lo interpreta come "rustego": vale a dire come eroe negativo.

"Noi intendiamo in Venezia per uomo *rustego*, un uomo aspro, zotico, nemico della civiltà, della cultura e del conversare", scrive Goldoni nella presentazione dei *Rusteghi*, messo in scena nel 1760. Nella nuova commedia viene abbandonato il tema del confronto fra nobili e borghesi, si studia la sola figura del mercante, ormai fiacco e corrotto.

C'è invece ora una prospettiva nuova. Va in scena il contrasto fra i giovani, avidi solo di divertimento e di gioia, e i vecchi, chiusi nel culto del lavoro e nella religione del desco familiare. La famiglia si fa mondo a sé: diventa una sorta di realtà protettiva, segregata dal resto della società.

Lunardo, protagonista della commedia, pensa soltanto dunque ai soldi, alla dignità della casa ("Mi penso a casa mia, e no penso ai altri"), predica una morale arcigna, che rifiuta le regole del mondo e degli "sporchezzi": che non accetta cioè le porcherie. Il mercante, fattosi "rustego" nella sua chiusura, diventa insomma un personaggio comico e ridicola si fa la morale di cui è portavoce: una morale non per nulla destinata alla sconfitta.

Dopo *I rusteghi* Goldoni tenta variazioni sul tema, senza arrivare a soluzioni originali. Così accade per esempio nel *Sior Todero brontolon* scritto nel 1762. Nello stesso anno il commediografo trova però all'improvviso un nuovo tema da sviluppare: sposta l'attenzione dall'ambiente borghese a quello popolare.

Nascono così le *Baruffe chiozzotte*, di cui diventa protagonista il mondo plebeo di Chioggia, rappresentato nelle sue oggettive condizioni di esistenza, tra lavoro e affetti. Da una parte si alza una voce di protesta: la protesta dei pescatori la cui fatica è sfruttata dai mercanti. Dall'altra parte si muove una serie di vicende di amori, di gelosie, di malumori sentimentali, di battibecchi e pettegolezzi, guardati comunque dall'alto con tono paternalistico dall'autore. Resta così esclusa nella commedia, insomma, la "tragicità" del vivere quotidiano delle classi popolari.

Anche se il distacco di Goldoni dal mondo plebeo è netto, ciò non toglie che le *Baruffe* segnino un definitivo riscatto dei personaggi popolari, i quali definitivamente si liberano dall'etichetta di personaggi comici, di macchiette, che a loro aveva sempre riservata la tradizione del teatro. Del resto ciò era implicito, in qualche modo, anche nella scelta da parte di Goldoni del dialetto, usato come lingua di tutti i giorni. Il dialetto perde le sue funzioni, che erano state, generalmente, di caricatura e di polemica. Il dialetto, nel teatro goldoniano, è elevato invece a dignità di vera e propria lingua.

# Giuseppe Parini

## Vita e programma di un poeta illuminista

Goldoni racconta nelle sue commedie uno spaccato della società settecentesca con leggerezza, persino talvolta con graziosa superficialità. Non fu quello che si potrebbe dire un illuminista militante, né uno scrittore impegnato nella battaglia civile per l'affermazione dei princìpi riformisti. Fu uno scrittore di buon senso, che si limitò a celebrare l'"uomo dabbene", il cittadino "onorato": espresse insomma una letteratura prudentemente riformatrice.

Giuseppe Parini (1729-1799) è nella nostra storia letteraria invece il poeta illuminista per eccellenza: è un analista acuto e tollerante del proprio tempo e insieme un serio e ironico educatore, che crede nell'uguaglianza naturale di tutti gli uomini, che predica l'umanitarismo, che celebra, sia pure con misura, il primato della ragione e del progresso.

Nato a Bosisio, in Brianza, Parini studiò a Milano e frequentò i circoli illuministi della città. Fece parte della Accademia dei Trasformati, dove si discuteva, oltre che di letteratura, anche di problemi di economia e di diritto, dove comunque i letterati erano chiamati ad arricchire la loro cultura di una severa responsabilità morale e sociale.

Dopo aver preso gli ordini sacerdotali, per necessità e non per vocazione (ma non per questo senza fede), l'abate Parini lavorò dapprima come precettore in famiglie patrizie (fu precettore, per esempio, in casa Imbonati), quindi fu nominato professore di belle lettere nelle Scuole Palatine, per diventare infine sovraintendente alle scuole pubbliche di Milano.

Dunque anche nella stessa vita, già con l'impegno di educatore, Parini interpreta una figura tipica di intellettuale illuminista, impegnato a collaborare con il potere, per quella ch'era chiamata la "pubblica felicità". E tanto più interpreta la nuova cultura in alcune opere di riflessione teorica. Così accade nel *Dialogo sopra la nobiltà*, scritto nel 1757, dove si immagina la conversazione tra un poeta plebeo e un poeta aristocratico i quali, morti da poco tempo tutti e due, si ritrovano in un'unica tomba.

Il poeta plebeo, convinto del principio dell'uguaglianza di tutti gli uomini, rinfaccia la corruzione della nobiltà all'interlocutore: la sciocca vanagloria, il vivere parassitario dell'aristocrazia, la quale abusa del potere, dopo averlo conquistato e imposto con la violenza.

Il poeta nobile accetta la dura requisitoria, anzi si "converte" al principio dell'uguaglianza, ma non rinuncia a replicare. Riesce a convincere l'interlocutore che sarebbe ingiusta tuttavia una condanna generale senza distinzioni. Nell'aristocrazia – sostiene – ci sono uomini corrotti, ma anche delle persone degne che operano per il pubblico bene.

Il *Dialogo sopra la nobiltà* esprime un'ideologia illuminista che, mentre punta a un rinnovamento, non propone alcuna rivoluzione nell'ordine sociale costituito. Così accade anche per il nuovo programma poetico, che Parini discute nel *Discorso sopra la poesia*, pubblicato nel 1761, e quindi nel trattato *De' principi generali delle belle lettere applicati alle belle arti*, nel quale furono raccolte postume le lezioni alle Scuole Palatine.

Anche in questo caso viene proposta un'equilibrata mediazione. Parini esprime, è vero, il progetto chiaro di un'arte impegnata sui grandi temi morali contemporanei, di un'arte aperta ai problemi della società e della scienza, fiduciosa di poter dare insegnamenti utili alla soluzione di quei problemi. La poesia, per lui, deve essere illuminata dallo "spirito filosofico", che con la sua luce di verità sconfigge "le dense nubi de' pregiudizi" e giunge a "ristabilire nel loro trono il buon senso e la ragione". Ma insieme Parini ribadisce, con ugual forza, la necessità di una fedeltà letteraria alle forme della tradizione: l'"utile" cioè per lui non può andare scompagnato dal "lusinghevol canto", dalla dignità formale della classicità. Parini non condivide insomma l'indiscriminata condanna del passato, il disprezzo per il bello stile, degli intellettuali del gruppo del "Caffè".

## L'uomo contemporaneo nelle "Odi" e nel "Giorno"

Scriveva Voltaire, guardando alla cultura francese del tempo: "La nazione, sazia di versi, di tragedie, di commedie, di opere, di romanzi, di riflessioni ancor più romanzesche sulla morale e sulle dispute teologiche, sulla grazia e le estasi, si diede finalmente a riflettere sui cereali. [...] Si scrissero delle cose utili sulla economia rurale". Parini, sia pure in una forma mediata dalla nostra tradizione, propone una poesia che sarebbe forse piaciuta a Voltaire.

La prima delle diciannove *Odi* di Parini, scritte tra il 1756 e il 1795, *La vita rustica*, riprende un tema tipico della letteratura classica: quello della contrapposizione della campagna alla città. Ma nella *Vita rustica* la campagna cessa di essere una natura-giardino, una campagna tutta decoro e idillio, come era stata quella celebrata ancora in anni recenti dall'Arcadia.

Al posto di una natura oleografica, dove si trastullano finti poeti-pastori, al posto di un paesaggio contemplato soltanto nella sua grazia bucolica, c'è al contrario uno spazio coltivato con perizia e con fatica dall'uomo; in luogo di una vita quieta e serena vissuta in perfetta tranquillità, c'è una vita fatta dal lavoro dei contadini, inteso come un'attività produttiva e socialmente utile, da cui nascono benessere e prosperità, come si può leggere, per esempio, in questi versi:

> E te villan sollecito
> che per nov'orme il tralcio
> saprai guidar frenandolo
> col pieghevol salcio:
> e te che steril parte
> del tuo terren, di più
> render farai, con arte
> che ignota al padre fu...

Nelle *Odi* Parini pone al centro della sua riflessione l'uomo contemporaneo, con i bisogni concreti, con la ricerca del benessere. Entrano così nella poesia temi completamente nuovi. Un tema moderno è quello della necessità di un miglioramento igienico della vita urbana, discusso nella *Salubrità dell'aria* (1759): e il moralismo di Parini qui addita chi, per pura speculazione, circonda la città di risaie e di marcite, o chi, per ignoranza e inciviltà, lascia fermentare il letame o getta acqua putrida per le strade, rendendo così ammorbata l'aria urbana.

Un altro tema inedito è quello filantropico dell'analisi delle deviazioni pericolose della società proposto nel *Bisogno* (1766): dove si individua nella miseria la causa della delinquenza, dove si insiste insieme sul dovere di abolire la tortura, ingiusta e inutile comunque nella prevenzione del delitto, per tentare invece la via preventiva dell'educazione.

Anche il tema dell'amore subisce nelle *Odi* una profonda trasformazione. Nell'*Innesto del vaiuolo* (1765) Parini esalta il nuovo ritrovato della scienza che può sconfiggere la malattia, ma insieme canta il culto della bellezza e della salute del corpo. Celebra la sanità dell'amore: o meglio dell'amore coniugale che ha valore soprattutto nella propria naturale fertilità.

Il mondo delle *Odi* di Parini insomma è un mondo concreto, nel quale si propaganda (avviene nella *Caduta*, 1785) una salda morale fondata sulla dignità dell'uomo, contro l'avidità del guadagno e la malattia della sensualità. È un mondo nel quale si celebra (accade in *Alla Musa*, 1795) il valore della poesia come consolazione dell'"umana vita", contro la corruzione e l'ambizione sfrenata, contro la degenerazione del materialismo.


## Il sogno illuminista infranto

Questa salda moralità costituisce l'attrattiva anche del *Giorno*, l'opera maggiore di Parini, un poema didascalico diviso in quattro parti, pubblicato a partire dal 1763. Procediamo, per ora, con ordine descrittivo. Nel poema si descrive la giornata di un aristocratico (il "giovin signore"), di cui Parini si finge "precettor d'amabil rito", il che vuol dire maestro di vita mondana. La giornata è scandita in quattro tempi: il mattino, il mezzogiorno, il vespro e la notte.

Il *Mattino* si apre con il tardo e faticoso risveglio del giovin signore, con la sua colazione e la sua laboriosa toeletta. Poi si illustrano le varie fasi dei primi obblighi mondani: le lezioni di ballo e canto, di musica e di francese; c'è quindi la pettinatura, l'incipriatura, infine l'elaborata vestizione. Quindi si narra l'uscita di gran carriera, in carrozza, verso la casa della nobildonna, della quale il giovane – come era consuetudine nel Settecento – è il "cavalier servente", cioè l'amante, in una società che accettava l'adulterio come istituzione.

Il *Mezzogiorno* indugia sulla scena del pranzo con la dama: offre l'occasione per tratteggiare una galleria di ritratti, in cui vengono messi in caricatura i comportamenti più fatui dell'aristocrazia. Il *Vespro* è dedicato alle visite mondane obbligatorie, a cui devono sottoporsi i due amanti, nonché alla passeggiata serale, in carrozza, lungo il corso, luogo di incontro convenzionale di tutto il "bel mondo" cittadino.

La *Notte*, per chiudere, dà l'occasione a evocare figure minori del vasto affresco sociale dell'aristocrazia: un affresco che viene dipinto dal poeta attraverso lo spettacolo di un grande ricevimento. Nel quadro entrano i ritratti di nobili maniaci. C'è l'aristocratico che si diverte a far schioccare la propria frusta e si esercita nelle sale del suo palazzo, fra i ritratti degli avi appesi alle pareti, fra i trofei che narrano una passata gloria. C'è il nobile che si diletta a fare il postiglione e guida il proprio cocchio, strombettando, vestito succintamente, ma con grandi, vistosi, stivaloni.

Un'avvertenza. Nel racconto il "precettore" finge di accettare il punto di vista del proprio allievo: perciò la vita vuota e futile della nobiltà è celebrata in termini iperbolici, come se fosse la vita davvero di "semidei terreni", e ogni banalità, qualsiasi gesto usuale, uno sbadiglio come il sorbirsi una tazza di caffè, diventa un gesto eroico e portentoso, ben degno di essere cantato in termini sublimi.

Il tono del poema è palesemente ironico. Ma l'ironia di

Parini è ricca di sfumature. C'è, certo, la contrapposizione del lusso e delle comodità del "bel mondo" alle fatiche e agli stenti dell'"umil volgo". Ma le sale dorate, gli oggetti preziosi, i tessuti raffinati, il decoro elegante sono pur sempre contemplati con un'ammirazione estetica.

La satira di Parini contro l'aristocrazia non è infatti satira radicale. Della nobiltà Parini bolla gli atteggiamenti più vani e boriosi. Condanna soprattutto il vuoto spirituale, l'abbandono alla noia. Il precettore infatti, prima di tutto, vuole insegnare al suo allievo "come ingannar questi noiosi e lenti / giorni di vita cui sì lungo tedio / e fastidio insoffribile accompagna". Ciò non esclude affatto che nel *Giorno* si coltivi, con ardore, la speranza di una rigenerazione dell'aristocrazia.

Parini condanna l'antica violenza, che ha portato al potere la nobiltà, ma tesse l'elogio anche dell'antica energia morale degli avi del "giovin signore", loda le loro qualità di sobrietà e di attivismo. Anzi, proprio in questa prospettiva, si fa tanto più aspra e risentita la polemica contro gli eccessi dei nobili decaduti: e tanto più la polemica diventa forte, quanto più viva è la speranza illuministica di una rigenerazione pur possibile di questo ceto moribondo.

Basti un solo esempio. Basti l'episodio della "vergine cuccia" del *Mezzogiorno*. Nel banchetto, a casa della dama del "giovin signore", siede un personaggio alla moda: il vegetariano. La sua voce di pietà per gli animali provoca nella dama il ricordo della propria cagnetta. Un giorno la "vergine cuccia" morse un servo e ne ricevette un calcio. La dama cacciò il servitore. Nonostante i venti anni di fedele servizio, costrinse il servo con la moglie ad andar sulla strada a chiedere l'elemosina: "E tu, vergine cuccia, idol placato / da le vittime umane, isti superba".

L'ironia di Parini, proprio nei momenti di più corrosiva descrizione di falsi princìpi, messi in caricatura, esprime la propria forte tensione morale. Ma, lo si è detto, questa tensione non genera una rivolta. L'ideale a cui Parini tende è una nobiltà che legittimi la propria posizione di privilegio, con un impegno serio, che sia in grado di far accrescere insieme al proprio benessere la prosperità comune, in un'am-

ministrazione più oculata e più fruttuosa dei propri beni, in
un impegno più solerte nella privata e soprattutto pubblica
amministrazione.

*Il giorno* è stato scritto in endecasillabi sciolti, cioè in versi senza rime: ciò costituisce, nella storia della nostra poesia,
già un'innovazione. L'abolizione della rima spezza infatti il
ritmo musicale del verso e tende a spostare l'attenzione del
lettore sul pensiero, più che sul suono della parola. Non solo. Il linguaggio di talune *Odi* è colmo di espressioni ardite.
Per restare alla *Salubrità dell'aria*, c'è l'uso di accostamenti
come "polmon capace" o "dorsi molli", "fetido limo" o "va-
ganti latrine".

La scelta di questa moderna lingua della poesia, che punta più alle "cose" che alle "parole", segna una strada nuova.
E non per nulla Parini diventerà uno dei maestri prediletti
dai poeti del nostro Romanticismo.

# Vittorio Alfieri

*"Volli, sempre volli..."*

Alfieri – scrive De Sanctis – "si pone in atto di sfida in mezzo ai contemporanei", come una "statua gigantesca e solitaria", con il dito puntato "minaccioso". La sua parrebbe già una vita romantica: una vita che nega ogni modello illuminista, che nega soprattutto il mito della ragione. È una vita percorsa da avventure, da slanci e da passioni. Vittorio Alfieri nasce ad Asti, nel 1749, da ricca e nobile famiglia. Studia, senza entusiasmo e senza soddisfazione, nell'Accademia militare di Torino.

Tra il 1767 e il 1772, per cinque anni, viaggia inquieto in Francia e in Inghilterra, in Olanda, Germania, Danimarca, in Svezia, Finlandia, Russia, in Spagna e Portogallo. Le grandi capitali lo deludono. Parigi non l'affascina: subito lo irrita il "contegno giovesco" del re. A Parigi rifiuta di incontrare Metastasio, poeta di corte, avvilito a fare la sua quotidiana "genuflessioncella d'uso" alla regina. La Berlino di Federico II gli appare una cupa, opprimente, "universal caserma prussiana". Lo attraggono invece quei paesi dove la natura vergine fa spettacolo della propria asprezza.

"Nella sua selvatica rudezza" la Finlandia, scriverà, "è uno dei paesi d'Europa che mi siano andati più a genio": è uno dei paesi che gli abbia "destate più idee fantastiche, malinconiche, ed anche grandiose, per un certo vasto, indefinibile silenzio che regna in quell'atmosfera, ove ti parrebbe quasi esser fuor del globo".

Alfieri nei viaggi non guarda rapito solo i paesaggi, vive anche passioni tumultuose, che lo portano a gesti spettacolari. Si innamora perdutamente all'Aja, in Olanda, di una donna: e per lei tenta il suicidio. A Londra si scontra in duello con il marito di un'amante. Tutto ciò appartiene soprattutto alla giovinezza irrequieta. Poi, quando la poesia diventa la passione più forte, questo giovane inquieto saprà imporsi una ferrea disciplina di studio: ed ecco l'Alfieri più noto, quasi uno stereotipo. L'uomo del "volli, sempre volli, fortissimamente volli".

Inizia così lo studio sistematico dei classici greci, latini e italiani. E dopo questo lungo esercizio di ferrea disciplina vengono le scelte decisive di vita. Alfieri si "disvassalla" e si "spiemontesizza", come dice. In cambio di una pensione vitalizia, dona i propri beni alla sorella: si affranca dalla dipendenza dal suo sovrano e si fa "libero cittadino".

Abituato, nello scrivere e nel parlare, all'uso corrente del francese, per "sfrancesizzarsi" (o per "spiemontizzarsi" appunto) si stabilisce in Toscana: vuole impadronirsi della lingua che meglio ha espresso ed esprime la tradizione letteraria italiana. E in Toscana, fatta eccezione per qualche viaggio a Roma, in Alsazia e a Parigi, Alfieri vivrà fino alla morte, fino cioè al 1803.

Negli ultimi anni, a partire dal 1790, scrive la propria *Vita*. La suddivide in quattro parti che corrispondono a quattro età: la puerizia, l'adolescenza, la giovinezza, la virilità. Ma non si tratta, se non sporadicamente, di una tradizionale autobiografia che raccolga semplici memorie. La *Vita* è al contrario un libro fortemente drammatico, che rappresenta il ritratto di un uomo dalla ferrea volontà, sempre in guerra con se stesso: di un io gigantesco sia nella affermazione che nella negazione di sé.

Dipinge però, in prevalenza, un uomo che vuole sconfiggere la naturale debolezza, che si eleva, come eroe da tragedia, a paladino della libertà e della creatività individuale. È il ritratto di un uomo ideale, a cui guarderanno con ammirazione gli scrittori dell'Ottocento: anche se, a osservarla con distacco, ci pare oggi una figura tanto ideale da risultare quasi astratta.

## Il poeta sradicato

Aveva ragione Francesco De Sanctis a tratteggiare dunque il profilo sdegnato di un Alfieri "solitario, che serba in sé inviolato e indiviso il suo modello": "E se il cielo gli dà torto, lui dà torto al cielo. Taciturno e malinconico per natura, risospinto dalla società ancora più in se stesso, solo al suo modello, rimane nel mondo vago e illimitato de' sentimenti e de' fantasmi, dove non ci è di concreto e di compiuto che il suo individuo".

"Perciò", concludeva De Sanctis, "i suoi fantasmi sono più simili a concetti logici, che a cose effettuali, più a generi e specie che ad individui." Ciò non toglie, come si è detto, che la vita di Alfieri potrà diventare il modello prediletto dagli intellettuali dell'Ottocento. Ciò non toglie, soprattutto, che il pensiero di Alfieri, con l'opposizione radicale all'Illuminismo, aprirà la strada al pensiero romantico.

Alfieri rifiuta il culto della scienza: lo irrita l'"evidenza gelida e matematica" del nuovo sapere. Ma dell'Illuminismo rifiuta drasticamente il despotismo illuminato. Anzi ne mette a nudo il pericolo. Il despotismo settecentesco è pericoloso perché il potere dei prìncipi "illuminati" è fondato appunto sul consenso dei sudditi e quindi predisposto ad attutire e spegnere ogni volontà di ribellione, qualsiasi palpito di libertà. Il rifiuto rimane però astratto: è un odio del potere in sé, che offre in alternativa un semplice titanico (ma sterile) disdegno.

Alfieri all'idolo polemico del "potere" non vuole, non sa, opporre una concreta proposta politica, ma solo un altro idolo astratto. L'uomo libero ha un'unica alternativa: quella di ritirarsi in se stesso, in una solitudine assoluta. La solitudine diviene infatti la sola garanzia della libertà dell'individuo. E gli unici gesti di ribellione alla schiavitù di questo uomo solo diventano i gesti estremi del tirannicidio o del suicidio.

L'ideologia di Alfieri, quasi un dramma politico messo in scena, si legge nel trattato *Della tirannide*, scritto nel 1777. Ma presto l'ideologia politica si trasforma in ideologia poetica e l'uomo solo di Alfieri che si oppone al tiranno diventa il "libero" poeta.

Nel trattato *Del principe e delle lettere* (1778-1786) viene esaltata la figura del "libero" scrittore, anche in polemica con quella del poeta cortigiano che intrattiene la corte, per divertirla. Ma soprattutto il mito del poeta "libero" viene proposto in contrapposizione con la figura dell'intellettuale illuminista che collabora vergognosamente con il potere. Lo "scrivere", per Alfieri, si sostituisce al "fare": anzi la poesia è superiore all'azione perché "il dire altamente alte cose" è già, per lui, un "farle in gran parte".

Il poeta si fa portavoce profetico dunque di una tensione estrema di libertà, anche perché l'opera poetica, nella propria forma di dono gratuito, è simbolo sublime di disubbidienza e ribellione. La condizione della solitudine rimane allora tanto più essenziale.

Nasce così la figura del "poeta sradicato", che si mette ai margini della società, che si riconosce con fierezza privo di una funzione politica, che intende unicamente affermare una sete di assoluta libertà e di esasperato individualismo.

In realtà, come è stato osservato, quella di Alfieri non è una poetica, ma una traduzione della sua poesia in teoria. E nella teoria, per lui, fondamentale è quello che viene definito l'"impulso naturale": "Un bollore di cuore e di mente per cui non si trova mai pace, né loco; una sete insaziabile di ben fare e di gloria; una infiammata e risoluta voglia e *necessità* o di esser primo fra gli ottimi o di non esser nulla".

## Tiranni ed eroi

Per questa forte tensione passionale, per questa tempra morale di uomo che ama il contrasto, il testo tragico diventa la forma espressiva più congeniale: nella tragedia infatti possono invadere liberamente tutto lo spazio i fantasmi mentali di Alfieri.

Lo schema fondamentale della tragedia diventerà dapprima quello trovato nell'*Antigone*, scritta tra il 1776 e il 1777. Qui da un lato c'è l'ossessiva presenza del tiranno, dall'altro c'è la ribellione dell'anti-tiranno, che si oppone all'invincibile potere del proprio antagonista con il gesto della sfida

estrema della morte, la quale riesce a dimostrare, esemplarmente, il desiderio inappagabile di libertà.

Antigone vuole dare sepoltura al fratello morto, ma il tiranno Creonte glielo vieta. Antigone, offesa, rifiuta l'amore
di Emone, il figlio di Creonte, che ella stessa ama. Lo rifiuta
appunto perché lo ama: perché, per amor suo, potrebbe piegarsi al compromesso, perché sarebbe forse tentata a cedere
al volere del tiranno.

Creonte tenta pure di far recedere Antigone dalla decisione, ma Antigone è irremovibile e preferisce la morte. I versi
di Alfieri interpretano nel ritmo serrato, per nulla musicale,
nelle cadenze dure e spezzate, l'asprezza del contrasto. Ed
ecco (non è un caso eccezionale) la scena decisiva della tragedia, dove in un unico endecasillabo si susseguono serrate
cinque battute:

> CREONTE: Scegliesti?
> ANTIGONE:            Ho scelto.
> CREONTE:                      Emon?
> ANTIGONE:                            Morte.
> CREONTE:                                    L'avrai.

Nella tragedia lo schema del rigido contrasto tra tiranno
ed eroe, tra il potente che è chiuso nella logica del potere e
l'eroe che gli oppone l'esemplarità di un'azione estrema, si
risolve però in una contrapposizione di due solitudini simi-
lari.

Sola è certamente Antigone che sceglie la morte. Ma altrettanto solo si ritrova anche Creonte, quando il figlio Emone si uccide gettandosi sul corpo dell'amata morta. E il monologo finale lascia in scena, nella propria desolata solitudine, anche il tiranno:

> O del celeste sdegno
> prima giustizia di sangue, ...
> pur giungi, al fine... Io ti ravviso. Io tremo.

L'*Antigone* propone dunque nella sua protagonista l'alternativa fra una vita in schiavitù e una morte eroica. Questo
schema, già tentato in precedenza nel *Filippo* (1775-1776),

si ripeterà ancora nelle future tragedie, dall'*Oreste* (1776-1778), alla *Virginia* (1777-1778), fino al *Timoleone*, scritto tra il 1779 e il 1780. Qui il protagonista, che dà il titolo alla tragedia, vuole liberare Corinto, sua patria, dalla tirannide del fratello Timofane.

Il contrasto ha nella nuova tragedia però un esito più complesso. Ai due fratelli è assegnato dal destino un ruolo diverso: ma li unisce la comune superiorità su tutti gli altri. "A me non v'ha qui pari", dice Timofane parlando con Timoleone, "altri che tu". E allora può accadere che si prospetti una possibilità di scambio dei ruoli.

Timoleone propone al fratello di trasformarsi da tiranno in eroe della libertà: di ridare cioè spontaneamente libertà a Corinto. Timofane a sua volta propone al fratello di sostituirlo nella guida del regno. La fatalità lascia i due protagonisti ciascuno nel proprio ruolo, ma il tiranno Timofane morente ribadirà la verità di un sogno pur possibile:

> Se impreso
> io non avessi a far... la patria... serva...
> impreso avrei di liberarla: è questa
> d'ogni gloria... la prima...

Insomma il contrasto tra il tiranno e l'anti-tiranno diventa reversibile: non è più un conflitto tra rivali, ma di un unico personaggio sdoppiato, di un "io diviso". Nelle tragedie di Alfieri si assisterà, via via, a uno spostamento di prospettiva: se prima la vicenda si fondava su un contrasto insanabile, man mano sulla scena prende spazio soltanto un lungo monologo.

Il protagonista vive per sé unicamente, vive per la sua passione, parla solo a sé, a fatica riesce ad ascoltare gli "altri": li ascolta solo se lo possono aiutare a realizzare il proprio gesto, se tornano utili a dar compimento e soddisfazione alla propria passione. È questa la celebrazione di una sorta di metafisica dell'orgoglio.

## Le passioni estreme di "Saul" e "Mirra"

In questa prospettiva, con l'accentuazione di un dramma che si fa sempre più interiore, il *Saul* (1782) e la *Mirra* (1784-1786) diventano i due capolavori di Alfieri. Saul, vecchio re di Israele, in lotta contro i nemici Filistei, conserva il carattere del tiranno di tante altre tragedie: è dominato da una sete insaziabile di dominio e odia Davide, colui che dovrà succedergli al trono, al "suo trono". Saul conosce le leggi ferree del potere:

> O ria di regno insaziabil sete,
> che non fai tu? Per aver regno, uccide
> il fratello il fratel; la madre i figli;
> la consorte il marito; il marito il padre...
> Seggio è di sangue, e d'empietade, il trono.

Ma nonostante la propria consapevolezza Saul resta succube della legge tragica del potere. Decreta allora la morte del capo dei sacerdoti e la strage dell'intera casta sacerdotale che gli si oppone, anche se sa che la lotta contro Davide è in realtà solo un'assurda lotta contro la vecchiaia, un'inutile guerra contro il tempo.

Da qui viene l'assoluta solitudine di Saul. Il conflitto, per lui, non è più in realtà con Davide e con la casta sacerdotale che lo sostiene, è un conflitto che si fa tutto interiore. Saul è in contrasto con la consapevolezza di una fatale volontà di autoaffermazione. E quando un ministro cerca di riproporgli Davide come rivale, Saul lo corregge senza esitazione:

> Ah! no: deriva ogni sventura mia
> da più terribil fonte...

Condannato dalla coscienza di non saper affermare la propria aspirazione a una libertà interiore, Saul vede allora solo nel suicidio l'unico gesto possibile per un personale riscatto.

Uno schema simile, sia pure in una variazione sensibile del tema, si incontra nella *Mirra*, ambientata nella Cipro dell'antichità. La protagonista, che dà il nome alla tragedia, è

innamorata incestuosamente del padre Ciniro e porta dentro di sé il segreto della sua passione colpevole. In ciò soltanto consiste il nucleo della tragedia. Mirra nasconde in sé
una misura infinita di amore: un amore che non può naturalmente soddisfare, ma che non può neanche comunicare,
che è costretta a soffocare nel proprio cuore.

Le parole pietose degli altri non possono far altro che
condannarla sempre di più a un più atroce dialogo-silenzio
con se stessa, via via sempre più insostenibile, tanto da con-
durla a una morte inevitabile. Il padre, amoroso, si dice disposto ad appagare qualsiasi suo desiderio, si dichiara pronto a darla in matrimonio a chiunque ella ami:

> Il tuo amor, la tua destra, il regno mio,
> cangiar ben ponno ogni persona umile
> in alta e grande...

Mirra tanto più si vede chiusa nel suo dolore. Per ben
quattro atti era riuscita a serbare dentro di sé l'orribile segreto: quando, nel quinto atto, nell'estremo confronto con il
padre, è spinta a confessare, quando può dare così al proprio affetto un principio di storia, subito, appunto perché
l'amore non può avere storia, arriva la decisione della morte, per suicidio.

La modernità e la novità del teatro di Alfieri stanno soprattutto in questa riscoperta della passione, anzi della passione estrema che non trova possibilità di sviluppo, che è destinata a consumarsi in se stessa, a distruggere chi la vive. La
riscoperta della passione avviene proprio nell'età dei lumi e
del trionfo della ragione: anche per ciò, per aver dato vita alla potenza inarrestabile del sentimento, Alfieri diverrà il modello prediletto dei nuovi scrittori del nostro Romanticismo.

# L'età napoleonica

## Lo stile "Impero"

In Europa, dopo la Rivoluzione francese, per i primi quindici anni dell'Ottocento, mentre l'avventura napoleonica domina la scena politica, nella cultura il dibattito continua a proporre i temi discussi nell'ultimo Settecento.

Semplifichiamo le cose per chiarezza, solo per capire le linee fondamentali entro cui ci si muove. Visibili sono ovunque i fermenti del Preromanticismo, ma domina ancora, anzi, proprio in questi anni, rifiorisce e prende ancor più vigore la cultura neoclassica. E ciò accade per una ragione evidente.

Napoleone viene incoronato solennemente Imperatore nel 1804: e il suo Impero riproduce, nelle forme esteriori, gli antichi fasti della classicità. Lo splendore di Roma, il mondo classico, rivivono insomma nel mondo moderno: rivivono nell'architettura, nel costume, persino negli abiti, nelle acconciature, nei mobili e negli oggetti del comune vivere quotidiano.

Le donne si guardano nello specchio che viene chiamato "psiche", si sdraiano su poltrone che si chiamano "agrippine". Ma non si tratta soltanto di una semplice trasformazione esteriore. Non si tratta cioè di un puro decoro formale. C'è anche la concretezza della realtà storica. La discesa dell'esercito napoleonico in Italia poteva, a ragione, far venire in mente a un poeta ben nutrito di letture classiche la discesa di Annibale verso Roma.

Insomma il Neoclassicismo, specie nell'Europa latina, e tanto più dunque in Italia diventa per qualche lustro la cultura dominante: appunto perché la realtà visibile dell'Impero napoleonico, nelle forme e nei rituali, autorizzava, nel presente, l'illusione di un ritorno alle glorie del passato. In Italia l'interprete di questa illusione, come dei gusti dell'età napoleonica fu soprattutto Vincenzo Monti. Ma anche l'esperienza, apparentemente sdegnosa nel proprio isolamento, di Ugo Foscolo, scrittore certamente già di tempra romantica, per tanti aspetti si può ricondurre ai gusti e alle scelte di questa età.

## Il "segretario dell'opinione dominante"

Sull'opera di **Vincenzo Monti** (nato ad Alfonsine in Romagna nel 1754 e morto a Milano nel 1828) grava la pesante ipoteca di un giudizio negativo: un'ipoteca che lo bolla come l'ultimo poeta di una lunga tradizione cortigiana. Ma bisogna guardare all'esperienza di Monti con un po' di indulgenza. La sua vita cade infatti in un periodo di forti e continue trasformazioni, di rapidi rivolgimenti.

Dagli anni quieti delle riforme illuministe e del regno incontrastato della ragione si passa alla sconvolgente bufera della Rivoluzione francese: è come se l'Europa si risvegliasse all'improvviso da uno splendido sogno. Poi c'è il dominio sulla scena europea di Napoleone, ma subito dopo dall'avventura napoleonica si passa alla Restaurazione, mentre già si organizzano, all'interno dei singoli paesi, le prime sommosse liberali.

Per un uomo miope nell'intendere la politica, per un uomo di debole tempra morale, completamente assorto nel culto della bellezza dell'arte, non era difficile perdere l'orientamento. Non a torto De Sanctis, scrittore romantico e protagonista del nostro Risorgimento, definì Monti "il segretario dell'opinione dominante, il poeta del buon successo".

La poesia di Monti infatti si adegua docile a qualsiasi mutamento: celebra gli ideali del dispotismo illuminato, come quelli della rivoluzione, canta ora un desiderio di ordine e riposo, ora il mito napoleonico, fino a piegarsi, a tempo opportuno, nell'omaggio del ritorno in Italia degli Austriaci.

Basti un po' di cronologia. Nel 1793 Monti è a Roma, ben protetto alla corte del papa Pio VI: eccolo magnificare i sentimenti monarchici e cattolici, contro gli "orrori" della Rivoluzione francese. Quattro anni dopo il poeta fa i bagagli e si trasferisce a Milano. L'aria è decisamente cambiata. Qui si attende la discesa di Napoleone in Italia e Monti si converte subito agli ideali democratici e rivoluzionari.

Nel *Prometeo* (1797) Napoleone è allora subito paragonato al grande e mitico ribelle che si oppose ai tiranni e seppe sconfiggerli. Passano solo due anni e cade la Repubblica Cisalpina. Monti non indugia, viaggia alla volta di Parigi. Nell'opinione pubblica borghese parigina c'è ora un senso di stanchezza per le violenze della Rivoluzione, si fa strada la nostalgia di un ritorno all'ordine. Nella *Mascheroniana* (1802) il poeta puntuale esprime questa aspirazione al riposo.

Trionfa Napoleone ed ecco Monti già con la penna in mano preparato a cantarne le gesta: celebra la vittoriosa discesa in Italia con *Per la liberazione dell'Italia* del 1801, celebra le gloriose imprese militari in Germania con *Il bardo della Selva Nera* del 1806 e la guerra in Spagna con la *Palingenesi politica* del 1809. E quando cade Napoleone, quando gli Austriaci ritornano in Italia, Monti non ha problemi: con il *Mistico omaggio* (1815), con *Il ritorno di Astrea* (1816) è immediatamente disposto a mettere in versi un convinto ossequio ai nuovi vincitori.

Giudicare Monti soltanto in questo opportunismo politico non avrebbe però senso in una storia letteraria. Monti è certo infedele a prìncipi, re, imperatori che cadano in sfortuna: poco importa. Resta fedele, fedelissimo, a un ideale di letteratura. Anzi, proprio da questa specie di maledizione che lo costringe a piegarsi a esaltazioni (come a necessarie ritrattazioni), prende un umanissimo significato il suo culto della poesia classica.

La realtà politica che lo circonda è in continuo movimento, lo si è visto. E allora il povero poeta disorientato, senza sinceri interessi politici, tanto più sente la necessità di attaccarsi a un valore certo e immutabile in cui credere, in cui poter dar tregua alla mente travagliata. Trova una facile via d'u-

scita ai propri affanni: fra tanti clamorosi sbandamenti ideologici, fra tanti contraddittori atteggiamenti, Monti si costruisce un programma di ideale "decorazione" della realtà,
pronto a ogni uso. Non importa a lui insomma mai l'oggetto
della poesia, conta soltanto la forma con cui decorare quell'oggetto.

L'occasione può essere un'impresa di Napoleone (e lo abbiamo già visto) oppure il ritrovamento insperato di un reperto archeologico come il busto di Pericle: e nasce così *La
prosopopea di Pericle* del 1779. L'occasione può essere una
ricorrenza festiva di un principe o indifferentemente una
grande scoperta della scienza: e nasce così, per il primo volo
dell'uomo nel cielo, l'ode *Al signor di Montgolfier* del 1784.

"Poeta dell'orecchio e dell'immaginazione, del cuore in
nessun modo", come lo definì, senza cattiveria, Leopardi,
Monti resta in definitiva il poeta della letteratura. La letteratura diviene mondo esclusivo: un mondo sempre identico a
se stesso. Un mondo soltanto mentale che garantisce un riparo dalla realtà. Un mondo protettivo in cui trovare scampo, quando ci si sente aggrediti da una realtà minacciosa e
comunque incomprensibile.

Non per nulla il vero capolavoro di Vincenzo Monti è la
traduzione dell'*Iliade*, composta a partire dal 1810. In questa traduzione il poeta della letteratura può far oggetto del
suo canto non più una qualsiasi occasione impostagli dalla
realtà, ma finalmente l'amatissima letteratura.

Solo nel tradurre il capolavoro di Omero, Monti trova il
modo di raccogliersi in un lavoro che lo assorbe e lo chiude
in uno spazio esclusivamente letterario, che cancella le
asprezze della storia. La splendida traduzione sarà il frutto
più maturo del Neoclassicismo italiano, proprio nel momento in cui la rivoluzione romantica appare decisa a consumare, fino in fondo, il distacco definitivo da una lunga tradizione classicista.

# Ugo Foscolo

## Un uomo libero

Monti, scrisse Momigliano, fu "lo storico decorativo" del proprio tempo, Foscolo ne fu "l'antagonista profetico". Monti, in ogni situazione storica, cerca un accomodamento con chi sta al potere: il suo ambiente ideale è ancora quello della corte, di cui si fa poeta celebrativo con entusiasmo. Foscolo invece, quasi fatalmente, è sempre "contro": la sua esistenza è quella di un uomo solo e libero, che non vende la propria penna, che difende comunque la sua autonomia di scrittore.

Ugo Foscolo nasce a Zante (l'antica Zacinto) nel 1778 da padre veneziano e da madre greca. Trascorre l'infanzia in Grecia e poi, nel 1793, si trasferisce con la madre a Venezia: una città ormai in decadenza economica e politica, ma pur sempre ricca di vita culturale, con grandi possibilità di incontri ed esperienze.

Acceso sostenitore delle nuove idee rivoluzionarie, Foscolo le esprime in una tragedia (*Il Tieste*) che è rappresentata nel 1797 e con cui ottiene un clamoroso successo. Il successo dà inizio a una persecuzione politica, che costringe il poeta a fuggire a Bologna. E proprio da Bologna, in quello stesso 1797, Foscolo invia un'ode *A Bonaparte liberatore*, per invitarlo ad attraversare le Alpi e cacciare dall'Italia gli oppressori austriaci.

La campagna militare italiana di Napoleone si conclude con il trattato di Campoformio, con cui Venezia viene definitivamente ceduta all'Austria. Amareggiato per la perdita di quella che considerava la sua seconda città natale, Foscolo cerca rifugio nella capitale della Repubblica Cisalpina. A Milano conosce Parini e Monti, fonda e collabora con assiduità al "Monitore italiano": in polemici commenti politici non risparmia critiche neppure ai dirigenti della Cisalpina, di cui naturalmente si attira l'ostilità. Ciò non toglie che Foscolo, quando Milano sarà minacciata dalle armate russo-austriache, chieda e ottenga di arruolarsi nell'esercito della Repubblica, disposto a difenderla con la propria vita.

Gli anni milanesi (1801-1804) sono anni fervidi di creatività. Foscolo porta a compimento le *Ultime lettere di Jacopo Ortis*, scrive i *Sonetti* e le *Odi*. Ma gli anni milanesi sono anche anni di un grande disordine nell'esistenza quotidiana: sono anni di passioni brucianti, di debiti, di grandi e piccoli fallimenti. Sarà del resto questo il motivo dominante di una vita che conoscerà rare pause di normalità, periodi di attività professionali appena intraprese e subito lasciate a mezzo, fra un turbinìo di spostamenti, di fughe o di esili più o meno volontari.

Nel 1804 Foscolo è a Parigi, poi dal 1806 al 1812 torna in Italia, senza stabilirsi però in una dimora fissa. Nel 1808 insegna eloquenza italiana all'Università di Pavia, ma dura nell'incarico per poco tempo, mentre continua a svolgere un'intensa attività di giornalista. Gli interventi polemici, gli attacchi continui che distribuisce un po' a tutti rendono insostenibile la sua situazione.

Ci sarà, dopo un soggiorno fiorentino (1811), un altro tentativo di vita milanese (1812), quando, appena caduto Napoleone, tornano in Italia gli Austriaci. Proprio il governo austriaco (in un'accorta politica di corteggiamento degli intellettuali) propone a Foscolo la direzione della "Biblioteca italiana". Ma l'uomo "libero" ha il sopravvento: Foscolo rifiuta la proposta, per restare coerente con il suo passato e le proprie idee, e decide per un esilio definitivo, che lo porterà prima in Svizzera, poi in Francia e finalmente a Londra, dove morirà solo e in miseria nel 1827.

La vita di Foscolo è dunque caratterizzata dal gusto delle passioni intense, dagli amori tumultuosi, da solenni giuramenti in nome della libertà, da rotture clamorose, da gesti comunque spettacolari. Per questo Foscolo incarnò, per le generazioni avvenire, insieme ad Alfieri, il mito del "libero scrittore" e la sua vita divenne un modello di vita romantica.

Ma Alfieri continua a interpretare un mito di poeta "sradicato", con il proprio aristocratico (e cocciuto) isolamento dalla società, con il suo porsi insieme contro di essa e fuori di essa. Foscolo invece, appunto nelle sue contraddizioni, è un uomo integralmente romantico: la rivolta contro la società, l'opporsi al potere non escludono infatti per lui una volontà di agire, di intervenire concretamente. Foscolo è un poeta e un erudito, che vive nell'isolamento dello studio, ma è anche (o tenta di essere) un professore di università, è anche un giornalista che si inserisce con piglio combattivo nel dibattito delle idee del tempo. Foscolo è un astratto pensatore politico, ma è anche un soldato e un esule: un uomo comunque perseguitato da ogni autorità.

## La realtà e le illusioni

Della sua vicenda Foscolo ha lasciato traccia in un folto epistolario, in cui dà sfogo senza freni alle contraddizioni del proprio temperamento, in cui non si vergogna affatto di riconoscersi come un uomo "ricco di vizi e di virtù". Ci sono, nelle lettere, dichiarazioni sdegnose sulla necessità, o meglio sulla fatalità, dell'esilio, ma insieme si incontrano momenti di malinconica nostalgia per quella vita quieta, casalinga, che gli è negata dal destino.

Ci sono i furori di un uomo che non vorrebbe mai demordere dall'impegno politico, ma insieme compaiono gli attimi di smarrimento, in cui questo uomo forte vorrebbe abbandonare tutto. Ci sono le dichiarazioni ripetute della fatale necessità di affrontare la vita con il coraggio dell'azione, anche nella consapevolezza di un esito negativo, ma restano pure le tracce di una stanchezza che lo invita finalmente alla rassegnazione.

La contraddizione è anche la misura della complessità di un pensiero. Foscolo aderisce in pieno alla dottrina del materialismo settecentesco, ma partecipa pure alla nuova ansia religiosa che sarà tipica dell'età romantica.

L'uomo può conoscere soltanto la materia, può avere coscienza unicamente dei fatti concreti: dinnanzi a lui si svolge un ciclo perenne di nascita e di morte, un processo inarrestabile nella trasformazione delle cose, di cui l'uomo può seguire le fasi, scientificamente, ma di cui non può in alcun modo conoscere le cause segrete e l'ultimo fine.

Per questo Foscolo guarda sconsolatamente alla vita che è un continuo errare senza scopo verso il baratro del "nulla eterno". Eppure il suo pensiero non si chiude in un cupo nichilismo. Pur nella certezza delle sue convinzioni razionalistiche, Foscolo avverte irresistibilmente un'ansia di sfuggire al duro destino che il materialismo impone. Sente dentro di sé la necessità di credere in quegli ideali di verità, di giustizia, di libertà, di bellezza, che sono negati con fermezza dal pensiero materialista.

Questi ideali sono certamente delle "illusioni" per la ragione: ma non per questo il cuore riesce a rinnegarli. Tutto al contrario, attraverso le "illusioni" l'uomo può anche crearsi uno scopo di esistenza. "Senza esse", scrive il protagonista delle *Ultime lettere di Jacopo Ortis*, "io non sentirei la vita che nel dolore, o (che mi spaventa ancor più) nella rigida e noiosa indolenza: e se questo cuore non vorrà più sentire, io me lo strapperò dal petto con le mie mani, e lo caccerò come un servo infedele."

La fede nelle "illusioni" e la concezione materialistica coesistono sempre in un continuo e lacerante dibattito interiore, che ha rarissimi momenti di equilibrio. Solo nella poesia, volta per volta, può essere superata questa contraddizione drammatica, solo nella poesia si può trovare comunque conforto e quell'equilibrio appunto che è, come dice Foscolo, "perfetto accordo tra natura ed arte, tra profondità e perspicuità, tra passione divorante e pacata meditazione".

L'insieme dell'opera foscoliana testimonia una volta di più questa contraddizione, interpretando ora il disperato scontro dello scrittore con la realtà, ora la sua fuga liberatrice in un ideale astratto di bellezza.

## Dall'"Ortis" alle "Grazie"

Dei tumulti giovanili e delle punte massime di nichilismo sono espressione le *Ultime lettere di Jacopo Ortis* scritte tra il 1798 e il 1802. Si tratta di un romanzo in forma epistolare, in cui Jacopo scrive all'amico Lorenzo il proprio affanno. Dopo il trattato di Campoformio, dopo cioè il tradimento di Napoleone che ha ceduto Venezia all'Austria, Jacopo, perseguitato per le sue idee giacobine, va in esilio sui colli Euganei, dove incontra Teresa, di cui si innamora.

Ma Teresa è già stata destinata in sposa dal padre al ricco Odoardo: un uomo gretto e razionale, quanto Jacopo è impetuoso e appassionato. L'amore di Jacopo è corrisposto, ma resta comunque senza possibilità di sbocco. E il giovane allora, anche per sottrarsi alla persecuzione sempre più pressante della polizia austriaca, fugge e vaga per l'Italia, fino a che, saputo del matrimonio di Teresa, torna a Venezia, rivede per l'ultima volta l'amata, saluta la madre e decide il suicidio, come estrema dimostrazione della propria ribellione.

Foscolo confessava di essersi "fedelmente dipinto" con tutte le proprie "follie" nell'*Ortis*, diceva di avere affidato a Jacopo la sua "fisionomia", con il racconto dei suoi "casi" e delle proprie "opinioni", nonché di vizi, virtù e passioni. Nelle *Ultime lettere* insomma Foscolo dà il suo autoritratto: un autoritratto che è vero e ideale al tempo stesso, perché rappresenta insieme ciò che egli fu e ciò che avrebbe voluto essere.

Jacopo Ortis ripropone dunque la complessità e la problematicità psicologica di Ugo Foscolo: il desiderio di abbandono e la lucida, cupa, disperazione, il professarsi ateo e il venerare un Dio ignoto, la consapevolezza tragica del dominio della forza nel mondo e la fede indomita nella libertà, l'amore della virtù e la negazione della verità di qualsiasi valore.

Così le *Ultime lettere di Jacopo Ortis* offrono un campionario dei temi futuri di tutta la poesia foscoliana: il tema dell'esilio e della fuga, il tema della morte e della tomba confortata dal pianto, il tema dell'amore e della bellezza rasserenatrice.

Sono i temi che ritornano nei dodici *Sonetti* composti fra il 1798 e il 1803, dove l'autoritratto proposto nell'*Ortis*, per usare l'espressione cara a Foscolo, trova un maggiore equilibrio tra "passione divorante e pacata meditazione". Nei *Sonetti* vengono offerte immagini che appartengono alla storia personale del poeta: ma le immagini riescono a diventare simboli di una condizione universale dell'uomo.

Le "sacre sponde" che accolsero il corpo "fanciulletto" del poeta e la "terra materna" che lo educò alla poesia (*A Zacinto*), la madre che consola con le parole "il cenere muto" del fratello (*In morte del fratello Giovanni*), la "sera" che con il suo spettacolo di "pace" placa l'affanno del poeta (*Alla sera*): sono immagini che simboleggiano i miti della patria e della famiglia, della poesia e della bellezza naturale. Questi miti rimangono per l'uomo, è vero, semplici "illusioni", ma sanno ciononostante confortare e rasserenare.

I *Sonetti* propongono una contemplazione serena dei miti, ma sullo sfondo replicano insieme l'immagine di un'anima segnata dall'angoscia e dal dolore per il "tempo reo" presente e per il "nulla eterno". Così accadrà, sia pure in una prospettiva capovolta, nelle due *Odi*, dove chi legge, badando soprattutto alle raffigurazioni femminili plastiche, dalle linee armoniose, avverte un programmatico allontanamento dalla realtà, la quale tuttavia rimane pur sempre minacciosa sullo sfondo.

Nell'ode *A Luigia Pallavicini caduta da cavallo* (1800) Foscolo prende spunto da un avvenimento reale: la caduta appunto della dama. Glorifica la Bellezza come espressione dell'armonia suprema del mondo, ma per ricordarne subito la caducità terrena. Così accade anche nell'*Amica risanata* (1803), dove il tema della precarietà della bellezza terrena è tuttavia un semplice antefatto subito allontanato. Qui la bellezza della donna si fa simbolo di una Bellezza eterna, che diviene l'oggetto unico del canto della poesia: di una poesia che si pone decisamente fuori del tempo.

Sarà questo il motivo da cui nasceranno le *Grazie*, l'ultima opera di Foscolo incompiuta, che prevedeva tre inni: un primo dedicato a Venere, dea della "bella natura", un secondo a Vesta, "custode del fuoco eterno che anima i cuori gentili", un terzo a Pallade, "dea delle arti consolatrici della vita e maestra degli ingegni".

Nei frammenti che ci sono rimasti il poeta, in alternativa al mondo della storia, con i suoi problemi scottanti da affrontare, con le sue contraddizioni da risolvere, sogna un mondo di semplice immaginazione in cui fuggire con la mente: un mondo di pura bellezza, calato in uno spazio letterario. Le *Grazie* vengono a raccontarci l'epilogo della vicenda di Foscolo: il cedimento finale difronte alla catastrofe degli antichi ideali politici, la disillusione e la solitudine, l'insoddisfatto bisogno di una riappacificazione interiore.

## "I sepolcri"

La poesia di Foscolo ha, grosso modo, lo svolgimento cronologico che si è appena segnato, ma i suoi momenti estremi spesso convivono o si alternano tra loro. La tendenza all'evasione nella contemplazione rasserenatrice della poesia si era posta spesso come alternativa possibile all'agire. Si può anzi dire che tutta la poesia foscoliana viva in questa alternativa tra un'ansia di azione nel mondo e una nostalgia di fuga, tra i giovanili tormenti dell'*Ortis* e la contemplazione delle *Grazie* della maturità.

Il carme dei *Sepolcri* (1807) costituisce il momento più alto di equilibrio, nella storia della poesia foscoliana. Il carme era nato come un'"epistola in versi" indirizzata a Ippolito Pindemonte: a proseguire una discussione avuta con lui sull'editto di Saint Cloud del 1804, con il quale i legislatori francesi avevano voluto che i morti fossero seppelliti fuori delle mura della città, senza iscrizioni e monumenti. Secondo le indicazioni stesse di Foscolo, in una lettera, *I sepolcri* si articolano in quattro sezioni.

Nella prima parte, introduttiva, si discute pacatamente sul significato delle tombe: "I monumenti, inutili ai morti, giovano ai vivi", scrive Foscolo, "perché destano affetti virtuosi lasciati in eredità dalle persone dabbene: solo i malvagi, che si sentono immeritevoli di memoria, non la curano; a torto adunque la legge accomuna le sepolture de' tristi e de' buoni, degl'illustri e degl'infami".

Nella seconda sezione si dà, per brevi accenni, una storia del sepolcro: "Istituzione delle sepolture nata col patto sociale. Religione per gli istinti derivata dalle virtù domestiche. Mausolei eretti dall'amor di patria agli Eroi. Morbi e superstizioni de' sepolcri promiscui nelle chiese cattoliche. Usi funebri de' popoli celebri. Inutilità dei monumenti nelle nazioni corrotte e vili".

Nella terza parte poi si discute sul significato politico e civile delle tombe: "Le reliquie degli Eroi destano a nobili imprese, e nobilitano le città che le raccolgono. Esortazione agli Italiani di venerare i sepolcri de' loro illustri concittadini; quei monumenti ispireranno l'emulazione agli studii e l'amor della patria come le tombe di Maratona nutriano ne' Greci l'abborrimento a' Barbari".

Nella quarta sezione infine si celebra la vittoria del sepolcro sul tempo, grazie alla poesia, che proprio dalle tombe può trarre ispirazione: "Anche i luoghi, ov'erano le tombe de' grandi, sebbene non ne rimanga vestigio, infiammano la mente de' generosi. Quantunque gli uomini d'egregia virtù siano perseguitati vivendo, e il tempo distrugga i loro monumenti, la memoria della virtù e de' monumenti vive immortale negli scrittori, e si rianima negl'ingegni che coltivano le Muse. Testimonio il sepolcro d'Ilio, scoperto dopo tante età da viaggiatori che l'amor delle lettere trasse a peregrinar alla Troade; sepolcro privilegiato dai fati, perché protesse il corpo d'Elettra, da cui nacquero i Dardanidi, autori dell'origine di Roma e della prosapia de' Cesari signori del mondo".

Il carme inizia su toni di una pacata riflessione e via via si accende in toni sempre più solenni: o, per usare le parole di Foscolo, parte "da un principio affettuoso" per arrivare a "una fine veemente". In questo crescendo trova espressione l'esaltazione del poeta nel proprio pensiero.

Dapprima dunque abbiamo l'immagine del sepolcro come luogo di affetti familiari, simbolo di quella "celeste corrispondenza d'amorosi sensi", di una capacità d'amore, che unisce i vivi ai morti. Poi abbiamo l'immagine della tomba che si fa simbolo di gloria, da cui gli uomini possono attin-

gere quella forza morale, che è loro indispensabile per costruirsi il futuro. Infine abbiamo l'immagine della tomba come fonte di poesia: attraverso cui il sepolcro vince il tempo
e la memoria dell'eroe dura per l'eternità.

Nei *Sepolcri* dunque si propone il modello della poesia romantica che si sente investita di una missione morale e civile. Il nuovo poeta, nonostante la considerazione del triste
destino dell'uomo, vuole incitare i suoi fratelli nel dolore a
spender bene la loro vita: a operar "egregiamente" nel mondo. Il poeta insomma diventa una sorta di sacerdote di una
religiosità laica, che crede fermamente nella virtù dell'uomo.

# Il Romanticismo

## Il "sonno" della ragione

"Il sonno della ragione produce mostri", diceva Francisco Goya, il pittore spagnolo vissuto tra Sette e Ottocento. La riflessione di Goya potrebbe essere segnata come l'epigrafe del Romanticismo europeo, anche se la nuova esperienza romantica esprime, nell'ampio arco di tempo e nel vasto raggio geografico della sua vita, un groviglio di proposte e spinte ideali, di forme e tendenze culturali.

Semplifichiamo, cerchiamo una direttiva che ci orienti all'interno del labirinto delle tante voci contraddittorie fra loro che esprimono, talvolta persino in un battibecco, il nuovo modo di sentire. Segniamo innanzi tutto qualche linea fondamentale: partiamo dai princìpi con cui la cultura romantica si oppone alla cultura dell'Illuminismo.

L'Illuminismo aveva accettato di guardare soltanto al reale: a tutto ciò che la ragione poteva spiegare e dominare. La civiltà dei lumi proponeva infatti nella ragione l'unico strumento della conoscenza e fermava dunque lo sguardo a quanto fosse in piena luce. L'anima romantica accetta invece il "sonno della ragione" e scruta ciò che rimane in ombra: quello che è "altro" rispetto alla ragione. Ai "lumi" si contrappone il buio della notte e dell'inconscio. L'uomo romantico ritiene che la verità più autentica sfugga alla ragione, che sia raggiungibile solo per intuizione, attraverso strumenti come il sogno o l'abbandono al sentimento, il delirio o l'allucinazione.

Al materialismo settecentesco, il Romanticismo oppone un desiderio di infinito e di assoluto, un bisogno di religiosità che può soddisfare ancora rivisitando il Vangelo. Ma questo bisogno religioso devia molto spesso in culti trasgressivi, dove trionfa il Principe del male, con una liturgia macabra e nera, con un gusto del blasfemo. Ancora. L'Illuminismo proponeva con prosopopea delle certezze. Il Romanticismo si alimenta di dubbi e fantasie, vive in una tensione di inquietudine e di ansia che porta a un istinto di fuga.

Prende risalto così una tendenza all'"esotismo", un allontanamento radicale dalla realtà, sia che si esprima in un desiderio di terre inesplorate, sia che si esprima in una nostalgia del passato, oppure in una regressione nei miti dell'infanzia e del primitivo: e proprio da qui, dal mito dell'infanzia e del primitivo, nasce l'interesse a recuperare le fiabe e i canti popolari antichi.

All'uomo pacato e riflessivo che vive appagato nei confini della ragione, proprio per questo desiderio di fuga o di rifiuto dei limiti della realtà, il Romanticismo oppone il mito dell'eroe: dell'uomo straordinario. Eroe può essere il "ribelle" che entra in conflitto con la società per affermare il diritto alla libertà individuale, che annulla qualsiasi legge per imporre la propria individualità, come un gigante, come un "titano". Ma eroe può essere anche lo sconfitto, che è impedito a tradurre in azione gli ideali: la "vittima", che invoca la morte o cerca il suicidio per protestare contro la sopraffazione della società.

Nella letteratura europea questi eroi si incarnano in figure mitiche: c'è il "fuorilegge" che, spinto da una sete insaziabile di libertà, calpesta le leggi umane e sfida talvolta lo stesso Dio; c'è l'"esule", l'uomo privo di radici che la società malvagia e la prepotenza degli oppressori costringono a vagare per il mondo; c'è il "poeta" che con il suo "genio" entra in contatto diretto con l'inconoscibile.

Questi sono gli atteggiamenti che si potrebbero definire "negativi" della nuova cultura. Ma il Romanticismo esprime anche valori "positivi". Gli illuministi avevano una concezione della storia in cui il passato altro non era che una preparazione al trionfo della ragione nel presente. Il Romanticismo ha invece una concezione della storia come progresso infinito dell'uomo. Qualsiasi epoca riacquista così valore e significato, e tra esse soprattutto il Medioevo.

Gli illuministi avevano elaborato una concezione politica cosmopolita: gli uomini erano diventati cittadini di un unico mondo, il mondo della ragione. Il Romanticismo invece sostiene che l'individuo, prima di essere cittadino del mondo, è cittadino di una nazione, da cui si è formato, attraverso la lingua, le tradizioni, la cultura, la religione. Se come cittadino di questa nazione è umiliato dal dominio straniero, deve cercare il riscatto nella liberazione della sua patria.

Ed ecco nascere allora altre figure mitiche della nuova cultura: il "soldato" che cerca la gloria mentre combatte contro gli oppressori, il "martire" della libertà che con il sacrificio della propria vita indica la strada ai fratelli, l'"uomo generoso" che dedica tutta la vita all'affermazione o al trionfo degli ideali.


## Il "bello" e il "popolare"

La ribellione del Romanticismo all'impero indiscutibile della ragione, in nome del sentimento, si riflette anche nel modo di concepire l'arte. La cultura romantica (lo si è detto) è un guazzabuglio di idee che non ha ordine e può portare a esiti contraddittori. In questo guazzabuglio ci sono però punti di riferimento comuni che trovano poi espressioni radicali o moderate.

Si impone ovunque l'esaltazione del "genio" individuale: dello scrittore libero nello scegliersi le leggi per dare forma alla propria creatività, in una misura di totale originalità. Si impone il modello del poeta primitivo, che, nel rifiuto di qualsiasi regola imposta dal di fuori, si affida alla spontaneità e all'autenticità, mentre traduce in parole, in note, in colore il suo sentire.

In Italia, dove la tradizione classicista continua ad avere grande peso, dove la situazione politica implica dei rigidi condizionamenti, il dibattito si concentra subito su temi concreti. L'atto di nascita del Romanticismo italiano ha una data ufficiale. È il 1816: l'anno in cui sulla "Biblioteca Italiana" è pubblicata una lettera di Madame de Staël, *Sulla ma-niera e l'utilità delle traduzioni*.

La lettera voleva essere un semplice invito ai letterati ita-liani a uscire dal loro provincialismo, a non rimanere legati alle "anticate" favole mitologiche, voleva stimolarli a tradur-re i poeti e gli scrittori moderni europei, specie quelli set-tentrionali, per farli conoscere ai loro concittadini. La repli-ca dei classicisti è immediata. **Pietro Giordani** (1774-1848) rifiuta l'invito di Madame de Staël. L'apertura alle letteratu-re straniere per lui non solo è inutile, ma potrebbe diventa-re anche dannosa.

Sarebbe inutile, dice, perché "quando le arti abbiano tro-vato il bello, e saputo esprimerlo, in questo si riposano". Di-venterebbe dannosa perché corromperebbe l'"italianità" della letteratura. "O bisogna cessare affatto d'essere italia-ni", scrive Giordani, "dimenticare la nostra lingua, la nostra istoria, mutare il clima c la nostra fantasia, o ritenendo que-ste cose, conviene che la poesia e la letteratura si mantenga italiana: ma non può mantenersi tale, frammischiandovi quelle idee settentrionali, che per nulla si possono confare alle nostre."

La replica di Giordani è un esempio di come si possano sovrapporre motivi diversi nella disputa tra i sostenitori del vecchio o del nuovo in letteratura: specie quando una pole-mica, come qui accade, richiede uno schieramento imme-diato in pubblico. La replica di Giordani propone un punto di vista neoclassico certamente, ma porta con sé anche un'i-dea di "patriottismo" letterario.

Così, per fare un esempio illustre, il rifiuto della lettera-tura nordica verrà anche dal poeta romantico per eccellen-za della nostra storia letteraria. Leopardi, nel *Discorso di un italiano intorno alla poesia romantica*, mentre fa l'elogio dell'"originalità" in poesia (una bestemmia per i classicisti), lamenta proprio che, contro la "semplicità divina" dei clas-sici, contro la loro "originalità", si chieda agli Italiani di an-dare a cercare "col candelino" le stravaganze dei poeti del Nord: gli scheletri, il sangue, le scelleratezze.

In realtà le "stravaganze" del Romanticismo nordico non entreranno, se non molto più tardi, nella nostra letteratura.

E i romantici lessero, in quel 1816, la lettera di Madame de Staël per ciò che nella sostanza voleva essere: un invito per gli scrittori italiani alla concretezza, a un aggancio immediato della poesia con la realtà.

In questo senso i compilatori del "Conciliatore" di Milano (la rivista che chiamò a raccolta i nuovi poeti e che fu poi soppressa dalla censura austriaca) si opposero con fermezza alla replica di Giordani. Giordani si preoccupava di una "italianità" soltanto letteraria: loro proponevano un patriottismo più radicale, per il quale la letteratura doveva divenire vero e proprio strumento di lotta politica.

A queste conclusioni punta, con la *Lettera semiseria di Grisostomo al suo figliuolo*, **Giovanni Berchet** (1783-1851), il quale, mentre propone un totale affrancamento della letteratura dalle regole e dal canone dell'imitazione, insomma da ogni "sistema costrittivo", mentre avanza invece l'esigenza della "spontaneità" e dell'"originalità" dell'arte, indica alla letteratura lo scopo di farsi "popolare": di trarre cioè ispirazione dalle tradizioni e dalle credenze popolari, ma soprattutto di rivolgersi al popolo.

"Se noi non possediamo una comune patria politica", osserva Berchet, "chi ci vieta di crearci intanto, a conforto delle umane sciagure una patria letteraria comune?" La forma dell'argomentazione può apparire simile a quella di Giordani, ma la sostanza è di una distanza abissale. "Rendetevi coevi al secolo vostro, e non ai secoli seppelliti", dice Berchet agli scrittori italiani: "Fate di piacere al popolo vostro; investigate l'animo di lui; pascetelo di pensiero e non di vento". La "patria letteraria" non è quella che esiste nei libri scritti del passato: è quella che i letterati devono ancora riuscire a suscitare nei loro libri.

*Letteratura e politica*

È un fatto che la giovane cultura romantica in Italia si trovò subito a dover fare i conti con i problemi politici di un paese diviso, governato da sovrani ostili allo scambio e alla libera circolazione delle idee. I nostri intellettuali dell'Ottocento identificano così immediatamente l'obiettivo della loro battaglia nel Risorgimento: si impegnano, prima di tutto, in una propaganda democratica e libertaria.

Perciò la letteratura politica diviene l'espressione più diretta della nostra cultura romantica. Gli scritti di Mazzini, Cattaneo e Gioberti sono la risposta concreta e immediata all'esigenza di una cultura che intende modificare la realtà. E proprio da questi uomini viene l'invito ai letterati di farsi protagonisti.

Contro gli scialbi "spiluccatori di sillabe", contro gli inutili "panegiristi di chiome, d'occhi e di mani femminili", **Giuseppe Mazzini** (1805-1872) richiama la poesia alla sua "missione severa e franca d'apostolato". Il fine dell'arte per **Carlo Cattaneo** (1801-1869) deve essere la ricerca della "semplice e pura verità". **Vincenzo Gioberti** (1801-1852) reclama una letteratura che sappia "esprimere le idee e gli affetti comuni e trarre in luce quei sensi che giacciono occulti e confusi nel cuore delle moltitudini".

E i poeti trovano presto una misura espressiva adeguata. La poesia diviene inno di guerra, canto di protesta. Il letterato indossa le vesti del soldato o racconta il dolore dell'esilio. Soldato fu Goffredo Mameli, autore dell'inno *Fratelli d'Italia*. Esuli furono Luigi Mercantini e lo stesso Giovanni Berchet.

Su questa linea, con una maggiore consapevolezza di scrittura, si colloca anche la poesia satirica di **Giuseppe Giusti** (1809-1850), i cui *Scherzi* furono letti come tanti piccoli manifesti contro il gretto conservatorismo, contro l'incapacità di governare di re e di prìncipi, contro la rassegnazione opportunista della borghesia italiana.

Di motivi politici è densa anche l'opera dei due maggiori poeti dialettali del primo Ottocento: quella del milanese **Carlo Porta** (1775-1821) e quella del romano **Gioacchino Belli** (1791-1863).

La poesia di Porta si può leggere come una "cronaca" del tempo: una cronaca popolare, attenta soprattutto ai problemi degli umili e dei diseredati. I personaggi di Porta, ha scritto Dante Isella, fanno ascoltare per la prima volta nella nostra letteratura "la testimonianza autentica di tutta una folla di uomini rimasti senza volto": è "una folla di figure che trova finalmente in sé la forza di rompere una situazione di secolare soggezione e di proporsi a una comprensione fraterna".

Questa disposizione cordiale nei confronti degli uomini viene invece a mancare nei circa duemila sonetti di Belli. La critica qui ha toni violenti: punta il dito contro l'ingiustizia sociale, la prepotenza, la sopraffazione. E tuttavia il livore della protesta di Belli non ha la stessa forza di quella di Porta. L'ingiustizia, la sopraffazione appaiono inevitabili, come segni fatali del destino: e allora la ribellione si riduce spesso a semplice sberleffo.

Ma non importa qui giudicare la qualità di questi eterogenei documenti letterari: conta segnare il modo in cui tali documenti furono accolti dai lettori. Tutto, la satira e le memorie, la cronaca e gli sberleffi, tutto contribuì a dare la spinta al riscatto risorgimentale, in un paese avvilito da secoli di servitù politica. Più tardi, dopo la letteratura politica, dopo la lirica patriottica e satirica, il nostro Romanticismo risorgimentale si esprimerà anche in una serie di libri autobiografici di uomini politici, di soldati, di perseguitati politici.

**Massimo d'Azeglio** (1798-1866), attivo negli anni delle cospirazioni e dei moti rivoluzionari, combatté nel '48 e fu, dopo l'Unità, Ministro e quindi Presidente del Consiglio nel Parlamento subalpino. Ne *I miei ricordi* narra la sua lunga vita, con un colorito gusto del bozzetto, ma insieme con un tono educativo.

**Luigi Settembrini** (1813-1876), animatore di società segrete nel Regno di Napoli, fu processato più volte e infine condannato all'ergastolo, da cui uscì soltanto nel 1859. Nelle *Ricordanze della mia vita*, senza cadere mai in toni patetici e nostalgici, rievoca con crudezza e insieme con l'essenzialità di un cronista le sue vicende.

**Silvio Pellico** (1789-1854), implicato nei moti carbonari, condannato a morte dal governo austriaco, patì il carcere duro dello Spielberg per dieci anni. Nelle *Mie prigioni*, senza inveire mai contro il nemico, racconta le proprie peripezie di uomo perseguitato, per narrare il suo ritorno alla fede, attraverso la solitudine patita.

## Tommaseo, Nievo, De Sanctis

Tra i lirici patriottici potrebbe essere ricordato anche **Niccolò Tommaseo** (1802-1874), che nel '48 combatté a fianco di Daniele Manin, a difesa di Venezia contro gli Austriaci. Ma tutta l'"enciclopedia" romantica, con le sue visibili contraddizioni, entra nella sterminata opera di questo scrittore, in un'ansia di sperimentazione che non ha limiti.

Così Tommaseo riconosce come falsa la distinzione in "generi" letterari, ma scrive trattati sul ritmo della prosa e della poesia; esalta la spontaneità e la naturalezza dell'arte, ma sostiene la necessità di una rigida disciplina artistica, dichiara la poesia popolare come l'unica vera poesia e compila un dotto dizionario dei sinonimi.

Le contraddizioni dell'opera di Tommaseo vengono da un'inquietudine interiore che interpreta a pieno la complessità dell'anima romantica. Questa inquietudine trova, per il lettore d'oggi, il momento più interessante quando lo scrittore si impegna nell'analisi in profondo della propria coscienza. E in tal senso l'opera più significativa è *Fede e bellezza* (1840), un romanzo dove Tommaseo propone il contrasto tra fede e sensualità, tra peccato e redenzione, che rappresenta il nucleo psicologico della sua inquietudine.

Soldato fu anche **Ippolito Nievo** (1831-1861), che seguì Garibaldi nella spedizione dei Mille, dopo essere stato perseguitato per l'attività di pubblicista politico. Nievo è l'autore delle *Confessioni di un italiano*, un romanzo pubblicato postumo nel 1867, dove si narra la vicenda avventurosa di Carlo Altoviti, trascorsa tra i profondi mutamenti politici che vanno dalla Rivoluzione francese al Risorgimento.

Ai temi risorgimentali e alle indagini psicologiche si affiancano nelle *Confessioni* i toni della memoria, la ricostruzione minuziosa di un ambiente (il castello di Fratta e il paesaggio veneto) carico di suggestioni dell'infanzia. C'è un entusiasmo giovanile nella scrittura di Nievo, che non esclude tuttavia una responsabile coscienza dei problemi concreti della società in cui vive. Nei suoi scritti politici, Nievo cerca soluzioni ai problemi che l'unificazione avrebbe poi proposto: l'unità economica e sociale del paese, il superamento degli interessi particolaristici, l'educazione e l'affrancamento dalla miseria delle masse contadine.

Infine tra i protagonisti della cultura romantica e risorgimentale un grande rilievo ha la figura di **Francesco De Sanctis** (1817-1883), in gioventù mazziniano, costretto dal governo borbonico all'esilio e poi, dopo la liberazione, chiamato da Cavour a far parte del primo Regno d'Italia, come Ministro della Pubblica Istruzione.

De Sanctis è autore di una *Storia della letteratura italiana* (1870), che diventerà modello della storiografia letteraria. De Sanctis dà infatti la storia di tutta la vita spirituale di un paese, di una civiltà che riesce a tradursi in documenti letterari: all'interno del fenomeno letterario, entrano la politica e la filosofia, la religione e la scienza, l'economia e il costume.

Ma De Sanctis interpreta la nuova concezione dell'arte romantica anche in una riflessione teorica originale: elabora un'estetica che supera le tradizionali concezioni dell'arte attente solo ora ai valori del contenuto, ora a quelli della forma. Per lui i "contenuti astratti", per quanto "nuovi e interessanti", non hanno alcun valore se "il poeta non ha la potenza di rifletterli nel suo spirito e di riprodurli come un nuovo organismo".

Quindi l'arte è "forma": una forma che non è semplice "ornamento o veste, o apparenza", ma, proprio perché "generata dal contenuto", diviene l'incarnazione, appunto in un organismo autonomo, di quel determinato contenuto.

# Giacomo Leopardi

*"Se io vivrò, vivrò alle Lettere..."*

Giacomo Leopardi nasce a Recanati nel 1798. La sua vita è priva di avvenimenti eccezionali. Tenta la fuga dalla famiglia nel 1819, prova a vivere a Roma, nel 1822, poi ci saranno altri soggiorni fuori dal "borgo natìo": Bologna, Milano, Firenze, Pisa e infine Napoli, dove Leopardi morirà nel 1837.

Rari sono gli incontri, e spesso deludenti, di questo uomo braccato in una vita interiore drammatica, senza possibilità di sbocco. All'origine sta una fragilità fisica, che imprigiona la mente in un circolo vizioso di "volontario" isolamento dalla realtà e insieme di ribellione alla "forzata" solitudine.

La vita di Leopardi, "tutta avvilente meschinità di fatti e disperata forza di pensiero", diceva Momigliano, la si incontra, più che negli avvenimenti di una breve cronologia, nel resoconto di un fitto epistolario. Esemplare della situazione psicologica di quest'uomo, chiuso in trappola mentale, è il confronto con Recanati: il "barbaro" paese, la "città sciocca, morta, microscopica, e nulla", in cui il vivere quotidiano si fa "orrido, detestato", insomma una "sepoltura".

La fuga da Recanati, per scoprire un mondo qualsiasi che l'"alletti" e gli "sorrida", un mondo "che splenda (sia pure di luce falsa)", diventa l'unica possibile alternativa. Ma gli basterà uscire dalla casa paterna, perché il mondo si sveli subito brutto, quando non ostile.

Ecco Leopardi a Roma: le "fabbriche immense", le "strade interminabili", sono "tanti spazi gittati fra gli uomini, invece d'essere spazi che contengono uomini". E in quanto alla vita culturale, per carità: c'è addirittura un vero "letamaio di letteratura, di opinioni e di costumi".

La letteratura come spazio di vita esclusivo è subito una scelta definitiva. Già nel 1817 in una lettera al Giordani Leopardi aveva scritto con solennità: "Se io vivrò, vivrò alle Lettere, perché ad altro non voglio né potrei vivere". Più avanti nel tempo indica nello scrivere e nello studio la "sorgente più durevole e certa di distrazione e di dimenticanza": cioè l'"illusione meno passeggera" in cui trovare pace.

Anche questo programma di vita porta tuttavia a una delusione cocente. Il leggere, lo scrivere – confessa a un amico – gli danno "la debolezza del corpo, la malinconia profondissima e perpetua dell'animo, il dispregio e lo scherno di tutti i concittadini". È come la chiusura di un cerchio che esprime un'interiore disperazione.

"Matta" era stata la passione per gli studi, come dimostra la precocità delle opere: Leopardi a quindici anni aveva già scritto una *Storia dell'astronomia*, a diciassette un *Saggio sopra gli errori popolari degli antichi*. Sono opere di compilazione erudita, a cui si affiancano presto esercizi di traduzione.

Insieme all'epistolario diverrà allora documento dell'anima di Leopardi lo *Zibaldone*: una sorta di diario in cui sono annotati letture e osservazioni, sono trascritti meditazioni e avvenimenti. C'è in queste pagine la passione di Leopardi per l'erudizione, per la storia, per la filologia. Ma c'è anche un diario del cuore, che registra pensieri ed emozioni, abbozzi di poetica e di poesie. Si leggono qui riflessioni sull'infinito e sulle illusioni, sulle ricordanze.

Il nucleo del pensiero è nella concezione dell'infinito. L'uomo ha sete di infinito, ma non lo può conoscere e allora la fantasia si abbandona alla contemplazione di ciò che è indefinito. Perché l'indefinito dà l'illusione dell'infinito.

"Tutti i beni paiono bellissimi e sommi di lontano", "l'ignoto è più bello del noto", scrive Leopardi e segna una serie di situazioni spaziali e temporali che permettono un accendersi o un abbandono della fantasia: il "vedere il cielo attraverso una finestra", oppure il riflesso di una luce, senza che se ne possa scorgere la fonte. Particolarmente poetici so-

no ritenuti l'"antico", le cose "finite per sempre", le "ri-
membranze della fanciullezza". È come se Leopardi volesse
darci in questi scorci di diario la traccia per entrare nella storia della sua poesia.

## Dalle "Canzoni" agli "Idilli"

La storia della poesia leopardiana è inaugurata dalle *Canzoni*, scritte a partire dal 1818 e pubblicate poi nel 1824, prima di confluire nell'edizione generale dei *Canti*. Leopardi
propone dapprima i temi più frequentati nel Romanticismo.
Nel *Bruto minore* (1821) dà un'originale interpretazione
dell'eroe ribelle. La canzone si propone come un lungo monologo del figlio di Cesare che partecipò alla congiura contro il padre, in nome della libertà. Bruto impreca contro la
"stolta virtù" degli uomini, che non sa contrastare il volere
del destino:

> Stolta, virtù, le cave nebbie, i campi
> Dell'inquiete larve
> Son le tue scole...

Al "destino invitto", alla "ferrata necessità", ai "necessari
danni", l'uomo non può che contrapporre un gesto supre-
mo di ribellione: non può far altro che negare la Natura con
il suicidio.
Ma il tema del ribelle non si esaurisce in una forma di
protesta: c'è un'annotazione più amara e patetica al tempo
stesso. Il gesto di Bruto si ambienta in un lucente paesaggio
lunare tragico e beffardo. La sua bellezza sottolinea l'insen-
sibilità, l'indifferenza della Natura alla tragedia che si sta
svolgendo. Dà a Bruto la sensazione della miseria dell'uomo:

> ... abbietta parte
> siam delle cose.

La stessa situazione di un'incolmabile distanza tra Natura
e creature si propone nell'*Ultimo canto di Saffo* (1822), dove

ancora si assisterà a un suicidio. Leopardi ha spiegato di aver voluto rappresentare "l'infelicità di un animo delicato, tenero, sensitivo, nobile e caldo, posto in un corpo brutto e giovane", che non trova corrispondenza d'amore.

Saffo si uccide perché la sua bruttezza la esclude dall'amore, a cui pure si sente nata. Il suo suicidio non è più un gesto di titanica ribellione: è un gesto vittimistico di rassegnazione all'esclusione da un ordine del mondo, da cui Saffo si sente appunto offesa.

Matura così per successive modifiche il pensiero di Leopardi. Nell'ultima delle *Canzoni*, *Alla sua donna* (1823), il poeta definisce "l'innamorata dell'autore" una fanciulla ideale: "uno di quei fantasmi di bellezza e virtù celeste e ineffabile, che ci occorrono spesso alla fantasia, nel sonno o nella veglia, quando siam poco più che fanciulli". È dunque una donna astratta, che il poeta dispera di incontrare sulla terra.

La canzone, attraverso questa fantasia, dà la misura del bisogno di assoluto di Leopardi.

"Il canto potrebbe avere un valore religioso, un significato mistico se, in luogo della donna, si trovasse Dio", ha osservato Getto: "Ed è questa un po' la condizione eterna del poeta. Anziché cercare la redenzione del finito nell'infinito, delle creature nel creatore, del contingente nell'assoluto, egli sostituiva il finito all'infinito. Di qui derivava la sua contraddittoria situazione, il suo dramma, la sua ansia inappagata. Caricava le cose d'infinito e le cose finite rispondevano con la loro finitezza, deludendolo".

L'aderenza ai temi eroici del Romanticismo lascia ben presto spazio dunque, nella poesia di Leopardi, a toni più personali. Così avviene nell'*Infinito* (1819) che inaugura la stagione degli *Idilli*, nei quali il poeta intendeva raccontare "situazioni, affezioni, avventure storiche del suo animo": quasi in una sorta di romanzo autobiografico.

La storia sentimentale di Leopardi si può semplificare così: il poeta parte dall'osservazione di uno spazio domestico, di un tempo scandito in gesti quotidiani, e giunge alla contemplazione spaurita di uno spazio infinito. Per ora questo movimento determina, qui nell'*Infinito*, accanto a una prima reazione di timore:

(... ove per poco
Il cor non si spaura...),

una sensazione di dolcezza:

il naufragar m'è dolce in questo mare.

Ma nell'*Infinito* c'è un motivo più importante: c'è un'intonazione colloquiale. Sarà il tono di un altro idillio, *La sera del dì di festa* (1820), dove sullo sfondo di un paesaggio notturno si stabilisce il colloquio indiretto tra il poeta e la donna amata.

La donna, nelle "quiete stanze", immersa nell'"agevol sonno", si riposa dai "trastulli" della giornata festiva. Il poeta constata invece la sua desolata solitudine, l'esclusione a cui lo condanna l'"antica Natura onnipossente". La triste conclusione non cancella tuttavia l'intonazione colloquiale dell'esordio.

Ogni poeta attribuisce alla propria parola uno spazio di risonanza. Ogni poeta crea un clima in cui cade la parola. Il clima della poesia di Leopardi è questo. C'è sempre un bisogno di abbreviare le distanze, di stabilire un'atmosfera di confidenza con l'oggetto della poesia. C'è sempre un vocativo, un "tu" concreto o ideale a cui il poeta si rivolge. È anche il modo in cui Leopardi cerca la compagnia del suo lettore.

### *"Niuna cosa è felice..."*

Con le *Operette morali* (1824), si incrina la situazione di precario equilibrio nella storia sentimentale di Leopardi. Nelle *Operette* si propongono dialoghi a due o più voci, racconti, brevi romanzi, pezzi teatrali, si muovono personaggi del mito e della storia, figure allegoriche e uomini comuni, si trattano materie impegnative o frivole: da quella delle origini del mondo a quella della moda. Ma c'è un segno comune, in questa varietà improvvisa di temi e di strutture: c'è un brusco scarto del prosatore rispetto al poeta Leopardi.

Da uno spazio domestico o paesano si passa a uno spazio costituito da cieli sconfinati, da deserti, da immense distese marine. Dalla contemplazione di un tempo familiare si passa a un confronto drammatico con l'eternità o con la morte. Così accade nel *Dialogo di Cristoforo Colombo e Pietro Gutierrez*, dove la navigazione nell'Oceano sconosciuto dà figura a una prospettiva cosmica di infinito e di eternità. I temi dominanti delle *Operette* sono quelli della morte e dell'inesorabile infelicità dell'uomo. Nel *Cantico del gallo silvestre* la morte diventa l'attesa a cui tende tutta la vita dell'universo. La vita è per la morte, non per la felicità: "Certo l'ultima causa dell'essere non è la felicità, perocché niuna cosa è felice".

"Tutti gli uomini per necessità nascono e vivono infelici", si legge nel *Dialogo della Natura e di un'Anima*. "A chi piace o a chi giova cotesta vita infelicissima dell'universo, conservata con danno e con morte di tutte le cose che lo compongono?", si chiede il protagonista del *Dialogo della Natura e di un Islandese*.

Si arriva così, nel *Dialogo di Malambruno e di Farfarello*, alla proclamazione di un perfetto teorema della impossibilità della felicità per l'uomo: "Dunque amandoti necessariamente del maggiore amore che tu sei capace, necessariamente desideri il più che puoi la felicità propria; e non potendo mai di gran lunga essere soddisfatto di questo tuo desiderio, che è sommo, resta che tu non possi fuggire per nessun verso di essere infelice". Su questo tema centrale si svilupperà d'ora in avanti anche la poesia leopardiana.

## *"Piacer figlio d'affanno..."*

*Il risorgimento* (1828) inaugura la stagione dei "grandi idilli". È una confessione, in cui Leopardi ripercorre la sua vita interiore. In passato, nonostante l'infelicità del proprio destino, il poeta ha avuto il privilegio di una ricchezza eccezionale: la facoltà di sentire, il piacere delle lacrime. Poi, per lungo tempo, il cuore si è spento in una totale aridità. Il "risorgimento" sta appunto nella ritrovata capacità di affetti. Da questa condizione psicologica nascono i "grandi idilli".

Così in *A Silvia* (1828) c'è il recupero di un sentire nel passato, reso eternamente presente nel ricordo: anche se quel sentire, carico di speranza all'inizio, porta, alla fine, a una tragica disperazione. Prima però c'è la rievocazione di un passato felice.

L'idillio si apre con il canto di Silvia, che riempie le stanze della casa e le vie d'intorno ed esprime la speranza giovanile di un tempo di attesa. Il poeta l'ascolta, nel ricordo, e parallelamente rievoca il suo tempo felice, i giorni pieni del "travaglio" della poesia, il comune abbandono al sogno di una possibile felicità:

> Che pensieri soavi,
> Che speranze, che cori, o Silvia mia!

Ma arriva la notizia della morte della fanciulla e insieme cade ogni speranza: l'idillio si chiude nella visione di una disperazione assoluta, che accomuna Silvia e il poeta in un tempo carico di morte.

Sarà questo il tema anche delle *Ricordanze* (1829), dove però cambia decisamente l'impostazione. Nerina, la nuova donna, si impone infatti fin dall'inizio come assenza e lo sguardo del poeta è subito intristito:

> ... quella finestra
> Ond'eri usata favellarmi, ed onde
> Mesto riluce delle stelle il raggio,
> È deserta.

Nello sviluppo dell'idillio i versi portano alla conclusione di una coscienza addolorata del tempo felice perduto; portano a una considerazione che sottrae ogni dolcezza persino alla stessa ricordanza, la quale diviene "rimembranza acerba":

> ... Qui non è cosa,
> Ch'io vegga o senta, onde un'immagin dentro
> Non torni, e un dolce rimembrar non sorga.

Dolce per sé, ma con dolor sottentra
Il pensier del presente, un van desio
Del passato; ancor tristo, è il dire: io fui.

Alla rievocazione di un sentire passato, si sostituisce nella
*Quiete dopo la tempesta* (1829) la descrizione di un sentire
nel presente: l'abbandono a un momento di vita attuale come realtà eccezionalmente positiva. La "quiete", rara gioia
dell'uomo, segue alla "tempesta": "piacer", dice Leopardi, è
"figlio d'affanno".

Ancora a una celebrazione del presente riporta *Il sabato
del villaggio* (1829). Nella *Quiete* era la cessazione della tempesta, nel *Sabato* è la festa del domani a rendere bello il presente.

Bella non è la festa ma l'aspettativa: bella, si conclude,
non è la giovinezza, ma la sua attesa. Nel quadro desolato
dell'universale infelicità dell'uomo, i momenti rari e brevi di
vita serena sono quelli che offrono il distacco dall'"affanno"
o quelli della distanza dal "travaglio".

Ma c'è ancora un'altra variante, offerta dal *Passero solitario*, di incerta datazione, dove si ha invece il rifiuto a cogliere l'attimo fuggente di serenità, di pienezza di vita, nella
paura di profanarlo. In uno spettacolo primaverile, fatto di
movimento e luci, il passero rimane in disparte, in una condizione di solitudine e di estraneità:

Non compagni, non voli,
Non ti cal d'allegria.

Così, in uno spettacolo di festa giovanile, in cui i cuori si
inebriano, il poeta si isola

Quasi romito, e strano
Al suo loco natio.

Questa volta però non è una fatalità che condanna al rifiuto. Il rifiuto è scelta precisa, determinata da una personale volontà. Quasi la sfida della saggezza disperata dell'uomo,
che riconosce e teme la propria fragilità sentimentale.

*Ultima stagione*

A toni profondamente pessimistici tornerà Leopardi con il *Canto notturno di un pastore errante nell'Asia*, scritto tra il 1829 e il 1830, che conclude la stagione recanatese dei grandi idilli. Scompare nel *Canto* l'"io" di Leopardi e gli si sostituisce la voce del pastore. Scompare anche il paesaggio di Recanati e subentra un paesaggio desolato, senza confini: di una solitudine metafisica.

È una situazione che si era già verificata, all'esordio della poesia di Leopardi, nel *Bruto minore*, di cui il *Canto notturno di un pastore errante nell'Asia* ripropone anche il motivo dell'impassibilità della natura (interpretata di nuovo dalla placida luna), difronte all'affaticato vivere dell'uomo, destinato fatalmente a precipitare nel baratro della morte e nell'abisso della dimenticanza.

Il tormento del poeta si esprime in un'unica solenne domanda sul mistero della vita umana. I grandi temi della sofferenza e quelli della vicenda umana, con i suoi giorni e le sue stagioni, e ancora i temi del tempo e dello spazio cosmici, con le loro misure sconfinate, che rendono ancora più drammatico il senso dell'esistenza umana, diventano oggetto dell'ansia conoscitiva che muove il dire del pastore su un ritmo incalzante di interrogativi, ai quali la luna rimane impassibile.

Certa è comunque la realtà, per il poeta-pastore, della propria personale infelicità:

> a me la vita è male.

Certa, nonostante la formula apparentemente dubitativa, è anche l'infelicità universale:

> Forse in qual forma, in quale
> Stato che sia, dentro covile o cuna,
> È funesto a chi nasce il dì natale.

La storia della poesia leopardiana si conclude con i canti del ciclo di *Aspasia*, composti tra il 1833 e il 1835. E si conclude con una visione che diviene ormai totalmente negativa. Il tempo, nel passato e nel presente, è dominato dalla morte. Lo spazio è dominato dal nulla. La terra appare in tutto il suo squallore, la vita propone soltanto amarezza e noia, il mondo è "fango".

La tragica visione si riproporrà nella *Ginestra* (1836), dove la contemplazione del nulla è sollecitata da un paesaggio cosmico ed epico insieme: quello del Vesuvio, con la sua potenza devastatrice, rievocata nella tragica distruzione di Pompei.

Sul paesaggio naturale si inseriscono un quadro umano e uno storico.

Il quadro umano è quello dell'umile contadino intento a scrutare i segni della minaccia del vulcano, pronto a fuggire, pronto a portare con sé le sue povere cose, ad abbandonare il proprio campicello al "flutto rovente".

Il quadro umano porta a un senso di grandiosa e funebre angoscia. E l'angoscia di morte è ribadita dal quadro della dissepolta Pompei.

Dalla scenografia paurosa, dalle immagini di terrore e di distruzione, viene alla fine la certezza dell'assoluta insignificanza del genere umano. Ma, proprio alla fine della carriera poetica, Leopardi, dalla constatazione della fragilità umana, trae spunto per lanciare agli uomini un messaggio di solidarietà: un invito cioè a superare ogni frattura interna alle società storiche, perché come sventurati fratelli tentino uniti di fronteggiare la potenza devastatrice della Natura.

# Alessandro Manzoni

## *La discrezione e il gioco dell'intelligenza*

C'è un ritratto d'epoca, tratteggiato da Tommaseo, ed è il ritratto di un Manzoni "uomo singolare e mirabile", proprio per "l'assenza d'ogni singolarità": "Una statura comune, un volto allungato, vaiuolato, oscuro, ma impresso di quella bontà che l'ingegno, non che guastarla, rende più sincera e profonda; una voce di modestia e quasi di timidezza, cui lo stesso balbettare un poco aggiunge come vezzo alle parole [...]; un vestito dimesso, un piglio semplice, un tono familiare, una mite sapienza".

Manzoni sa accogliere chiunque con cordialità, ma riesce sempre a starsene lontano, per conto proprio. La sua vita procede tutta per rari indizi e grandi spazi bui: per notizie improvvise, che sembrano arrivare dal nulla e sono poi subito sepolte in un silenzio di discrezione. I dati sono scarni. Nato a Milano nel 1785, dal matrimonio infelice di Pietro e Giulia Beccaria, Manzoni passa nei collegi l'infanzia e l'adolescenza.

Dopo la morte del padre, raggiunge la madre a Parigi: e gli anni parigini (dal 1805 al 1810) sono decisivi nella formazione culturale di stampo illuminista. L'avvenimento centrale è però la conversione al cattolicesimo che matura nel 1810, due anni dopo il matrimonio con Enrichetta Blondel. In quello stesso anno Manzoni torna a Milano, dove, ad eccezione di viaggi per brevi periodi, trascorrerà tutta l'esistenza, che si protrarrà fino al 1873.

A violare i segreti di Manzoni non serve neppure lo sterminato epistolario. Le lettere appaiono quasi asettiche, come se chi le scrisse avesse badato solo a difendersi. E ciò diventa tanto più visibile, quanto più Manzoni parla di sé. Le eccezioni ci sono, naturalmente: ma sono di poco conto. Portano in scena, per esempio, un Manzoni agricoltore che legge libri di botanica e tenta esperimenti di innesti e di trapianti. Oppure offrono il ritratto di un uomo che si nega a qualsiasi commercio con il mondo, che mette avanti sempre la propria "salute bisbetica", pur di non essere tirato fuori a forza da quel "cantuccio" in cui solamente può vivere sereno.

Se il "cuore" non entra quasi mai in scena, nella pagina epistolare trionfa invece, spettacolare, la "ragione". Nelle lettere c'è una compiacenza evidente a mettere in mostra, in perfette architetture, lucidi ragionamenti. C'è la gioia palese di un accanito gioco intellettuale a scandire via via le argomentazioni del pensiero, in una serie di incastri logici, di progressive distinzioni, di ordinate classificazioni. C'è il senso di un autentico divertimento dell'intelligenza nel proporre ipotesi o progetti, attraverso schemi sempre congegnati con precisione.

## Storia della poesia manzoniana

La storia vera della poesia manzoniana inizia con gli *Inni sacri*, che celebrano la conversione religiosa. Dodici erano gli inni nel progetto, dedicati ciascuno a una festività della Chiesa: Manzoni ne porterà a termine cinque, i primi quattro (*La Resurrezione*, *Il nome di Maria*, *Il Natale*, *La Passione*) tra il 1812 e il 1815, il quinto (*La Pentecoste*) tra il '17 e il '22. Negli *Inni* Manzoni non si occupa solo degli aspetti dogmatici e teologici, ma soprattutto dei contenuti morali e sociali del cristianesimo. Per questo sceglie le feste liturgiche: come momenti in cui la coscienza popolare vive direttamente i misteri della fede, come momenti in cui la parola di Dio si rivolge agli umili.

Così l'"angel del cielo", nel *Natale*, reca la notizia della nascita di Cristo non alle "vegliate" porte dei potenti, ma ai "pastor devoti, / Al duro mondo ignoti". Così, nel *Nome di*

*Maria*, l'umile "femminetta" versa la lacrima "spregiata" dal mondo, sicura dell'ascolto della Madonna. La religiosità dunque vive nell'eco che il messaggio cristiano trasmette all'umanità. La forza di Dio è visibile, nella *Pentecoste*, nell'"ineffabil riso" dei fanciulli, nella "casta porpora" sparsa sul viso delle "donzelle", nelle "pure gioie ascose" delle "vergini", nel "verecondo amor" delle spose, nelle "liete voglie sante" di cui si "adorna la canizie", nella luce che brilla "nel guardo errante / Di chi sperando muor".

Dopo la stagione degli *Inni sacri*, tra il 1815 e il 1822, per Manzoni si apre un lungo periodo di riflessione: la conquista della fede viene sottoposta a una verifica, mentre l'attenzione si ferma a un esame della storia, dove Manzoni si sforza di rintracciare i segni della presenza divina. Di questo periodo sono le odi civili, e tra di esse il *Marzo 1821*, in cui il poeta celebra l'unirsi delle forze piemontesi e lombarde contro l'oppressore austriaco (un'unione in cui è visibile il segno della volontà divina) e proclama un ideale unitario di patria, nel sogno di un'Italia "una d'arme, di lingua, d'altar".

Più che nelle odi è nelle tragedie che si osserva l'ampliarsi (e il complicarsi) dell'analisi manzoniana. Ciò che importa allo scrittore è rappresentare una drammatica tensione morale dei personaggi: i quali, quanto più sono impegnati a combattere per una nobile idea, tanto più appaiono travolti dalle leggi della forza e della violenza che dominano il mondo.

Nel *Conte di Carmagnola* (1820), il protagonista è un capitano di ventura del XV secolo che dopo essere stato l'artefice della fortuna di Filippo Visconti, duca di Milano, passa al servizio della nemica Repubblica di Venezia. In seguito a oscure vicende, il condottiero sarà però accusato di tradimento, nonostante la condotta leale. La tragedia si snoda sul contrasto fra l'indole franca del Carmagnola e la politica, contorta e calcolatrice, dei Veneziani.

La situazione si ripropone, in forma più complessa, nell'*Adelchi* (1822), una tragedia in cui è rappresentato il momento conclusivo della guerra tra Franchi e Longobardi, dopo che papa Adriano ha richiesto l'aiuto di Carlo per costringere Desiderio a restituire i territori usurpati. Carlo, con l'aiuto di alcuni traditori del re dei Longobardi, si prepara all'assalto decisivo.

Adelchi, figlio di Desiderio, è il personaggio-chiave della tragedia: la lealtà lo costringe a combattere per il padre, di cui non condivide le ragioni politiche. Al fedele Anfrido confessa, in un momento di smarrimento:

> ... il core mi comanda
> Alte e nobili cose, e la fortuna
> Mi condanna ad inique.

In questo dilemma sta la personale drammatica vicenda di Adelchi e il nodo problematico che Manzoni rappresenta. La realtà si oppone al desiderio dell'uomo di operare nel giusto. Ogni azione è condannata a produrre un effetto che va in direzione opposta a quella voluta. Ed è proprio questa condizione assurda e tragica che determina la scelta per l'uomo a non agire, pur di non commettere il male. Adelchi, "trascinato" per una via che non ha scelto, germe "caduto in rio terreno" e "balzato dal vento", diviene l'eroe romantico della non-azione. In fin di vita consegna al padre sconfitto il suo messaggio:

> Godi che re non sei, godi che chiusa
> All'oprar t'è ogni via: loco a gentile,
> Ad innocente opra non v'è: non resta
> Che far torto o patirlo. Una feroce
> Forza il mondo possiede, e fa nomarsi
> Dritto...

In questo periodo Manzoni scrive, alla notizia della morte di Napoleone, il *Cinque maggio* (1821). L'immagine di Napoleone diventa l'immagine simbolica di un uomo che, pur nell'aspirazione a portare nel mondo i germi di una vita più giusta, semina l'Europa di morti. Ma, rispetto all'*Adelchi*, nell'ode i termini della discussione appaiono capovolti.

Il destino di Napoleone svela in realtà l'"orma" di un disegno provvidenziale di Dio, riassume emblematicamente il percorso stesso della storia, la quale, pur attraverso una tragica vicenda di sangue e di violenza, porta alla fine a giuste conquiste. E da questa concezione della storia, in cui la Provvidenza imprime il proprio segno, nascono anche *I promessi sposi*.

## Il romanzo della casa

Il romanzo si snoda sul filo di una vicenda narrativa semplice. Don Rodrigo, un prepotente signorotto che la fa da padrone nel territorio di Lecco, spaventa don Abbondio e impedisce il matrimonio fra Renzo e Lucia, due montanari di umile condizione. Dalla persecuzione tenta di salvarli fra Cristoforo, che manderà Renzo a Milano e ricovererà Lucia nel monastero di Monza.

Renzo arriva a Milano in un giorno di sommossa: il popolo affamato dalla carestia dà l'assalto ai forni. Il montanaro si lascia attrarre dalla rivolta e ne rimane coinvolto: arrestato, riesce a fuggire e ripara nel territorio della Repubblica di Venezia, presso un cugino. Don Rodrigo intanto ricorre all'aiuto di un amico ribaldo e potente più di lui (l'innominato), il quale organizza il rapimento di Lucia dal convento di Monza.

Ma quando l'impresa sta per compiersi l'innominato si converte: affida la giovane al cardinale Federigo Borromeo, in visita alla parrocchia vicina al suo castello. Lucia è salva. Ma nella notte, atterrita, ha chiesto alla Madonna la grazia della liberazione in cambio di un voto di verginità. Dovrà perciò rinunciare per sempre a Renzo.

Alle vicende dei due "promessi sposi" si intrecciano luttuosi avvenimenti. Il territorio di Milano è attraversato dalle truppe mercenarie dei Francesi e degli Spagnoli in guerra; scoppia una peste che decima la popolazione. Renzo, superata la peste, parte alla ricerca di Lucia e la ritrova guarita nel Lazzaretto di Milano. Qui ritrova anche fra Cristoforo e don Rodrigo, prossimi l'uno e l'altro alla morte. Il frate scioglie Lucia dal voto. Dopo tante sventure private e pubbliche si prepara perciò per i due giovani promessi il lieto fine.

Ha scritto Alberto Moravia che nei *Promessi sposi* si legge la metafora di una "villa ottocentesca". Voleva dire che il punto di vista manzoniano è quello di un aristocratico che descrive una società rispettosa delle gerarchie e ben ordinata, dove ai "poveri" non resta altro che attendere pazientemente l'avverarsi di una giustizia superiore. La prospettiva di Moravia è viziata da un'ideologia che non tiene conto del punto di vista di Manzoni.

Nel romanzo sarebbe più giusto infatti leggere la metafora di una "casa": una casa in cui si celebra l'ideale cristiano di una vita familiare, raccolta e operosa. L'atmosfera del romanzo è di fiducioso abbandono, di una fiducia che permane, al di là dei travagli personali e sociali, al di là delle persecuzioni individuali e delle sventure collettive.

Ma questo accade non perché ci sia una società gerarchicamente disposta che lo pretende. Accade perché l'uomo sa dare credito a quel Dio che, come si legge nell'"Addio monti", "è per tutto; e non turba la gioia de' suoi figli, se non per prepararne loro una più certa e più grande".

Sotto questo aspetto la promessa che lega Renzo a Lucia può divenire simbolica della stessa condizione umana, della grande promessa fatta da Dio all'uomo. E il lieto fine del romanzo viene a significare l'adempimento di un'attesa che non avrebbe potuto andare delusa per gli uomini di buona volontà. Lo testimonia la morale sui "guai" espressa da Lucia, al termine del romanzo: su quei guai che, "quando vengono, o per colpa o senza colpa", la fiducia in Dio "raddolcisce" e "rende utili per una vita migliore".

La "casa" dei *Promessi sposi* guarda certamente alla chiesa come a un ideale punto di riferimento. Ma se aveva torto Moravia nel definire il romanzo come una "villa ottocentesca", aveva torto anche un critico dell'Ottocento, Giovita Scalvini, a dire che nelle pagine di Manzoni si respira l'aria sempre un po' soffocante di un "tempio". La chiesa è ben presente nei *Promessi sposi*. Ma più che un ambiente in cui si vive è punto di riferimento, essenziale, non invadente. Non a caso l'unica descrizione dettagliata che si incontra nel romanzo è quella singolare della chiesa del Lazzaretto: una chiesa "aperta da tutti i lati", con l'altare "eretto al centro" e visibile "da ogni finestra delle stanze del recinto e quasi da ogni punto del campo".

## Il romanzo dei personaggi

Renzo, che si dà un gran daffare per fondare una nuova famiglia e una nuova casa, è il protagonista del romanzo: il "primo uomo della nostra storia", come dice Manzoni. Lo incontriamo all'inizio mentre cammina verso la canonica di don Abbondio, con "la lieta furia d'un uomo di vent'anni, che deve in quel giorno sposare quella che ama". Lo rivedremo, verso la fine del racconto, dopo aver trovato Lucia guarita dalla peste e pronta per il matrimonio, mentre cammina allegro, fra sgambetti, sotto la pioggia, per far ritorno al paesello.

Questo personaggio sempre in movimento è l'unico che corra nei *Promessi sposi* l'"avventura" del mondo. Il centro di questo "romanzo nel romanzo" sta nei capitoli che vanno dall'XI al XVIII: dalla giornata dei tumulti di san Martino al rifugio al di là dell'Adda. A Milano Renzo partecipa prima come spettatore alla sommossa, poi se ne fa protagonista. L'ingenuità del montanaro, il suo inebriarsi prima di parole in piazza, quindi di vino nell'osteria, ne segnano la caduta progressiva, fino alla degradazione nell'ubriachezza. Ma da questo vertice negativo incomincia la risalita del giovane, la redenzione intellettuale e morale che trova il culmine nella notte trascorsa nella capanna vicino all'Adda, dove Renzo ricorda le immagini di Lucia, di fra Cristoforo e Agnese.

Il pensiero della "povera" Agnese, che "si trovava ora snidata, quasi raminga, incerta dell'avvenire, e raccoglieva guai e travagli da quelle cose appunto da cui aveva sperato il riposo e la giocondità degli ultimi suoi anni", risveglia in Renzo il senso della responsabilità, quasi del suo dovere di assolvere al compito che gli è stato affidato di edificare la nuova casa. È una purificazione morale che si conclude nel pensiero di un totale abbandono alla fiducia in Dio ("Quel che Dio vuole... quel che Dio vuole. Lui sa quel che fa: c'è anche per noi") e che cerca rifugio nell'innocenza di Lucia: "Lucia è tanto buona", Dio "non vorrà poi farla patire un pezzo, un pezzo, un pezzo".

Lucia rappresenta il punto di riferimento morale non solo di Renzo, ma dell'intero romanzo. E proprio a lei è affidato, nella sua compiutezza, il tema della casa. Nella pagina dell'"Addio monti": il saluto di Lucia va alla "casa natìa", alla "casa ancora straniera", alla "chiesa". Tre ambienti che, nel momento del distacco, sono dominati dalla presenza del "promesso sposo". Così è ricordata la "casa natìa", in cui "sedendo, con un pensiero occulto, s'imparò a distinguere dal rumore de' passi comuni il passo aspettato con un misterioso timore"; così la "casa ancora straniera" in cui la mente "si figurava un soggiorno tranquillo e perpetuo di sposa"; così infine la "chiesa", nella quale "il sospiro segreto del cuore doveva essere solennemente benedetto, e l'amore venir comandato, e chiamarsi santo".

Lucia nei *Promessi sposi* ha un profilo di creatura privilegiata, un alone di santità che determinano per lei il rispetto, nonché degli altri personaggi, dello stesso Manzoni. La superiorità le viene dall'insegnamento di fra Cristoforo, dal religioso più combattivo del romanzo. E non per nulla proprio a fra Cristoforo, alle parole che rivolge ai due giovani promessi nel Lazzaretto, viene affidato il testamento morale di Manzoni: "Amatevi come compagni di viaggio, con questo pensiero d'avere a lasciarvi, e con la speranza di ritrovarvi per sempre. Ringraziate il cielo che v'ha condotto a questo stato, non per mezzo dell'allegrezze turbolente e passeggere, ma co' travagli e tra le miserie, per disporvi ad un'allegrezza raccolta e tranquilla".

La "casa" dei *Promessi sposi* è dunque sì porto di quiete e di "allegrezza", ma di una tranquillità conquistata con il dolore. La caricatura di questo ideale di casa sta nella canonica di don Abbondio, dipinta nel suo benessere (del tutto teorico) goduto in placide abitudini, attraverso una serie di ambienti e oggetti: il "salotto" in cui avviene il colloquio con Perpetua, la "tavola" su cui è apparecchiata la cena che il curato non consumerà nel primo capitolo, il "fiaschetto del vino prediletto", posto sul "tavolino" al luogo solito, il "seggiolone".

Il quadro che questi oggetti disegnano dà la visione eroi-comica del quieto vivere eretto a sistema. E su tale sistema non mancherà la condanna (sia pur bonaria) di Manzoni: quando, dopo il passaggio dei Lanzichenecchi, don Abbon-dio diverrà cioè spettatore della strage compiuta sui simboli del sistema e riconoscerà, tra un "rimasuglio di tizzi e tizzo-ni spenti", appunto gli avanzi degli oggetti simbolici del suo quieto vivere programmato.

## Il romanzo della storia

I Promessi sposi non sono solo un romanzo di pura narra-zione. In una lettera Manzoni diceva di concepire il romanzo storico come l'unica possibile "rappresentazione di fatti e ca-ratteri così simili alla realtà, da poterla credere una storia ve-ra appena scoperta". Insomma se Manzoni ammette l'inven-zione, propone un controllo della storia. E la storia si presen-ta per lui come l'equivalente della vita, come luogo di incon-tro e di verifica dei problemi morali e religiosi, politici, socia-li ed economici.

Le pagine storiche manzoniane sono dunque pagine ela-borate con l'impegno di uno studioso, ben attrezzato di strumenti. Così accade, per esempio, per le pagine dedicate alla carestia, dove Manzoni mette in mostra un talento di esperto economista. Così è per quelle della peste, dove fitta e sempre di prima mano è la documentazione di cui sa far uso il narratore.

Dall'uso scientifico del materiale storico il realismo di Manzoni trae incremento e significato: tanto che ne deriva una maggiore concretezza per i personaggi d'invenzione, i quali appunto perché non si muovono soltanto sul piccolo palcoscenico dello scrittoio di Manzoni, ma sull'immenso palcoscenico della storia del secolo XVII, vengono ad avere la fisionomia credibile di personaggi davvero vissuti.

Nel vivo della narrazione, accanto a loro entrano del resto veri personaggi storici, la cui vicenda, mentre resta ancorata a una cronologia precisa, riesce a proporre temi morali di ampio respiro. Così, nella storia della monaca di Monza,

Manzoni rappresenta il costume tipico, nella società del Seicento, della monacazione forzata, ma sa dar corpo anche alla rappresentazione del problema morale della volontà: della violazione della libera volontà altrui, da parte del principe padre, e della incapacità, da parte di Gertrude, di affermare la propria volontà.

Se attraverso il comportamento del principe appare infatti, in tutta la sua gravità, il peccato della violazione del libero volere della figlia, Gertrude, prima ancora dell'amore sacrilego e del tragico delitto, risulta colpevole. La colpa sta nell'abbandonarsi alle fantasie, nel cedere al fascino o all'incubo di immagini attraenti oppure paurose, piuttosto di concentrarsi nella realtà e nella determinazione del proprio volere.

La volontà di Gertrude è insomma una volontà fiacca e corrotta, che, come le ha impedito di reagire alla violenza paterna, così le impedisce di fermare la catena dei misfatti imposta da un amore sacrilego, che la porta all'omicidio di una conversa prima e quindi al sacrificio di Lucia.

Su un contrasto di volontà è impostata la vicenda dell'innominato. Il ritratto che Manzoni ne fa, da principio, usufruisce dell'alone di "irresistibile, di strano, di favoloso" che lo circonda, ma si caratterizza subito nel vigoroso esercizio della volontà: in una ferma capacità di comando. Alla "volontà, pronta, superba, imperturbabile", tipica della prepotenza signorile secentesca, subentra però una diversa volontà. Colpito dalla Grazia, l'innominato oppone all'"antica volontà" una nuova volontà non meno imperiosa a rivedere tutto l'operato del passato e a cambiarne direzione nel futuro.

Nella vicenda dell'innominato ha peso Lucia, ma insieme entra con forza la figura del cardinale Federigo. Anche in questo caso Manzoni propone il profilo di un "santo", che si staglia, per distinguersi, sullo sfondo di un'epoca con la sua cultura. Accanto all'esperienza della fede semplice, tutta innocenza e sofferenza di Lucia, accanto a quella della fede combattiva e puntigliosa di fra Cristoforo, Manzoni mette la fede di Federigo, nutrita di dottrina teologica, ma anche di scienza profana, sostenuta da una vita esemplare di virtù personali storiche e sociali documentate.

*Il romanzo della parola*

Il problema di una lingua letteraria unitaria era stato già
avanzato dai puristi agli inizi dell'Ottocento. C'era stato il
"purismo" del veronese **Antonio Cesari** (1760-1828), che ri-
proponeva un ritorno ai modelli linguistici del Trecento, ri-
spolverando il vocabolario della Crusca. E c'era stato il "purismo" più moderato di Monti, che richiedeva, in una *Proposta di alcune correzioni e aggiunte al vocabolario della Crusca*, un allargamento alla tradizione letteraria consolidata anche nei secoli successivi.

Manzoni pensa a una rifondazione radicale. Attraverso
una serie di testi (*Sulla lingua italiana* del 1845, *Dell'unità
della lingua e dei mezzi di diffonderla* del 1868, *Lettera al
marchese Casanova* del 1871), elabora un'organica teoria linguistica, che trova il costante punto di riferimento nel principio che la lingua scritta debba accostarsi a quella parlata.
La norma di ogni scelta non sta per lui in una conferma libresca, ma sempre nella conferma dell'*uso*.

Su questa base teorica Manzoni discute il problema del-
l'unità linguistica. Vista la diversificazione notevole della lingua parlata nelle diverse regioni, l'unità non può essere raggiunta che attraverso l'uniformarsi delle singole parlate a
quella di maggior prestigio. Nel parlato fiorentino delle persone colte Manzoni indica alla fine la norma da seguire per
l'unificazione della lingua italiana.

Il problema della lingua non va visto semplicemente però
in questa prospettiva. Una segreta preoccupazione morale
infatti anima Manzoni difronte al problema della parola: a
questo tramite di comunicazione tra uomo e uomo, che si riduce più spesso a strumento di dissimulazione che a strumento di una schietta corrispondenza. E si ritorna ai *Promessi sposi*.

Si pensa alle tante riflessioni avanzate apertamente da
Manzoni sul tema della parola. A quella, per esempio, sulla
"trufferia di parole" dei responsabili della pubblica Sanità
per nascondere il pericolo della peste al popolo, da cui scaturisce un pensoso giudizio sulla fragilità umana in fatto di
parola: "... ma parlare, questa cosa così sola, è talmente più

facile di tutte quell'altre insieme", cioè "osservare, ascoltare, paragonare, pensare prima di parlare", che "anche noi, dico noi uomini in generale, siamo un po' da compatire".

Nei capitoli milanesi, c'è l'ambiguo parlare di Ferrer con la folla, dissimulando la verità, attraverso l'uso di un doppio linguaggio, tra italiano e spagnolo, che dà alle frasi diversi significati d'interpretazione; c'è la manipolazione delle parole pubbliche, sottolineata da Manzoni nell'esame della folla.

Nel romanzo ci sono le acrobazie verbali del dottor Azzeccagarbugli o del conte zio. È un insieme di situazioni, da cui prendono spunto severe riflessioni di Manzoni che sembrano preannunciare, sia pure in misura più serena e in un clima di più ottimistica fiducia nell'uomo, la travagliata storia dei rapporti umani, l'angoscia dell'incomunicabilità, che sarà propria della letteratura a noi contemporanea.

# Verso il Verismo

## Il punto di svolta della "Scapigliatura"

Ci sono nella letteratura italiana del primo Ottocento le esperienze eccezionali di Leopardi e Manzoni. Per il resto il Romanticismo rimane per lo più coinvolto con l'avventura del Risorgimento: e in questa avventura gli scrittori, esuli o soldati, portavoce di un sogno, si fanno consapevolmente protagonisti.

Ma una volta conseguita l'Unità, quando al furore di un ideale, alla forza d'attrazione di un obiettivo comune da perseguire, subentra la necessità di affrontare la realtà concreta dei problemi, quando prendono spazio le caute manovre politiche, quando diventano protagonisti della società gli economisti, gli scienziati, i tecnici di ogni genere, i poeti vanno fuori gioco: si sentono spiazzati.

E allora c'è chi, come incantato su un'idea fissa, continua a riproporre i miti risorgimentali in una stanca retorica; c'è chi invece pian piano si allontana dalla realtà, per coltivare, come fanno **Giovanni Prati** (1814-1884) e **Aleardo Aleardi** (1812-1878), una scialba poesia sentimentale dai toni patetici e lacrimevoli.

Francesco De Sanctis, alla conclusione della *Storia della letteratura italiana*, osserva che l'Italia già "avviluppata", negli anni del Risorgimento, "come di una sfera brillante, la sfera della libertà e della nazionalità", aveva visto nascere una filosofia e una letteratura, che aveva avuto la propria "leva fuori di lei, ancorché intorno a lei". Ora però l'Italia avrebbe dovuto "cercare se stessa, con vista chiara, sgombra da ogni velo e da ogni involucro, guardando alla cosa effettuale".

Perché soltanto così, "in questa ricerca degli elementi reali della sua esistenza, lo spirito italiano avrebbe potuto rifare la sua cultura, restaurare il suo mondo morale, rinfrescare le sue impressioni, trovare nella sua intimità nuove fonti di ispirazione". De Sanctis proponeva anche un modello da seguire: invitava i letterati italiani alla lettura dei romanzi di Émile Zola.

Negli anni a cavallo della metà secolo soffia un vento di idee confuse: c'è una voglia indeterminata di qualcosa di nuovo, un atteggiamento di generica opposizione. A Milano un gruppo di giovani artisti e letterati, che sarà poi detto della "Scapigliatura", elabora infatti un programma d'arte "contro": si dice contro il manzonismo, contro il patetismo. E per la prima volta compare nella cultura italiana un vero conflitto tra artista e società.

La Scapigliatura è costituita da un gruppo di avanguardia che recupera, con anni di ritardo, l'invito di Madame de Staël. Si leggono gli autori stranieri, si importano, con entusiasmo, quelle esperienze estreme del Romanticismo europeo, che avevano trovato scarsa fortuna nella cultura del primo Ottocento.

Entrano, nella nostra poesia, nei versi per esempio di **Emilio Praga** (1839-1875), di **Arrigo Boito** (1842-1918) e di **Giovanni Camerana** (1845-1905), nei racconti di **Igino Ugo Tarchetti** (1841-1869) i temi della letteratura nera: lugubri fantasmi di morte, teschi e scheletri, macabre fantasie. Entrano le esplorazioni del subconscio: incubi, sogni, allucinazioni. La dissipazione e la sregolatezza diventano norme di vita. Si celebra il gusto delle visioni morbose della realtà. Ma soprattutto si coltiva il senso della poesia come rivelazione della vita, come esperienza assoluta. Oppure si inventa, per rappresentare il caos del mondo, un nuovo linguaggio composto di elementi eterogenei, come accade nei libri di **Carlo Dossi** (1849-1910).

Per un verso dunque c'è l'"importazione" di una cultura "stravagante", contro cui la tradizione classicista, ma anche le voci dei romantici Manzoni e Leopardi, avevano comunque saputo erigere una solida barriera. Per un altro verso, si fa strada una proposta di letteratura realistica, che sia capace di scavalcare la tradizione e sviluppare (o superare) la lezione manzoniana. Si progetta una letteratura che sappia farsi attenta ai problemi piccoli o grandi del quotidiano.

## Il "Neoclassicismo" nostalgico di Carducci

C'è però, frattanto, una reazione al Romanticismo di segno completamente opposto: è quella di Giosue Carducci, il quale, nato a Val di Castello in Versilia, nel 1835 (morto nel 1907), diverrà presto il professor Carducci: maestro ascoltato da allievi illustri di più generazioni (da Pascoli a Panzini, da Serra a Bacchelli), nelle sue lezioni di letteratura italiana tenute all'Università di Bologna, dal 1860 al 1904.

C'è un profilo (caricaturale) di Carducci segnato da un critico del primo Novecento, Enrico Thovez, che paragonò le opere dotte di questo poeta-professore con i giochi di forza degli atleti, dagli occhi fuori dell'orbita, dai muscoli turgidi, dai toraci ansanti e rigati di sudore. Il giudizio era diretto soprattutto alle prose commemorative, agli interventi politici, pronunciati con voce alta e rimbombante.

Carducci, anche quando lascia le vesti del tribuno, porta comunque con sé sempre un segno di forza e di integrità fisica e morale: una forza che oppone, con ostentazione, sia al languore dei poeti del tardo Romanticismo, al loro "molliccio e tenerume, più degno invero di un popolo d'eunuchi che non de' robusti e dignitosi italiani", sia al crogiolarsi dei giovani scrittori della Scapigliatura in una malattia morale, sia alla fiacchezza ripetitiva di scrittura dei manzoniani.

Carducci, consapevole della propria dottrina, fiero del suo isolamento intellettuale, si costruisce da sé una statua, che impone per tutta la seconda metà dell'Ottocento. Come è del prosatore, così è del poeta.

Dapprima, con l'*Inno a Satana* (1863), in cui il re dell'Inferno diventa simbolo del progresso dell'uomo, Carducci dà sferzate alla fiacchezza e al gusto della rinunzia del "vile" tempo in cui vive. E con l'*Inno a Satana* prende via la stagione più rumorosa della sua poesia che culminerà poi nella raccolta di *Giambi ed epodi* (1867-1879), in cui il poeta si fa fustigatore dei costumi politici e letterari, proponendosi come "scudiero" dei classici: come campione anticonformista di un ritorno all'antica disciplina dell'arte, al rigore stilistico del passato.

Il furore si smorza man mano che passano gli anni: lo spirito combattivo del giovane poeta trova ben presto un equilibrio, comunque vitalistico, in un atteggiamento più pensoso. Lo sdegno, l'allontanamento dal presente, il rifiuto radicale per la meschina banalità del reale non cambiano nella sostanza, cambiano solo nella forma. Nelle *Primavere elleniche* (1872), poi, più tardi, nelle *Odi barbare* (1877-1889), Carducci indica nel mondo greco un mondo di pura forma: un mondo mitico e lontano, nel quale trovare un virile rifugio dalle delusioni del presente. È una forma di esotismo.

Sono poesie dove prevale il gusto di un lavoro di puro "cesello", di un alto artigianato letterario. Lo studio accanito, l'impegno stilistico aiutano il poeta a rigenerarsi, a distrarsi comunque dalla realtà, la quale, altrimenti, "finirebbe per soffocarlo nello sdegno e nel fastidio". Resta fisso, quali che siano le forme espressive, il punto di riferimento di un'evasione dalla meschinità del mondo, resta fissa l'esigenza di un rifugio in una mitologia.

All'evasione in una forma nostalgica di Neoclassicismo, si affianca una diversa fuga in un tempo e in uno spazio di memorie autobiografiche. Già nell'*Intermezzo*, e poi nelle *Rime nuove* (1861-1887), Carducci aveva proposto un ritorno al mito dell'infanzia e della campagna. L'epoca in cui vive il poeta è un'epoca di profonde innovazioni, di studi e di esperimenti agricoli. Il senso di una campagna non più oziosamente idillica, ma fatta di fatica e di lavoro, si rende evidente in un sonetto come *Il bove*, del 1872.

L'immagine simbolica del "bove", che prende rilievo su uno sfondo di natura aperta, è immagine eroica e monumentale: un'immagine mitica, appunto. Nella figura possente del "bove", nel quadro che gli fa da contorno, come in tanti altri quadri campestri carducciani, si sente l'eco di una memoria letteraria (quella di Parini, prima fra tutte), ma si avverte anche l'eco di ricordi personali di vita: di una fanciullezza vissuta in piena libertà, a contatto con la natura, nella Maremma toscana. Lo spazio della campagna diventa, nonostante le tracce di realismo, uno spazio mitico: uno spazio che si fa simbolo di un'esistenza forte e serena, sana e pacificante, negata al poeta.

Di questo senso di una vita sana diverrà simbolo la donna di Carducci, quella dell'*Idillio maremmano* (1872) o di *Madre* (1880). È una figura femminile che, come spiega il poeta, si contrappone allo stereotipo della donna "alta, svelta, languida, come un tronco di palma, tenera e fiera, voluttuosa e spiritosa" dei romantici. È un'immagine dai forti fianchi, dal seno colmo: la "madre" appunto, che allatta i propri figli, ricca di salute fisica e morale, ricca di un vigore primitivo.

Carducci diventa così, contro la malattia morale degli scrittori del tardo Romanticismo, il poeta della vita e della salute, delle luci e dei colori: un poeta solare, come pochi ce ne ha offerti la nostra tradizione letteraria. Il mondo classico, il mondo dell'infanzia, sono recuperati nella loro misura di vitalismo, come le uniche alternative possibili alla pochezza morale di un'umanità fiacca e corrotta.

## Un nuovo programma

Intorno al 1870 arrivano in Italia i romanzi di Emile Zola, mentre si diffondono le teorie del Positivismo, secondo il quale è la scienza, soltanto la scienza, che spiega e interpreta la realtà. Attraverso gli strumenti che la scienza insegna a usare, l'uomo studia la natura, si addestra a dominarla e correggerla.

Il rapido diffondersi del Positivismo investe la cultura in ogni manifestazione. Il metodo positivo misura la realtà. È ovvio, allora, che tanto più diventino visibili i problemi dell'Italia reale, al di là di quell'Italia ideale sognata negli anni del Risorgimento. Emergono nella loro drammaticità i concreti problemi della miseria economica, gli scompensi sociali, i disastrosi squilibri tra Nord e Sud, tra campagna e città.

Lo sviluppo industriale porta ai primi conflitti, ai primi scioperi: a Milano viene sconvolto lo stesso tessuto sociale. E nascono allora, a distanza di pochi anni, in luogo di riviste letterarie, giornali come "La riforma", che, al punto primo del programma, indica la necessità "di uscire da codesto egoismo borghese, che ha sconvolto altre nazioni e quel che più conta ha soffocato nel sangue i reclami del popolo, a volta a volta bandito e tradito". Nasce così anche da noi una narrativa impegnata in una polemica sociale, che prende a modello i romanzi di Zola, nei quali veniva descritta la società francese.

Ma Zola, a Parigi, aveva difronte a sé una società articolata e poteva sentirsi davvero il portavoce di un'esigenza popolare di uguaglianza sociale, o quanto meno poteva sentirsi autorizzato a rappresentarla. Gli scrittori italiani invece si trovano davanti una società frastagliata, con problemi diversi da regione a regione, si trovano di fronte masse inermi e silenziose, incapaci di intendere un messaggio sociale a loro destinato. I nostri scrittori veristi, come per convenzione vengono chiamati, finiscono allora con l'assumere un atteggiamento paternalistico: osservano con pietà, ma senza spirito critico, le miserie delle masse contadine o, laddove esista, del proletariato urbano.

È questa l'anomalia della nostra letteratura realista, la quale importa una cultura, che riesce a trapiantare con difficoltà. Accade perciò che il nostro Verismo o diventi bozzettismo provinciale o, nel caso migliore, diventi metodo di studio di piccole comunità, se non addirittura di patologie individuali.

Esemplare è il caso del siciliano **Luigi Capuana** (1839-1915), il teorico più agguerrito della nuova scuola. Capuana propone di sostituire al romanzo storico un romanzo che sappia dipingere con esattezza scientifica "caratteri e costumi dell'età contemporanea". Il narratore deve nutrirsi allora delle nuove verità proposte dalla scienza moderna, ma soprattutto deve imparare ad adottarne il metodo: deve cioè raggiungere una "perfetta impersonalità" nel procedimento narrativo.

"Impersonalità" significa, come spiegherà poi Verga, un "eclissarsi" dell'autore nel racconto: un'accettazione incondizionata del comportamento autonomo dei personaggi.

L'interesse di chi narra è identico a quello del medico "anatomista che scortica vivi vivi i suoi personaggi", dice Capuana, a quello dello scienziato che osserva e registra con impassibile freddezza i processi naturali. Va da sé che la ricetta porterà i narratori veristi a osservare prevalentemente una patologia psichica o sociale. Ne registrerà i sintomi, senza indagarne le cause, senza cioè individuare, come aveva fatto Zola, nella composizione della società, e nelle sue congenite malformazioni, il motivo di queste "malattie".

Ma la nuova religione del vero porta, nella storia letteraria del nostro secondo Ottocento, anche ad altro. Porta gli scrittori, lo si è detto, a riscoprire le caratteristiche di un mondo provinciale o regionale. In ciò agisce un duplice atteggiamento, che rispecchia al tempo stesso la speranza e l'attesa, ma anche la delusione e la protesta difronte ai problemi che l'unificazione d'Italia aveva proposto.

Per un verso il "regionalismo" si può interpretare infatti come la volontà di promuovere, da parte dei nuovi scrittori, la conoscenza delle regioni, di comunicare e discutere con gli Italiani i problemi della propria terra, di rendere noto il significato di tradizioni e costumi, nella convinta fiducia di facilitare e accelerare il processo di unificazione.

Per l'altro verso invece il "regionalismo" si può interpretare come un rigetto dell'Unità, un rigetto denso di nostalgie e di amarezze, come un ritorno intimamente o esplicitamente polemico alla tradizione regionalistica, quasi come un'evasione in un mondo mitico, come un rifiuto comunque della storia.

A un regionalismo documentario e verista si affianca insomma un regionalismo nostalgico e intimista. Così nei *Viceré* di **Federico De Roberto** (1861-1927) abbiamo un'ampia cronaca di vita siciliana, che si fa satira dei costumi feudali dell'aristocrazia. Nel *Ventre di Napoli* di **Matilde Serao** (1856-1927) è invece descritta la civiltà partenopea, colta nei suoi aspetti folkloristici, nei suoi paesaggi caratteristici, densi di colore.

Nell'Italia centrale c'è la Toscana mitica delle *Veglie di Neri* di **Renato Fucini** (1843-1921), che ripropone un mondo paesano, con i suoi riti di vita (la caccia, la pesca, il conversare), quando non disegni addirittura un mondo primitivo, tagliato fuori da ogni contatto con la storia. Ma in contrasto c'è nell'*Eredità* di **Mario Pratesi** (1842-1921), il ritratto di una società contadina aggressiva, decisa a ribellarsi. E ci sono poi le *Avventure di Pinocchio* di **Carlo Collodi** (1826-1890) con il loro ilare (ma simbolico) ritmo di oscillazione tra ordine e trasgressione.

Ancora più vivo si fa il mito della regione nell'Italia settentrionale. Basti pensare alla Milano del *Demetrio Pianelli* di **Emilio De Marchi** (1851-1901): città in cui vivono uomini ricchi di sanità morale, di fervida operosità. Basti ricordare il mito del Piemonte forte e guerriero, austero e tenace, quale si incontra nella narrazione storica e paesaggistica in *Novelle e paesi valdostani* di **Giuseppe Giacosa** (1847-1906) o nelle rievocazioni nostalgiche di **Edoardo Calandra** (1852-1911) del Settecento del *Vecchio Piemonte*.


## I "vinti" di Verga

Se l'attenzione di Capuana rimane legata all'analisi del singolo personaggio e quella degli altri scrittori regionalisti tende per lo più al bozzetto provinciale, l'attenzione del siciliano Giovanni Verga (1840-1922) si rivolge invece all'analisi di un'intera società.

Il romanzo più importante, *I Malavoglia* (1881), è il primo esempio, nella nostra storia letteraria, di un romanzo corale: dove il "coro" della società paesana di Aci Trezza narra le vicende di una famiglia di pescatori, con un linguaggio ricostruito, nel tessuto sintattico, grammaticale e lessicale, sul dialetto e sui modi popolari.

È questa l'innovazione più interessante: Verga cede il proprio privilegio di narratore, sposta il punto di vista del racconto e lo consegna al commento dialogato dei suoi personaggi. Per Verga lo scrittore deve riuscire a "vedere le cose coi loro occhi ed esprimerle colle loro parole".

I Malavoglia vivono sui proventi del proprio lavoro di pescatori e hanno come unico patrimonio la barca, detta "la Provvidenza", e la casa, detta del "Nespolo". Il tentativo di uscire da questa iniziale condizione, di tentare cioè un miglioramento sociale ed economico, trasformando il lavoro di umili pescatori in un'attività commerciale più redditizia, determina la loro rovina.

Proprio durante un viaggio, con il mare in burrasca, la "Provvidenza" naufraga, il carico viene perduto e nel naufragio muore Bastianazzo, il più valido dei lavoratori della famiglia. È questa la prima di una catena di disgrazie, che porterà i Malavoglia alla miseria, fino all'atto estremo della vendita della casa.

Nel romanzo si sviluppano due opposte concezioni di vita. Da un lato c'è la convinzione, interpretata dal vecchio capo famiglia padron 'Ntoni, della necessità di un rigido rispetto della tradizione familiare, della negazione del progresso e dell'iniziativa. Dall'altro lato c'è il tentativo di 'Ntoni, il nipote ribelle, di una rottura decisa con le antiche tradizioni di famiglia: c'è il suo desiderio della ricerca di un riscatto umano ed economico.

La disubbidienza del giovane 'Ntoni non ha tuttavia alcuna possibilità di realizzazione. Il "ribelle", trasgredite le leggi sacre della famiglia, finisce infatti per farsi contrabbandiere e viene punito con la mortificazione del carcere. Poi, una volta uscito di prigione, si riconosce colpevole della propria trasgressione e quindi si scopre indegno di rimanere nell'ambito della famiglia.

Nel protagonista dell'altro grande romanzo di Verga, *Mastro don Gesualdo* (1889), si realizza quell'ansia di ribellione che era stata del giovane 'Ntoni dei *Malavoglia*: è una realizzazione tuttavia che porta ugualmente a una condanna. Don Gesualdo Motta, nato povero e plebeo, dal nulla si crea una fortuna e vendica così la propria misera condizione nei confronti di chi è invece nato ricco e nobile. Giunto al vertice del suo potere economico sposerà una donna nobile, quasi a sancire con il matrimonio la propria vendetta.

Mastro don Gesualdo vive nella pagina di Verga dapprima dunque nella sua frenesia di accumulare e quindi difendere la "roba". Eccolo dunque "sempre in moto, sempre affaticato, sempre in piedi, di qua e di là, al vento, al sole, alla pioggia; colla testa grave di pensieri, il cuore grosso di inquietudini, le ossa rotte di stanchezza; dormendo due ore quando capitava, in un cantuccio della stalla, dietro una sie-pe, nell'aia, coi sassi sotto la schiena; mangiando un pezzo di pane nero e duro dove si trovava, sul basto della mula, al-l'ombra di un ulivo, lungo il margine di un fosso, nella ma-laria, in mezzo a un nugolo di zanzare".

Per lui, non esistono "feste, non domeniche, mai una ri-sata allegra". Intorno a lui "tutti" pretendono "qualche co-sa, il suo tempo, il suo lavoro, o il suo danaro". E Gesualdo allora, "costretto a difendere la sua roba contro tutti, per fa-re il suo interesse", non trova nel paese "uno solo che non gli fosse nemico, o alleato pericoloso e temuto".

La conseguenza dell'avidità di Gesualdo, del desiderio in-saziabile del successo, sta nella desolata solitudine in cui vie-ne a trovarsi e nella mancanza di affetti da cui si sente alla fi-ne soffocato, nella considerazione del fallimento del proprio matrimonio. "Nulla, nulla gli aveva fruttato quel matrimo-nio: né la dote, né il figlio maschio, né l'aiuto del parenta-do": "Era il sangue della razza che rifiutava. Le pesche non si innestano sull'ulivo".

Mastro don Gesualdo morirà allora, nel suo palazzo pa-lermitano, tra una folla di domestici, sfaticati e interessati, assistito con dispetto dalla figlia ostile e dal genero fredda-mente cortese.

Se il finale dei *Malavoglia*, con il pentimento del giovane 'Ntoni suonava come una riconsacrazione della tradizione e dei miti della famiglia e dell'onore, il finale di *Mastro don Gesualdo* assume invece il senso di una totale, definitiva, sconfitta.

# Il Decadentismo

## La poetica del Decadentismo

La società del secondo Ottocento è affascinata dal culto della scienza del Positivismo, che garantisce ordine nell'universo del sapere, ma promuove insieme un materiale benessere e mira a una trasformazione della società da agricola a industriale. Negli Stati europei il mito della ricchezza e la logica del profitto creano condizioni di vita difficili per le masse popolari, portano perciò a una forte tensione di conflitti sociali. La borghesia, che aveva messo in moto il processo di trasformazione, difronte al rapido modificarsi della situazione, si trova disorientata.

Il trionfo della scienza positiva mostra il proprio volto disumano, la sicurezza nella ragione come metodo della conoscenza infallibile crolla e matura così l'impressione che la civiltà occidentale sia prossima al proprio esaurimento: si paragona allora la realtà presente a quella dell'Impero romano, al tempo della "decadenza", quando, mentre tutto crolla e una civiltà è allo stremo, resiste nella rovina solo lo spettacolo della raffinatezza e dell'eleganza formale.

Da qui, negli scrittori che interpretano lo smarrimento della società borghese, vengono due atteggiamenti. O gli intellettuali si crogiolano nel clima della decadenza: e allora portano alle estreme conseguenze gli aspetti irrazionalistici che erano già presenti nella letteratura romantica europea, idolatrano la corruzione, la morbosità, la morte. Oppure puntano a un'artificiosa reazione. Predicano un vitalismo che non conosce inibizioni morali, mettono in campo la loro gioia di vita, che non si riconosce limiti, celebrano un godimento ebbro, coltivano il mito di una forza barbara e ferina, che vorrebbe imporre il suo dominio per rigenerare un mondo esausto.

L'uno e l'altro atteggiamento, la morbosità estenuata e il vitalismo barbarico, hanno in comune il rifiuto della meschina realtà concreta, della squallida normalità del quotidiano, e insieme il bisogno di puntare al mondo dell'assoluto e del mistero, anche nel rischio di lasciarsi inghiottire dal vortice turbinoso del nulla. Il mistero, si sostiene, non può essere indagato dalla ragione né dalla scienza.

Gli strumenti della conoscenza diventano la malattia e la nevrosi, l'allucinazione e il sogno, l'incubo e il delirio. La sensibilità decadente è continuamente alla ricerca di quegli stati di grazia o di estasi, in cui l'anima, come rapita fuori di sé, mentre entra in contatto diretto con l'assoluto, coglie la rivelazione del mistero, attraverso impensate analogie e corrispondenze: l'io si identifica nel tutto, oppure si trasforma in un elemento della natura che sappia entrare direttamente in contatto con il segreto dell'universo.

Il poeta diviene un "veggente", il quale si isola dal mondo e coltiva, nella sua torre d'avorio, solo i propri sogni e le sue visioni: tenta un incontro con l'ignoto, attraverso la "sregolatezza di tutti i sensi", come diceva Rimbaud. Nasce allora la figura del "poeta maledetto": un uomo che nega qualsiasi valore e convenzione della società, un uomo che deliberatamente sceglie il male e l'abiezione, che si annienta attraverso il vizio.

Oppure nasce l'"esteta" che è il sacerdote del "bello", il quale annulla i valori morali del bene e del male, del giusto e dell'ingiusto, e riconosce come unico valore la bellezza e tenta di trasformare la vita in un'opera d'arte. E accanto all'esteta, o meglio in contrasto con lui, c'è l'"inetto a vivere", che, escluso dal vitalismo, si crogiola nella sua inadeguatezza, nella miseria della propria volontà debole e corrotta. L'"inetto" spesso diventa, in una sorta di rovesciamento, preda della "donna fatale", perversa e ammaliatrice, la quale celebra con voluttà la sua vittoria sul maschio fragile, che è riuscita a soggiogare.

Da questa visione del mondo viene la poetica del Decadentismo, che si crea nuovi strumenti espressivi. La poesia non racconta né registra la realtà: la poesia è illuminazione, momento di estasi, rivelazione immediata dell'assoluto. La parola perde il suo valore referenziale, cioè di comunicazione logica, e assume invece un valore evocativo, simbolico, metaforico, allusivo, quando non si riduce a puro suono: dà voce insomma a ciò che è inesprimibile. Alle immagini nitide si sostituisce il vago, l'indefinito, e soprattutto il simbolo che è oscuro e misterioso, carico talmente di significati da divenire indecifrabile.

"Vi sono profumi freschi come carni di bambini, dolci come oboi, verdi come le praterie", scriveva Baudelaire. L'allusività della parola realizza una fusione delle varie sensazioni: gli aggettivi propri della vista si collegano con sostantivi dell'olfatto e così via. Allo stesso modo c'è un tentativo di fusione dei vari linguaggi artistici e soprattutto con quello della musica, che è considerata l'arte più alta, perché, con la propria indefinitezza, riesce a mettere l'uomo immediatamente in contatto con l'assoluto.

## La fuga nel "piccolo mondo antico"

Il 1881, l'anno in cui escono *I Malavoglia* di Verga, è anche l'anno in cui viene pubblicato *Malombra* di **Antonio Fogazzaro** (1842-1911), il primo romanzo significativo della nostra letteratura decadente. Marina, la protagonista, è una giovane donna tormentata da visioni eccezionali, inquietata da oscuri presentimenti di vita "straordinaria".

Di lei si innamora Corrado Silla, uno scrittore fallito, ossessionato dall'idea dell'inutilità e del vuoto della vita: un'ossessione in cui si crogiola senza trovare via di uscita, chiuso in un clima di esasperata solitudine, di impossibilità a stabilire una comunicazione con gli uomini. Debole e fiacco, incapace di gesti risolutivi, Corrado si lascerà trascinare dalla follia di Marina e ne finirà vittima, ucciso da un colpo di pistola, in un attimo di violenta allucinazione della donna.

Silla viene a interpretare dunque l'immagine tipica del Decadentismo di un intellettuale avulso dalla società, o meglio dell'"inetto a vivere" che si abbandona a una vita "vuo-

ta", in preda all'inquietudine, in balìa delle proprie contraddizioni.

Di fronte alla società utilitaristica di fine Ottocento, per
scrittori come Fogazzaro, privi di interessi sociologici, del
tutto lontani da qualsiasi vocazione sociale, incapaci cioè di
impegnarsi in una rigorosa analisi della realtà, non rimaneva
che un'unica possibilità: quella di trasferire l'esperienza letteraria dal mondo oggettivo a un mondo soggettivo, da un'e-
sperienza condivisa con la società a un'esperienza ricostrui-
ta nella solitudine del pensiero.

L'esperienza di Fogazzaro scrittore non si esaurisce però in
*Malombra*. Con il capolavoro, *Piccolo mondo antico* (1895),
questo scrittore esorta al ritorno a un mondo quieto di sane
abitudini, raccolto in un'intimità di cari e sicuri affetti familiari: un "piccolo mondo" al quale la memoria dell'uomo riesca a
dare dimensioni confortanti e facilmente dominabili.

In questo "piccolo mondo", il cui spazio e il cui tempo sono dilatati dal ricordo, si svolge un rituale di gesti di vita ri-
petuti quasi con sacralità, che fossilizzano spazio e tempo,
ne trasformano la misura in dimensioni segnate solo dallo
spessore della memoria.

I personaggi, per uscire dal travaglio spirituale del tormento interiore, si rifugiano in una vita di abitudini. È il loro modo di salvarsi dal baratro dell'inquietudine: è il loro
modo di trovare dei valori qualsiasi, a cui abbarbicarsi e in
cui riposare come in un porto di quiete intellettuale.

## Il mito del "nido"

Dell'inquietudine di fine Ottocento dà testimonianza la
poesia di **Giovanni Pascoli** (1855-1912), che ha il proprio
programma teorico nella prosa *Il fanciullino* del 1897. In
noi, scrive Pascoli, "c'è un fanciullino che ha brividi lacrime
e tripudi suoi": "Noi cresciamo ed egli resta piccolo; noi ac-
cendiamo negli occhi un nuovo desiderare, ed egli vi tiene
fissa la sua antica serena meraviglia, noi ingrossiamo e arru-
giniamo la voce, ed egli fa sentire tuttavia e sempre il suo tin-
nulo squillo di campanello".

Il poeta si identifica con questo "fanciullino", ne interpreta la "voce" che "parla alle bestie, agli alberi, ai sassi, alle nuvole, alle stelle", che "popola l'ombra di fantasmi e il cielo di dei", che "scopre nelle cose le somiglianze e relazioni più ingegnose".

La poetica del *Fanciullino* è un'altra poetica decadente. La scienza positiva, osserva Pascoli, non ha dato certezze all'uomo, ha reso invece non solo più oscuro, ma ancora più terrificante, il mistero del mondo, perché ha cancellato le illusioni (o le superstizioni) della religione che potevano consolare l'uomo. Ora solo la poesia può consolarlo: perché, per simboli, consente "la contemplazione dell'invisibile, la peregrinazione per il mistero, il conversare e il piangere e sdegnarsi e godere coi morti". La poesia, con la sua musica suggestiva, può insomma risvegliare anche negli altri uomini l'anima del "fanciullino", può renderli capaci a conoscere il mistero, può rigenerarli spiritualmente.

La poesia di Pascoli offre innanzi tutto le immagini di un mondo quieto e raccolto. La casa, l'orto, il campo diventano simboli di uno spazio limitato in cui si muove, quasi con circospezione, il poeta. Certo, quest'uomo non vive isolato dal mondo: ha una catena di affetti familiari, ha intorno a sé i libri, ha i giornali che gli portano le notizie del mondo.

Ma c'è un suo modo di guardare tutte le cose, come da "un angolo di anima", da un "cantuccio d'ombra": è un modo di guardare che salvaguarda il "nido" in cui il poeta si rifugia. Il "nido" in cui trovare riparo diventa il tema ricorrente della poesia pascoliana. In questa prospettiva si possono leggere soprattutto i componimenti della prima raccolta, *Myricae* (1891), animati, come dice lo stesso poeta, da "frulli d'uccelli, stormire di cipressi, lontano cantare di campane": animati cioè da quadretti di natura immersi in un'atmosfera colma di memorie infantili.

Nella stessa prospettiva si possono leggere ancora i *Primi poemetti* (1897), i *Canti di Castelvecchio* (1903) e i *Nuovi poemetti* (1909), dove però si fanno sentire anche note dolenti e umanitarie: "C'è un gran dolore e del gran mistero nel mondo", osserva Pascoli, "ma nella vita semplice e famigliare e nella contemplazione della natura, specialmente nella campagna, c'è una gran consolazione".

In queste raccolte accanto al Pascoli della poesia domestica e campestre c'è anche un Pascoli inquieto, turbato,
poeta astrale. All'uomo che contempla con serenità l'orizzonte limitato del proprio campo e gode placidamente della
quiete domestica, si contrappone l'uomo che guarda con angoscia il grande cielo stellato. Perché le nuove scoperte
astronomiche hanno reso minaccioso lo spettacolo del cielo.

Nel saggio sulla *Ginestra* di Leopardi e in quello sull'*Era
nuova* (1899), Pascoli spiega bene questa nuova condizione.
Nel passato ai pastori che erravano per le steppe "il sole ogni
mattina appariva all'orizzonte, ogni sera spariva dietro quello", e quando veniva a mancare i pastori "presero ad amare
la luna che faceva le veci del sole" e insieme "le stelle che fa-
cevano un disegno ricordevole".

Nella "nuova era", la scienza ha mostrato invece sotto l'a-
spetto amico e rasserenante del cielo il suo volto reale e spaventoso: ha svelato la profondità del cielo immenso, "l'infinita ombra costellata", popolata da "spazi silenziosi", che
ruota paurosamente con il "piccolo globo opaco" del nostro
mondo. E l'uomo allora ha preso coscienza dello spazio come di un abisso vertiginoso: un abisso in cui la terra gira vor-
ticosamente, nel pericolo continuo di "crolli" improvvisi, di
cataclismi dell'universo, di corse folli degli astri, di scontri
terrificanti.

Le fantasie astrali di Pascoli si leggono nel *Ciocco* e nel
*Bolide* (dei *Canti di Castelvecchio*), nella *Pecorella smarrita* e
in *Vertigine* (dei *Nuovi poemetti*), dove si narra di un fan-
ciullo che aveva perduto il senso della gravità. In queste fantasie astrali entra anche un'originale interpretazione del tema della morte. Basterà pensare solo alla situazione raffigurata dal poemetto *La morte del Papa*, dove l'aldilà si identifica come uno spaventoso paesaggio cosmico: il morire significa cadere in un abisso profondo, la solitudine della morte
prende l'immagine di un viaggio nel buio, nel freddo dell'i-
gnoto mondo astrale.

La solitudine astrale, lo spettacolo di catastrofi possibili
riempiono di terrore l'animo del poeta, lo precipitano in
un'angoscia che non gli può dare pace. E allora assume un
significato nuovo il mito stesso del "nido", che diviene rifu-

gio. Di fronte alla paura di penetrare nel mistero delle vie sconosciute del cosmo, di fronte al terrore di una morte, che si configura come un viaggio in solitudine nell'ignoto mondo astrale, la consolazione del "nido", di un mondo agreste e domestico, di un mondo sicuro nella sua piccolezza, diventano essenziali a ristabilire un equilibrio.

## L'"esteta" e il "Superuomo"

Il grande protagonista del Decadentismo italiano è D'Annunzio: prima ancora che con le sue opere, con la propria vita. **Gabriele D'Annunzio** nasce a Pescara nel 1863. Esordisce giovanissimo e subito con successo. A vent'anni collabora alle maggiori riviste letterarie del tempo ed è subito un personaggio: protagonista di duelli e di cacce, di balli e imprese sportive, di scandali e passioni amorose. Nel 1897 è eletto deputato all'estrema destra: trascorrono però tre anni e, con un gesto clamoroso, passa all'estrema sinistra, affermando di andare "verso la vita".

Tutta la sua esistenza si propone come modello del vitalismo e dell'estetismo decadente: consumata come è nel gusto del bel gesto e delle spettacolari imprese, circondata sempre dal lusso.

"Io ho, per temperamento, per istinto, il bisogno del superfluo", scrive: "Io avrei potuto benissimo vivere in una casa modesta, sedere in seggiole di Vienna, mangiare in piatti comuni, camminare su un tappeto di fabbrica nazionale, prendere il thè in una tazza da tre soldi, soffiarmi il naso con fazzoletti da due lire alla mezza dozzina... Invece fatalmente ho voluto divani, stoffe preziose, tappeti di Persia, piatti giapponesi, bronzi, avori, ninnoli, tutte quelle cose inutili e belle che io amo con una passione pronta e rovinosa...".

Proprio l'amore per il lusso, il gusto di una vita disordinata e dissipata lo porteranno a lotte furiose con i creditori e di conseguenza a quei "volontari esili", come li definirà, che sono in realtà fughe per non pagare i debiti. Così accade nel 1910, quando D'Annunzio si rifugerà in Francia per sottrarsi alle conseguenze di un sequestro dei propri beni. Sarà lo scoppio del conflitto mondiale a richiamarlo in Italia: D'Annunzio diverrà dapprima oratore vigoroso e quindi soldato.

Durante la guerra lega il suo nome a imprese spettacolari, tra cui il volo su Vienna per un lancio di volantini tricolori. Negli ultimi anni della sua vita appoggia Mussolini e si fa, durante il fascismo, poeta ufficiale d'Italia. Morirà nel 1938 al Vittoriale, sulle rive del Garda, nella sontuosa villa donatagli dal Duce: una dimora che lo stesso poeta allestisce con scrupolo maniacale, come il museo di se stesso.

Alla volgarità del mondo moderno, dominato dai meccanismi delle leggi economiche, impoverito da uno squallido materialismo, D'Annunzio oppone dunque il culto del "bello". All'artista spetta il compito di rifare da capo il mondo, di ridisegnarlo come un'opera d'arte.

Nella società contemporanea lo scrittore osserva il trionfo del "realismo": delle esigenze pratiche e concrete del vivere quotidiano. Ma all'interno di una simile società D'Annunzio avverte anche il segreto bisogno di sottrarsi a queste esigenze. Ciò che salva l'uomo dalla volgarità delle cose è l'idea della bellezza, la possibilità di trasferire sul piano dell'arte ogni gesto di vita.

Da questa situazione e dall'influenza del pensiero del filosofo tedesco Nietzsche, assimilato superficialmente, nasce l'adesione di D'Annunzio alle teorie del Superuomo. Caratteristiche del Superuomo sono l'energia, la volontà di dominio, l'amore della violenza, l'esuberanza sessuale, il libero sfogo degli istinti e il culto della bellezza. Tutto ciò distingue l'aristocratico Superuomo dall'essere plebeo e dà un'impronta di sublimità alla sua barbara sfrenatezza.

La realizzazione della concezione d'arte estetistica e della teoria del Superuomo è affidata in maniera evidente alla narrativa. Con *Il piacere* (1889), D'Annunzio esprime la concezione dell'estetismo. Nella figura del protagonista, Andrea Sperelli (che è il "doppio" dell'autore), un giovane "tutto impregnato d'arte": e nelle vicende dei suoi amori interpreta cioè la fede nella bellezza. In dispregio di tutto ciò che è volgare e banale, Andrea conduce una vita fastosa, alla ricerca del lusso e di uno sfrenato soddisfacimento dei sensi. In base al principio che "bisogna fare della propria vita un'opera d'arte", Sperelli cerca le forme più raffinate e le immagini più ricche, per comporre questa opera d'arte e sostituire a "ogni senso morale" il "senso estetico delle cose".

Il manifesto politico del Superuomo è affidato invece alle parole di Claudio Cantelmo, il protagonista delle *Vergini delle rocce* (1895). Contro lo stato democratico si ipotizza uno stato oligarchico, che favorisca la "graduale elevazione d'una classe privilegiata verso un'ideal forma di esistenza". La legge del nuovo stato diventa la forza dei privilegiati che "dovrà ricondurre il gregge all'obbedienza", perché "le plebi resteranno sempre schiave, avendo un nativo bisogno di tendere i polsi ai vincoli": le plebi, infatti, "non avranno dentro di loro giammai, fino al termine dei secoli, il sentimento della libertà".

Il manifesto letterario del Superuomo è nel *Fuoco* (1900), dove il protagonista, Stelio Effrena, è Superuomo-scrittore, dotato di una "straordinaria facoltà verbale", con cui sa rendere "istantaneamente nel suo linguaggio le più complicate maniere della sua sensibilità, con una esattezza e con un rilievo così vividi che esse talvolta parevano non più appartenergli, appena espresse, rese oggettive dalla potenza isolatrice del suo stile".

Stelio tende a un'opera d'arte sovrumana, che superi il tempo, che figuri l'uomo padrone assoluto del proprio destino e che incarni l'essenza suprema dell'eletta "stirpe latina". Una tale opera dovrà rompere gli schemi espressivi tradizionali: dovrà mescolare le varie forme (la parola, la musica, la danza) e raggiungere così il massimo grado dell'espressione della bellezza, come aveva fatto Wagner per la "stirpe germanica".

Sulla base di queste esperienze si fonda anche la maggiore poesia di D'Annunzio, nelle *Laudi*, e soprattutto nel loro terzo libro, l'*Alcyone* (1904). La sensualità del poeta qui si fa adesione panica alla natura: D'Annunzio si confonde con gli alberi, con le distese marine, con i fiumi; la parola si fa musica per esprimere i silenzi e i sussurri, le voci e i gemiti della terra. Ne vengono componimenti (*La pioggia nel pineto*, *La sera fiesolana*), in cui il poeta ritrova lo stupore primitivo di fronte alla terra, riscoperta nei propri inviolabili misteri.

# Il Novecento della crisi

*Malinconia crepuscolare*

È il 2 settembre 1908 e Guido Gozzano, in un giorno felice della sua breve vita, scrive a un'amica: "Immaginatevi che in una cassetta ho circa trecento crisalidi di tutte le specie, ottenute da bruchi allevati con infinita pazienza per settimane e settimane; ora si sono tutti appesi al coperchio graticolato e hanno preso la forma strana di crostacei stilizzati per il monile d'una signora. Fra pochi giorni saranno farfalle". Passano due settimane e Gozzano apre la cassetta. Ecco il prodigio: "Ho chiuso la finestra... ed è stato, nella mia grande camera chiara, un frusciare turbinoso di prigioniere...".

Dopo qualche anno, Gozzano, in un abbozzo di poesia destinata a rimanere inedita, replicherà il gioco. Il poeta si rappresenta chiuso in una stanza: spia la trasformazione delle crisalidi in farfalle. Prima che le farfalle volino via, le crisalidi sopite pendono dal soffitto, dagli scaffali di una libreria, e popolano la stanza di presenze prossime a essere defunte, di strane apparenze che sembrano già appartenere al passato.

È come se il poeta si trovasse davanti a un regno intermedio tra la vita e la morte. La stanza diventa allora per lui la "reggia del non essere più, del non essere ancora". Vita e morte si toccano e lasciano Gozzano malinconico e affascinato.

Questa immagine di smarrimento rappresenta bene il clima in cui nasce la letteratura italiana del nostro secolo. C'è (lo vedremo) un Novecento della critica, vivo nell'ansia di programmare, di teorizzare, di ricostruire; ma c'è anche un Novecento della crisi che svela, dietro a quella forza appariscente, una sensazione di vuoto esistenziale, da cui nascono ripiegamenti introspettivi dolorosi. Verrà l'approdo di Pirandello a un sentimento nichilistico di solitudine. C'era già stata e ci sarà l'esasperata analisi psicologica di Svevo. Ma intanto prende spazio, nei primi anni del secolo, l'ambigua e scettica malinconia degli scrittori crepuscolari.

È ciò che accade nei versi di **Sergio Corazzini** (1886-1907), che non solo rifiuta qualsiasi impegno, ma si adagia in un atteggiamento di pigrizia interiore, di rassegnazione morale. Motivo dominante delle sue raccolte di poesie (*Dolcezze* del 1904, *Piccolo libro inutile* del 1906) è quello della morte cantata come attesa. Corazzini osserva strade deserte, ascolta malinconiche melodie di organetti o voci stanche di uomini, contempla luci smorzate di tramonti, visita dimore disabitate. Da questa sensazione di disfacimento delle cose nasce il tono di una nuova poesia: la ricerca di intonazioni prosastiche, nel desiderio di stabilire con i lettori un colloquio che porti conforto, che tenga compagnia, che cancelli, almeno per un momento, il sentimento di solitudine.

Esemplare comunque del clima di "crisi" esistenziale del Novecento è soprattutto la poesia del torinese **Guido Gozzano** (1883-1916), autore di due raccolte: *La via del rifugio* del 1907 e *I colloqui* del 1911. Anche il "cuore" che batte in questi versi ama confini limitati e familiari, nella celebrazione di un quieto benessere borghese. Ne è immagine simbolica la "villa", con il frutteto e il giardino all'esterno, e con il "salotto" all'interno, popolato di piccole cose domestiche, di "buone cose di pessimo gusto". L'immagine insomma di uno spazio raccolto, colmo di pace e di silenzio. Un "buon silenzio", fatto più rassicurante da qualche suono: il tonfo di un frutto che cade, il tic-tac di un orologio, il ritmo dell'acciottolìo della cucina, il rumore lontano di una trebbiatrice.

Ma a questo desiderio di un dolce rifugio si oppone nella poesia di Gozzano un'inattesa presenza di vastità, un bisogno di evasione, un'ansia di orizzonti lontani, una nostalgia esotica. Accade nell'esperienza dello spazio e del tempo. Al senso di un tempo che trascorre e dissolve le certezze umane, si oppone l'urgenza di un riposo nella memoria.

Nasce di qui il gusto figurativo della "stampa" antica, che

è appunto il modo di tradurre un desiderio di fissare il tempo: e di stampe è arredata la poesia di Gozzano, come dimostra esemplarmente *L'amica di Nonna Speranza*. In questa mobile oscillazione di contrasti, in questo palpito musicale dal rifugio all'evasione, sta la misura della poesia gozzaniana: una poesia che si esprime in una scrittura che ondeggia tra cadenze prosastiche e raffinatezze espressive.

## Dall' "inetto" all'uomo "senza qualità" di Svevo

"Nato il 19 dicembre 1861, trovò nella casa paterna una infanzia felicissima", così esordisce, in un'autobiografia dettata alla moglie per i posteri, il triestino Hector Schmitz, noto con lo pseudonimo di Italo Svevo. Ma nel lungo profilo autobiografico c'è soprattutto il rammarico di essere rimasto nella propria vita uno scrittore isolato. Svevo morirà nel 1928 sconosciuto al pubblico, dopo una vita da letterato di contrabbando: già nella stessa formazione da autodidatta.

Il romanzo con cui esordisce Svevo è *Una vita*, scritto nel 1892. Il protagonista è Alfonso Nitti, un giovane che parte da un villaggio del Carso e si trasferisce a Trieste per lavorare in banca. Alfonso si trova di fronte i colleghi, piccoli borghesi di città, che gli fanno pesare la sua origine contadina. Così, quando entra in relazione con la famiglia del principale Maller e si trova di fronte il mondo dell'alta borghesia, subisce l'indole capricciosa della giovane Annetta, figlia del Maller.

La storia di Alfonso è la storia dell'esclusione da questi ambienti. Alfonso Nitti è un "inetto" chiuso nel cerchio di un'incapacità assoluta a realizzarsi o più semplicemente a "fare come gli altri", insomma "l'incapace alla vita", l'esatto contrario del "lottatore" che s'incarna soprattutto nel principale Maller. Inabile a vivere si rifugia nella fantasia di un'esistenza fatta di azioni clamorose e di gesti eccezionali, in cui può dimostrare la sua (supposta) superiorità intellettuale. Ma giunto alla prova dei fatti i gesti si rivelano privi di senso, le azioni assurde, inesistente diventa la sua superiorità.

La capacità dello scavo in profondità nella psiche umana è la dote più originale di Svevo e trova una possibilità di espressione ancora più rigorosa nel secondo romanzo: in *Senilità* del 1898.

Il protagonista è qui Emilio Brentani: un altro inetto, con la stessa sensazione di estraneità alla vita, la stessa tendenza al sogno di Alfonso Nitti. Per lui c'è una storia d'amore sbagliata: l'amore per Angiolina, che è una donna esuberante, dotata di una prorompente vitalità, ma anche una donna volubile e facile al tradimento, sicché grottesca ne risulta l'idealizzazione fatta da Emilio.

Ma Emilio, a differenza di Alfonso di *Una vita*, non si rassegna ad attendere la smentita al sogno, cerca invece di reagire, tenta almeno di giungere a un compromesso con la vita. La situazione narrativa in cui si muove è d'altra parte diversa. Alfonso era solo. Accanto a Emilio c'è lo scultore Stefano Balli, che contraddice i miti via via costruiti dalla fervida fantasia di Emilio, che oppone al continuo intrigarsi nel pensiero dell'amico la sua scanzonata filosofia del "vivere soltanto per godere".

Ancora. Accanto a Emilio c'è la sorella Amalia, una matura zitella, che ha vissuto sempre di rinunce e che ora si innamora di Stefano Balli e si consuma in una passione senza sbocco, fino a morirne. Il destino tragico di questa sua copia al femminile riesce a rendere scaltro Emilio.

L'amante ingenuo, la vittima della sfacciataggine e della volgarità di Angiolina, si salva quando vede raffigurata nella morte della sorella la propria possibile sorte. Trova così la forza di troncare, prima della catastrofe, la sua pericolosa relazione. In questo modo l'esperienza non va completamente persa. L'amore per Angiolina è stato un amore grottescamente idealizzato, ha procurato a Emilio amarezze, ma il contatto con una creatura comunque "viva" e "sana", gli ha dato almeno l'ebbrezza di un'ipotetica capacità di vivere, ha donato per un attimo colore e vitalità alla sua "senilità" psicologica.

È una vitalità che non si ritrova più nell'ultimo romanzo: *La coscienza di Zeno* del 1923, dove la narrazione viene condotta a una generale teoria della vita. Zeno Cosini, il nuovo protagonista, è ora l'"uomo senza qualità" condannato a speculare, ad analizzare più che a vivere: un "malato", perché, spiega Svevo, "la salute non analizza se stessa, e neppure si guarda nello specchio".

Tuttavia Zeno è diverso da Alfonso e Emilio: mentre Alfonso fantasticava sulle "mille conseguenze di qualche suo atto energico", mentre Emilio pensava a "un atto di energia sovrumana", dall'orizzonte di vita di Zeno è escluso qualsiasi gesto sublime. Zeno è l'esatto contrario del Superuomo di D'Annunzio, è l'antieroe per eccellenza che vive nella propria mediocrità.

Se mai rivela una superiorità intellettuale attraverso l'ironia: un'ironia che lo salva dalle angosce dell'esistenza, attraverso l'accettazione della banalità del vivere quotidiano.

Zeno è consapevole che il gusto della speculazione su sé e sulle cose gli è permesso da una sistemazione economica fortunata (il matrimonio con la figlia di un uomo di finanza): una sistemazione che non lo obbliga a un impegno serio nella vita.

Ma la realtà in cui si è accomodato muta all'improvviso: il cognato, con cui Zeno lavora, ha fatto degli investimenti sbagliati e va in rovina. Zeno è strappato così dal disimpegno esistenziale, richiamato alle proprie responsabilità. Nonostante l'inerzia costituzionale deve salvare la ditta, deve dimostrarsi energico e scaltro nel lavoro, capace appunto, a differenza di Alfonso e di Emilio, di "fare come gli altri".

"Questo è il messaggio del romanzo", ha scritto Bruno Maier: "la salvezza nella vita è l'azione, e attraverso essa si supera il contrasto tra uomo e realtà, si colma il divario fra l'io' e gli 'altri'". Approda qui l'itinerario di Italo Svevo con la sua affaticata ricerca sull'uomo.

## La frantumazione dell'"io" in Pirandello

"Io penso", scrive in una lettera Pirandello, "che la vita è una molto triste buffoneria, poiché abbiamo in noi, senza poter saper né come né perché né da chi, la necessità di ingannare di continuo noi stessi con la spontanea creazione di una realtà (una per ciascuno e non mai la stessa per tutti) la quale di tratto in tratto si scopre vana e illusoria. Chi ha capito il giuoco, non riesce più a ingannarsi; ma chi non riesce più a ingannarsi non può più prendere né gusto né piacere alla vita. Così è. La mia arte è piena di compassione amara per tutti quelli che s'ingannano; ma questa compassione non può non essere seguita dalla feroce disillusione del destino, che condanna l'uomo all'inganno."

La narrativa di Luigi Pirandello (1867-1936), raccolta nelle *Novelle per un anno* e in sette romanzi, è segnata da questa compassione e da questo cupo pessimismo. Ci sono due centri di osservazione, che vengono dalle esperienze biografiche fondamentali dell'autore: la Sicilia e il mondo piccolo borghese di Roma. La Sicilia è osservata con occhio verista. È una terra popolata da contadini affamati e rassegnati alla corruzione di padroni onnipotenti. È un universo immobile e impenetrabile, in cui riescono a prendere luce solo alcuni simboli della "madre terra": la luna che consola, l'acqua che libera, il fuoco che purifica.

Nei racconti legati all'esperienza romana sono raccolte, quasi come in un catalogo, le figure di tanti piccoli borghesi (il professore, l'impiegato statale ecc.), chiusi in un mondo di miti e pregiudizi: il mito della casa e della famiglia come "trappola" che protegge ma esclude anche dal mondo; l'orgoglio e il senso ombroso dell'onore e della rispettabilità; il tabù del sesso e la sottomissione della donna. Pirandello dipinge una situazione soffocante, da cui l'uomo non può uscire se non attraverso il sogno o il senso dell'assurdo.

Questi temi si ritroveranno nel capolavoro narrativo, *Il fu Mattia Pascal* del 1904. Un povero bibliotecario di un paesino ligure diventa all'improvviso ricco, grazie a una strepitosa vincita alla roulette al Casino di Montecarlo. Mattia Pascal, pieno di soldi, prende il treno per tornarsene a casa, ma legge su un giornale la notizia della sua morte. Viene a sapere di essere stato riconosciuto dai familiari nel cadavere di un uomo annegato. Ecco aprirsi la possibilità per lui di rifarsi una vita. Ricco, libero, senza famiglia, Mattia potrebbe inventarsi una nuova esistenza, potrebbe andarsene in America a recitare una parte più brillante, rispetto a quella finora interpretata.

Il romanzo sembra proporre una sorta di scommessa. L'uomo riuscirà a diventare "altro da sé", se le sue condizioni economiche diverranno all'improvviso diverse da quelle da cui è partito? L'uomo riuscirà, in queste nuove condizioni, a rinnegare la mitologia e i pregiudizi del suo ceto sociale? La scommessa è persa: il romanzo diventa la storia di un altro fallimento.

Mattia Pascal prima rinuncia all'idea originaria di andare in America. Si innamora poi di una donna: ma non osa proporle di rimanere con lui, perché non ha da offrirle la prospettiva del matrimonio. Mattia, avvilito e stanco, ritorna allora a casa: ma non potrà ritrovare le dimensioni della vita precedente, perché la moglie nel frattempo si è risposata. Resterà perciò una persona fuori dalla vita: appunto "il fu Mattia Pascal", simbolo di un uomo a cui è negato di vivere al di là delle sue dissociazioni. Resterà una sorta di "forestiere della vita", di cui però "ha capito il gioco".

*Il fu Mattia Pascal* è il primo romanzo esistenzialista della nostra storia letteraria: il romanzo di un uomo che vive nel nulla della vita, in un vuoto di valori, senza orientamento. E così accadrà in *Uno, nessuno, centomila* del 1926, in cui il protagonista Vitangelo scopre che gli altri hanno di lui un'immagine diversa da quella che egli si è creato da se stesso: scopre cioè di non essere "uno", come aveva sempre creduto di essere, ma "centomila", nel modo di vedere degli altri, e quindi "nessuno".

Su questi temi della frantumazione dell'"io" si svilupperà tutta l'opera drammaturgica di Pirandello. Un solo esempio: l'*Enrico IV* del 1922. Qui c'è un gentiluomo che, dopo una caduta da cavallo durante una cavalcata in maschera, impazzisce e vive per anni credendosi l'imperatore Enrico IV. Il gentiluomo guarisce: ma, ritornato savio, decide di continuare a fingersi pazzo.

Il rifiuto di rientrare nella vita di tutti i giorni, l'ostinazione a proseguire la recita – con lucida follia – della propria parte di Enrico IV, sono un radicale rinnegamento dell'esistenza. L'uomo sceglie insomma di non accettare una vita che appare per ciò che è: un qualcosa di assurdo e vano. E così facendo, mentre ciascuno accetta una propria verità, per escludersi dalle verità che gli altri gli attribuiscono, il teatro di Pirandello diventa il primo esempio radicale del dramma della incomunicabilità fra gli uomini.

# Il Novecento della critica

*Dalla "Voce" al Futurismo*

Insieme al Novecento della crisi c'è un Novecento della critica, grintoso nel giudicare, nel teorizzare e nel proporre. Non per nulla il "padrino" del nostro secolo è **Benedetto Croce** (1866-1952), direttore della "Critica": una rivista da lui fondata nel 1903, che contribuì a svecchiare schemi accettati supinamente, miti sopravvissuti, mentre costituì un luminoso esempio di chiarezza intellettuale e di coerenza morale. Croce fu accanito negatore del pensiero positivista in nome di un idealismo storicista.

Nella sua *Estetica* (1902) l'arte viene considerata come una forma dello spirito autonoma da altre forme: l'economia, l'etica, la logica. L'arte è "intuizione lirica": espressione di un sentimento che attraverso l'immagine diviene universale. "Non basta che l'artista crei delle immagini", osserva Croce, "bisogna che in queste immagini si incarni un sentimento: è appunto il sentimento che dà all'opera la sua vibrazione personale". Arte insomma si ha tutte le volte in cui si attua una sintesi perfetta fra sentimento e immagine.

Lo stesso desiderio di rinnovare la cultura italiana, sotto altra forma, si ritrova anche nel fiorire di riviste letterarie, in cui si riflette sul compito istituzionale della letteratura, in cui anzi si dettano spesso leggi per una rifondazione.

Nel 1908 **Giuseppe Prezzolini** (1882-1982), con la collaborazione di Papini, fonda "La Voce". La rivista chiama a raccolta tutti gli intellettuali italiani, senza nessuna preclusione ideologica, che non sia un fermo atteggiamento di opposizione all'estetismo dannunziano e al Positivismo. L'intento della "Voce" è quello di esprimere un "idealismo militante", ma soprattutto di offrirsi come un centro di organizzazione culturale. La rivista seppe infatti collegare energie intellettuali sparse nelle diverse province italiane.

A questa funzione di scoperta si deve aggiungere l'opera di diffusione delle correnti di pensiero d'avanguardia in Europa; ma soprattutto la propaganda di una cultura che si ancorasse saldamente ai problemi concreti della società. Nelle pagine della "Voce" si svolgono ampi dibattiti sull'emigrazione e sulla questione meridionale, sull'analfabetismo e sulla scuola, sul suffragio universale, l'impresa di Libia e l'irredentismo: con un'attenzione sempre vigile a segnalare quanto di antiquato e pedantesco si nascondesse nelle biblioteche, nelle scuole, nelle strutture in genere della nostra cultura.

Animatore delle riviste del primo Novecento è anche **Giovanni Papini** (1881-1956), uomo di inesauribile curiosità intellettuale. Temperamento ribelle e irrequieto, fu via via nel tempo anarchico e nazionalista, pragmatista e idealista, ateo e cattolico. Nelle clamorose contraddizioni fu sempre coerente tuttavia a un temperamento dissacratorio. Nel 1908 con Prezzolini, Papini (lo abbiamo visto) aveva dato vita alla "Voce"; nel 1913 con **Ardengo Soffici** (1879-1964) fonda "Lacerba": una rivista di rottura che proponeva le nuove teorie futuriste. E proprio il Futurismo, pur nelle sue esagerazioni, diventa l'immagine più vistosa del desiderio di rifondazione della cultura che anima i primi anni del secolo.

Il vero e proprio atto di nascita del Futurismo si ha con la pubblicazione sul "Figaro" di Parigi del *Manifesto* di **Filippo Tommaso Marinetti** (1876-1944). Alla ricerca interiore della lirica contemporanea Marinetti contrappone l'amore del pericolo, il culto dell'energia, l'idolatria per il coraggio e l'audacia: "Noi vogliamo esaltare il movimento aggressivo, l'insonnia febbrile, il passo di corsa, il salto mortale, lo schiaffo ed il pugno". Nemici da combattere sono i musei e le biblioteche, la moralità e l'ordine costituito, la grettezza della vita borghese. Nuovi miti divengono la velocità, la lotta, la guerra, il lavoro, lo strepito delle officine. "Un automobile da corsa col suo cofano adorno di grossi tubi simili a serpenti dall'alito esplosivo", scrive Marinetti, "è più bello della vittoria di Samotracia."

Avverso a ogni forma di ripiegamento e di analisi interiore, il Futurismo vuole esprimere l'"entusiastico fervore degli elementi primordiali". Al manifesto del 1909 Marinetti fa seguire nel 1912 un *Manifesto tecnico della letteratura futurista* dove si annunciano i princìpi dell'arte avvenire. C'è l'abolizione della sintassi per dar luogo alle "parole in libertà", non legate da nessi logici, ma accostate in modo da esprimere con immediatezza idee e sensazioni; c'è il verbo all'infinito per evitare gli scogli e le costrizioni dell'"io"; c'è l'abolizione dell'aggettivo e dell'avverbio per restituire al sostantivo il suo significato essenziale; c'è l'annullamento della punteggiatura, sostituita da segni matematici e musicali.

Spezzati gli schemi del discorso tradizionale, Marinetti propone in sua vece una scrittura analogica, dove ogni immagine desti altre immagini simili, libere da qualsiasi genere di classificazione, collegate l'una all'altra a catena. Si mira così insomma a una completa oggettivazione dell'arte, la quale invece dell'uomo, corrotto dalla cultura libresca e da una "spaventosa saggezza", deve rappresentare la più eloquente materia viva, ricca di "istinti e di fermenti".

### Gli scrittori della "Voce" e dintorni

All'invito della "Voce" si aggregano diverse esperienze di scrittori e di poeti. Campana, Govoni e Sbarbaro sono poeti che esprimono, sia pure in maniera differente, una profonda crisi spirituale.

Un'ossessione di suoni, di colori, di immagini popola i *Canti orfici* (1914) di **Dino Campana** (1885-1932): sono versi che nascono dall'ambizione, sempre insoddisfatta, a una totale conoscenza della realtà e si risolvono in una serie di stravolte e allucinate fantasie. In *Pianissimo* (1914) di **Camillo Sbarbaro** (1888-1967) si vive il tormento di un'irrimediabile solitudine esistenziale; il tema della "disumana metropoli" è prediletto da **Corrado Govoni** (1884-1965).

Sul tema della contrapposizione tra natura e città si sviluppa la poesia di **Clemente Rebora** (1885-1957), che esprime una profonda crisi religiosa. Già i *Frammenti lirici*, che risalgono al 1913, sono come agitati da un vento, ora gagliardo ora soave, in cui si indovina la presenza misteriosa di Dio. E un significato religioso profondo c'è nell'opposizione tematica tra natura e città: fra consenso cordiale alla libera vergine natura e angoscia per la opprimente civiltà cittadina. È un'opposizione tematica che allude a una condizione interiore di prigionia e di evasione, di sconforto e di ricerca. Rebora vede nella città un simbolo di vita negativa. Ma soprattutto nella città vede uno spazio che nega l'esperienza religiosa.

Su questa antitesi tra città e natura, scandita sullo sfondo di un senso acuto del tempo incalzante e di un'angoscia di "orrenda solitudine", si svolge la ricerca di Rebora che non si accontenta di piccole conquiste, ma punta a una soluzione totale. Una ricerca attraverso cui, dalla condizione patita di prigionia interiore e di incomunicabilità, si afferma la scoperta e la conquista di una comunione non solo più con le cose, ma con la vita e con gli uomini. La rivelazione avviene nella vita di Rebora con la conversione al cattolicesimo. Quello che risulta veramente nuovo nell'ultima poesia di Rebora è il senso che la parola non possa essere più un divertimento: un semplice strumento di "gioco" stilistico. La parola deve divenire sintesi di un'esperienza da comunicare a tutti, un patrimonio comune a ogni uomo.

Accanto a quelli che abbiamo definito, per convenzione, i poeti della "Voce" ci sono i prosatori. Sono scrittori che in realtà hanno poche cose in comune: quella di venire accolti appunto sulle pagine della rivista di Prezzolini e di Papini, generosa sempre con gli scrittori della provincia, e quella di essere degli isolati che propongono esperienze di vita vissuta.

È questo il caso di **Renato Serra** (1884-1915), uno dei più raffinati lettori della storia letteraria a lui contemporanea. Nell'*Esame di coscienza di un letterato*, pubblicato sulla "Voce" alla vigilia della sua partenza per la guerra, Serra, appunto nel momento in cui la letteratura sembrava divenire inutile di fronte alla tragedia della vita, riafferma la propria fede incrollabile nei libri. Dal mondo dei libri viene a lui la forza "elementare e irriducibile", che consente di affrontare la realtà, viene la fiducia nella continuità della vita, al di là del lutto.

Isolata, come quella degli scrittori della "Voce", è anche l'esperienza narrativa di un altro provinciale, del toscano **Federigo Tozzi** (1883-1920), a cui fa da sfondo un'esistenza tormentata e cupa. Il padre, di origine contadina, era divenuto oste in Siena: e la giovinezza dello scrittore trascorse al rude contatto con gli avventori dell'osteria, nel timore continuo del padre collerico e violento, e nella nostalgia degli amati studi letterari a lui negati. L'aderenza alla vita vissuta rimane una costante caratteristica del narrare di Tozzi. Così è nel romanzo *Con gli occhi chiusi* (1919), dove si narrano le vicende di un piccolo proprietario di campagna (in cui si identifica l'autore): sono vicende che vanno dall'adolescenza tormentata, in un clima familiare chiuso e ostile, fino all'esperienza sofferta dell'amore per una giovane contadina destinata a perdersi.

Così capita, anche se la traccia esteriore può sembrare meno visibile, nei successivi romanzi, *Il podere* e *Tre croci*, pubblicati postumi. *Il podere* (1921) è la vicenda torbida e drammatica, ricca di odi e di violenza istintiva, imperniata sul contrasto tra un proprietario terriero e il suo mezzadro, che scaturisce nell'omicidio. *Tre croci* (1920) narra la storia di tre fratelli, proprietari di una bottega a Siena, divorati dal vizio e da morbose follie: una storia dove i tre finiscono miserabilmente.

Al centro della narrativa di Tozzi sta sempre, come è stato osservato, una morbosità contadinesca, violenta e carnale, che gli dava il gusto mistico dello strano, del vizio, della carne, dell'accidia: il senso di un'umanità stravolta, ammalata, violenta, accecata dall'odio. Ma soprattutto in questi racconti si avverte il sentimento di un'umanità abbandonata a una disperata solitudine, senza possibilità di comunicare i propri dolori interiori.

## Umberto Saba

Sulle pagine della "Voce", sia pure con qualche contrasto, trovò spazio Umberto Saba (1883-1957), il cui nome è legato a quello di Trieste. "Il mondo", scrisse alla figlia, "io l'ho guardato da questa città": "Ma quella Trieste della quale ho parlato e cantato, non era la Trieste di oggi e nemmeno di ieri. La vita è – lo so troppo bene – movimento: ma, più ancora delle guerre, delle rivoluzioni, delle persecuzioni, e di altri indicibili orrori (cose che accaddero in tutti i tempi e in tutti i paesi), il nostro secolo aggiunse, di suo, la celerità, una celerità spaventosa, alla quale l'uomo non era, in nessun modo, preparato".

La riflessione portava a questa conclusione: "Non so nemmeno se – dal punto di vista dell'igiene dell'anima – sia stato, per me, un bene nascere, con un temperamento classico, in una città romantica; e con un carattere (come quello di tutti i deboli) idillico, in una città drammatica. Fu un bene (credo) per la mia poesia, che si alimentò *anche* di quel contrasto, e un male per la mia – diciamo così – felicità di vivere...".

Umberto Saba è buon critico di se stesso: la sua poesia trova infatti la propria verità in un contrasto, che nasce sempre sullo sfondo di una nostalgia di vita.

Aprite il *Canzoniere* e troverete temi della poesia del tardo Ottocento e motivi crepuscolari: il vecchio camposanto con le croci, e intorno il gioco di bambini; la campana che piange con i rintocchi nel borgo; una canzone che arriva da lontano e muore con la sua melodia. Guardate il figurino più ricorrente: troverete l'immagine di un poeta timido e solitario.

In questi figurini e in questi temi un po' fuori moda e un po' retorici, si coglie il senso di una tristezza moderna, di una malinconia che si fa intenerimento, pur conservando austerità. È, per usare un'espressione di Saba, una "malinconia quasi amorosa", che gli "distilla il cuore": nasce da un contegno verso la vita, fatto di mestizia affettuosa e di dolente pietà.

Il *Canzoniere* intona però anche motivi assolutamente nuovi. Dal fondo di malinconia emergono all'improvviso alcune immagini vigorose, fortemente staccate. Il culmine di questo prorompere nella poesia della realtà e dell'esistenza lo si avrà in *A mia moglie*.

Tu sei come una giovane,
una bianca pollastra

dicono i primi versi. L'avvio si sviluppa subito in una serie di
confronti della donna amata con una "gravida giovenca",
con una "lunga cagna", con una "pavida coniglia", con una
"rondine che torna in primavera", con una "provvida formi-
ca": e la vitalità e la corporeità delle immagini di animali fa
un evidente e bellissimo contrasto con l'atmosfera di fondo
di intenerita nostalgia.

Ma state attenti. Non c'è comunque mai nel *Canzoniere*
un'adesione a una forma tradizionale di realismo. Le immagini si staccano violentemente dal fondo di malinconia dominante e costituiscono con questo sfondo un mobile chia-
roscuro. Proprio nel movimento dei contrasti trova origine
la poesia di Saba: c'è una segreta emozione di tenerezza verso l'esistenza e c'è un corrispettivo fissarsi dell'esistenza in
salda posizione; quasi che questo arrestarsi sulla pagina della realtà volesse negarne la labilità e la fuggevolezza.

L'umana vita è oscura e dolorosa,
e non è ferma in lei nessuna cosa.

C'è dunque nostalgia per le cose del mondo che fuggono
e c'è un desiderio di arrestare questa fuga. Una proposta di
affetto e di pena, e una risposta di pungente realtà. Nel ritmo si illumina il canto del poeta. E da qui, dall'ideale colloquio di intenerimento fraterno e di sentimento ardito delle
cose, da questo contrappunto, trae origine e si giustifica la
leggera suggestione di favola di tutta la poesia di Saba.

Da qui nasce anche il particolare linguaggio. C'è un tono
prosastico e insieme un'ostentata letterarietà, tanto che il
poeta poteva parlare dei suoi come di

difficili versi,
che spesso stanno fra lor avversi
nemici in campo.

# La letteratura fra le due guerre

## La "Ronda" e la prosa d'arte

Al tempo del rinnovamento e delle avanguardie, succede, negli anni fra la prima guerra mondiale e l'affermarsi del fascismo (cioè tra il 1915 e il 1925), un periodo di riflusso: di elaborazioni stilistiche più complesse, con un ritorno alla tradizione illustre della poesia e della prosa del nostro Ottocento: a Leopardi e Manzoni soprattutto.

Mentre continua l'avventura intellettuale dei futuristi, Prezzolini lascia nel novembre del 1914 la direzione della "Voce" a Giuseppe De Robertis. Con la nuova direzione (che durerà fino al 1916), la rivista abbandona l'impegno morale, sociale e politico, per restringere i propri interessi in un ambito esclusivamente letterario. Si forma così nella "Voce" il gusto di un "lirismo puro", di una "qualità e una legge dell'arte", come osservava Serra, "al di fuori di ogni divisione fra prosa e versi".

Di qui la fortuna del "frammento", della pagina lirico-riflessiva. Un gusto che si ritroverà anche nella "Ronda", la rivista fondata nel 1919 e pubblicata fino al 1923, diretta da **Vincenzo Cardarelli** (1887-1959). I rondisti rifiutano qualsiasi coinvolgimento politico-sociale dello scrittore, rifiutano innanzi tutto lo sperimentalismo delle avanguardie, propongono al contrario un classico disimpegno, nell'intenzione di rivalutare l'esercizio autonomo dell'arte, il "mestiere" dello scrittore, capace di "nuove eleganze". La vocazione stilistica dei rondisti si manifesta in quella che fu poi detta la "prosa d'arte".

La personalità più complessa che si forma nel gruppo della "Ronda" è quella di **Riccardo Bacchelli** (1891-1985). L'incontro con la "Ronda" significò per lui sì un prolungato esercizio stilistico, che darà poi i frutti in una scrittura tesa e attenta, di una straordinaria ricchezza lessicale e di una complessità sintattica eccezionale, ma significò pure un consapevole ritorno alla tradizione letteraria italiana. Le prove più significative della multiforme attività di Bacchelli sono i romanzi storici e principalmente *Il mulino del Po* (1938-1940), imperniato sulle vicende di una famiglia di mugnai: gli Scacerni.

La vicenda prende inizio dalla campagna napoleonica in Russia: Lazzaro Scacerni assiste il suo capitano morente e ne diviene l'erede. Tornato in patria, costruisce sulle rive del Po il "San Michele", il mulino. Con il tempo, dopo le difficoltà e l'iniziale isolamento, viene la floridezza economica, e per Lazzaro c'è l'amore e il matrimonio con Desolina, che gli dà un figlio, Giuseppe. Arrivano gli anni dei moti liberali e delle violente repressioni poliziesche: alle inquietudini politiche si aggiungono le inquietudini sociali, il brigantaggio.

A questa realtà esterna tormentata si oppone il mondo raccolto del mulino, simbolo di una vita assorta in una religione domestica e in una fede nell'operosità. Giuseppe, il figlio di Lazzaro, lascia tuttavia il mulino e va a Ferrara, dove si arricchisce con il contrabbando. Su di lui ricadrà inesorabile la condanna: uno dei figli avuti da Cecilia (un'orfana adottata dal vecchio Lazzaro) cadrà a Mentana, mentre combatte con Garibaldi; un altro figlio finirà in carcere per omicidio; una inondazione distruggerà le proprietà accumulate con il lavoro.

Giuseppe, oppresso dalle sciagure, finirà folle. Spetterà all'umile Cecilia il compito di riconsacrare il mulino e di trasmettere il "vangelo" della religione domestica e del lavoro a Lazzarino, l'ultimo degli Scacerni, che morirà poi alla vigilia di Vittorio Veneto, durante la prima guerra mondiale.

Alle vicende degli Scacerni si intrecciano nel romanzo quelle della storia italiana, dal Risorgimento sino alla nascita dello stato moderno: sicché il romanzo si presenta come un affresco storico in cui Bacchelli manifesta l'interesse alla discussione politica e all'osservazione moralistica. Ma il nucleo di più intensa poesia del *Mulino del Po* sta nella fiducia serena dello scrittore per le qualità morali della vecchia famiglia italiana, legata alla terra e impegnata nel lavoro. In questo senso il romanzo assume i toni favolistici di una grande epopea popolare, ricca di una rustica umanità.

## Verso l'Ermetismo

Al disimpegno della "Ronda" fa contrasto nel ventennio fascista una letteratura coinvolta con il regime. Nel 1926 **Massimo Bontempelli** (1878-1960) fonda "900", una rivista con un programma polemico nei confronti del "*poverismo* che ha inquinato parte della letteratura e tutta la scuola italiana da Manzoni in poi": un "poverismo", dice, che costituisce, con le sue "languide cadenze democratiche", un "pericolo continuo e insidiosissimo per la morale pubblica e privata".

Ma accanto alla letteratura democratica del secolo appena trascorso, "900" prende di mira anche la "Ronda" con il gusto della "bella pagina", delle "pezzenterie intimistiche", con quel sapore di "arcadia" e "accademia", che costituiva un "tornare indietro". Viene proposta invece un'"arte antiaccademica, antiformalistica, antipedantesca, vicina alla vita vissuta", ma nello stesso tempo "assurda e imprevedibile come una favola", nel proprio "estro inventivo".

Nella formulazione di un "realismo magico" (come lo definì) Bontempelli si dimostrava sensibile alle avanguardie europee surrealiste, di cui si faceva portavoce in Italia. Contro questa apertura europea di "900", ma nello stesso tempo contro il formalismo della "Ronda", c'è la rozza polemica nazionalista di **Curzio Malaparte** (1898-1957) che propone il modello di un'arte da "strapaese": un'arte "che abbia radici nella nostra vera, classica, italianissima tradizione, un'arte che sia piuttosto volgare (nel senso giusto), *quam* [piuttosto che] accademica, becera all'occorrenza, *quam* parruccona, un'arte per intenderci che abbia in sé non soltanto i pregi ma anche i difetti nostrani", invece di quelli "stranieri".

Ma nel ventennio fascista, si sviluppa un'altra poetica importante del disimpegno: l'Ermetismo. Il disimpegno dei poeti ermetici nasce da ragioni più profonde, rispetto alla prosa d'arte: parte da una considerazione più drammatica dell'esistenza, affonda le radici nella concezione romantica della solitudine, rivisitata alla luce dell'Esistenzialismo.

Il sentimento di esclusione, la sensazione dell'aridità della vita, l'incomunicabilità, il vuoto di ideali portano i poeti ermetici a un'intuizione tragica della vita. L'impossibilità di mettersi in contatto con il trascendente stimola il tentativo di un colloquio immediato con il mistero, attraverso il balenare di recondite memorie, di rivelazioni del subconscio. Gli ermetici rifiutano la celebrazione dell'"io" esteriore di D'Annunzio, rinnegano l'ombroso sentimentalismo di Pascoli, sdegnano il rumoroso attivismo dei futuristi.

La poesia ermetica è una poesia pura, in cui il linguaggio si affranca da qualsiasi servitù didascalica, da ogni regola convenzionale. La parola assume valore evocativo e allusivo, scatena nel lettore associazioni di pensiero. Di qui l'oscurità del linguaggio: un linguaggio che costituisce il fondamento stesso dell'Ermetismo, perché esprime appunto l'angoscia dello scrittore solo di fronte al mondo.

Più complesse saranno le poesie di Montale e Ungaretti, ma già esemplare è quella di Quasimodo. L'esperienza lirica di **Salvatore Quasimodo** (1901-1968) parte dall'affermazione di voler dare alla parola "una realtà autonoma di sentimento primordiale". Nelle raccolte *Acque e terre* (1930) e *Oboe sommerso* (1932), il poeta guarda alla nativa Sicilia e alla propria infanzia come a un paradiso lontano, rimpianto perché perduto per sempre: e questa nostalgia di una condizione di incontaminata primordialità si accompagna all'angoscia per la decadenza del mondo, per l'irrimediabile corruzione dell'uomo.

*Giuseppe Ungaretti*

Nelle *Poesie disperse* di Giuseppe Ungaretti (nato ad Alessandria d'Egitto nel 1888 e morto a Milano nel 1970) si rintracciano cadenze di un gusto ancora crepuscolare. Ma è un episodio. Ben presto il poeta si dimostra curioso dell'esperienza del simbolismo francese: e con l'*Allegria* (1931) ne dà una moderna interpretazione. "Non si trattava più di intendere la parola come mezzo per chiarirsi il sentimento del mistero", scriveva, "ma di spalancare gli occhi spaventati davanti alla crisi di un linguaggio, davanti all'invecchiamento di una lingua, al minacciato perire di una lingua, cioè al minacciato perire di una civiltà." Si trattava di "cercare ragioni di una speranza nel cuore della storia stessa: di cercarle cioè nel valore della parola".

Il paesaggio più ricorrente nei versi è il deserto: un deserto fisico e spirituale. Una realtà obiettiva che sta di fronte al poeta e una disposizione spirituale che sta dentro di lui. Nel deserto compaiono isolati oggetti. Il loro apparire improvviso suscita sorpresa e amore. Nel poeta c'è insomma l'affannoso sforzo di assodare l'esistenza delle cose, perché solo attraverso esse può riconoscere le prove del proprio essere.

La vicenda si compie in un'alternanza di "naufragi" e di "allegria", si legge in *Allegria di naufragi*: dove il naufragio è la delusione, il mancato approdo nella storia dell'esistenza umana, e dove l'allegria è quell'entusiasmo, quella forza che consente di riprendere il faticoso viaggio. Da questa situazione nasce uno stile particolare: l'uso di un metro che infrange il verso tradizionale, lo spezzetta e concentra l'attenzione nelle singole parole che denominano le cose.

Ai paesaggi desertici, autobiografici, dell'Egitto e del Carso nell'*Allegria*, succede, nel *Sentimento del tempo* (1933), il paesaggio laziale: un altro spazio di vita. Nella raccolta si recupera l'endecasillabo classico, che si sostituisce al verso spezzato, e si sente la meditazione su antiche letture, su Tasso soprattutto. Ungaretti parla di ispirazione "barocca". E con il termine "barocco" intende quella situazione spirituale di "catastrofe sentita immanente".

Nella prospettiva di un tempo che corre verso la propria fine, si devono leggere i versi del *Sentimento del tempo*, che rappresentano un acuirsi della crisi del poeta: una sensazione di fine che tanto più tormenta, quanto più si scopre ora difronte a uno spettacolo gaio di cieli azzurri, di boschi, di acque e di meriggi luminosi.

Lo stesso Ungaretti distingue in tre tempi l'ispirazione della raccolta: "Nel primo, mi provavo a sentire il tempo nel paesaggio come profondità storica", scrive, "nel secondo, una civiltà minacciata di morte m'induceva a meditare sul destino dell'uomo e a sentire il tempo, l'effimero, in relazione con l'eterno. L'ultima parte del *Sentimento* ha per titolo *L'Amore*, e in esso mi vado accorgendo dell'invecchiamento e del morire della mia stessa carne".

Questo terzo modo di sentire il tempo sarà il tema della *Terra promessa* (1950). "Era l'autunno che intendevo cantare nel mio poema", spiega il poeta: "un autunno inoltrato, dal quale si distacca per sempre l'ultimo sogno di giovinezza terrena, l'ultimo aspetto carnale". "La mia poesia", continua, "stava per non accorgersi più dei paesaggi", ma per "accorgersi invece con estrema inquietudine, perplessità, angoscia, spavento, della sorte dell'uomo".

Di qui viene l'interpretazione in "idee" e in "miti" delle esperienze biografiche; di qui vengono le domande angosciose sull'essere. Ritorna così il paesaggio desertico, lo spettro della solitudine assoluta, ma si affaccia anche l'idea di una "terra promessa", di un approdo religioso. E in questa direzione si muoverà più tardi Ungaretti in *Un grido e paesaggi* (1952), nel *Taccuino del vecchio* (1960), fino alla *Morte delle stagioni* del 1967.

## Eugenio Montale

Eugenio Montale (1896-1981) è stato per mezzo secolo l'interprete più acuto dei valori negativi del nostro tempo. Giovanni Getto ha scritto che la sua visione del mondo è sempre una "visione senza sorriso, assorta e perplessa": fissa in uno "sguardo come stupito e pietrificato".

La poesia di Montale, dagli *Ossi di seppia* (1925) alle *Occasioni* (1939), fino alla *Bufera* (1956), è fittamente popolata di presenze concrete. Appaiono scorci di paesaggi ventosi, improvvise aperture di cieli, giochi di nuvole che rimandano alle vedute della nativa Liguria, come a questo paesaggio mitico dell'infanzia riporta il ricorrere di immagini di un mondo vegetale singolare: di agavi e limoni, di eucalipti o tamarischi.

Queste presenze non si compongono mai in un quadro

idillico: non offrono una raffigurazione riposante del mondo. Sono realtà stilizzate, scarnificate o pietrificate, che affiorano improvvise su uno scenario buio e minaccioso. "Quasi come se il poeta", scrive Getto, "si ponesse con lo stesso atteggiamento stupito dell'uomo primordiale che vede emergere le cose dal nulla, da un'immensa oscurità."

Ma lo "stupore" di Montale dura poco: è più uno stupore negativo che positivo. Non è lo stupore di chi sente dentro di sé la forza di scoprire il mondo, ma di chi ne avverte l'imminente fine. Non è lo stupore di chi guarda al futuro come a un tempo di avventura e di conquista, ma di chi sente precipitare tutto intorno a sé, di chi prende coscienza con dolorosa lucidità dell'impossibilità per l'uomo di ristabilire un rapporto cordiale con le cose.

"Tutto scorre nella gran discesa", scrive Montale. La caduta nel tempo nega dunque all'uomo un'attesa fiduciosa per l'avvenire e nega la consolazione di vivere nel passato.

> Un giorno
> il giro che governa
> la nostra vita ci addurrà il passato
> lontano, franto e vivido, stampato
> sopra immobili tende
> da un'ignota lanterna,

dice il poeta; ma la memoria dell'uomo, in quel giorno sarà una memoria "scialba", "stancata", "dilavata", "grigia". La poesia di Montale, fino alla stagione della *Bufera*, vive in questa ossessione di un tempo perduto: "Ma sarà troppo tardi", "Ma è tardi, sempre tardi".

Dopo la *Bufera*, c'è stata, inaspettata, la quarta stagione di *Satura* (1971). Qui Montale fa i conti con il suo mestiere, con la responsabilità di "essere poeta", con la rassegnazione per il "limite" della parola. Ma proprio nel momento in cui ne sancisce il limite, ne grida la necessità. Le parole si "svegliano" dunque finalmente. *Satura* vive in un'urgenza di comunicare.

Lo spazio si svuota, il tempo si annulla. L'atmosfera di una "assenza universale", di un "tutto nientificato", si popola di "ombre", con cui Montale inaugura un trepido colloquio. Accade al poeta, per una casuale interferenza telefonica, di parlare "a tarda notte" con una donna che non conosce: e gli rimane il gusto della felicità, nel ricordo di "quella volta" in cui "parlarono due voci libere come non mai". È quasi un testamento, dettato sotto voce, che Montale affida alla capacità degli uomini di buona volontà di "rifarsi da capo".

## La letteratura d'opposizione

Gli intellettuali accomodati nelle strutture del regime, al termine di un convegno a Bologna del marzo 1925, dettarono un manifesto per le istituzioni culturali fasciste, firmato da quasi centocinquanta uomini di cultura. Al manifesto risposero gli intellettuali antifascisti, con un documento firmato da Benedetto Croce. Il dissenso dalla linea culturale del regime si era espresso, sia pure in una sorta di forma d'astensione, già attraverso il disimpegno della prosa d'arte e dell'Ermetismo; ma sulla spinta della presa di posizione di Croce prende maggior vigore il progetto di una più concreta opposizione, che dovrà poi sfociare nell'esperienza del Neorealismo.

Il disegno di una letteratura legata al reale nasce all'interno di "Solaria", una rivista fondata da Alberto Carocci nel 1926 e chiusa dieci anni dopo, per l'intervento della censura: una rivista che ospita scritti di Vittorini e Gadda, di Moravia e Montale.

Gli scrittori di "Solaria" continuano a definirsi "rondeschi" per il rifiuto delle "licenze" linguistiche non "pienamente giustificate", ma dichiarano di non essere "idolatri di stilismi e purismi esagerati", mentre promettono "perdono in anticipo, con passione", a chi sacrifichi "il bel ritmo di una frase e magari la proprietà del linguaggio", per "dar fiato ad un'arte singolarmente drammatica e umana". La rivista insomma pone attenzione alla specificità del linguaggio letterario, che è uno "spazio separato", dedicato agli addetti ai lavori, senza che ciò precluda tuttavia un interesse per il tema della responsabilità civile dello scrittore.

L'opposizione al fascismo si forma però soprattutto sotto l'insegnamento di **Piero Gobetti** (1901-1926) e di **Antonio Gramsci** (1891-1937). Nelle riviste dirette dal primo, da "Energie nuove" (1918-1920) fino al "Baretti" (1922-1925), attraverso "La rivoluzione liberale" (1924-1928), si apre il dibattito per una cultura di opposizione radicale al fascismo, che si verifichi sui problemi concreti della realtà. Si auspica cioè un ritorno all'idealismo del primo Novecento, si auspica di "portare una fresca onda di spiritualità nella gretta cultura d'oggi", per suscitare "nuovi movimenti di idee". Non solo. Si propaganda la convinzione concreta che l'unica possibilità di una vera riforma democratica in Italia si possa avere nell'alleanza fra gli operai e le forze intellettuali più illuminate della borghesia capitalistica.

Vicino a Gobetti è Gramsci, direttore nel 1917 del "Grido del Popolo", più tardi dell'"Unità" (1924), ma fondatore soprattutto (nel 1921) di "Ordine nuovo". Gramsci teorizza la figura dell'intellettuale organico, il quale oltre a occuparsi di problemi artistici e culturali, mentre sta a vivo contatto con i problemi della gente, deve saper elaborare la strategia di una politica rivoluzionaria. L'"Ordine nuovo" cessa la pubblicazione nel 1926, quando Gramsci viene condannato dal regime fascista al carcere per vent'anni. Nei suoi *Quaderni del carcere* compariranno indicazioni per una letteratura autenticamente popolare e le prime direttive per una letteratura neorealista.

Il nuovo realismo novecentesco si rifarà alla lezione di Verga, per un verso, e a quella degli scrittori nord-americani, per l'altro. Il Neorealismo intende scoprire, al di là dell'Italia ufficiale, propagandata dal regime, un'Italia reale, arretrata e misera: vuole fare della letteratura uno strumento di autentica conoscenza popolare. Si propone come movimento di rottura: non punta a rivoluzioni semplicemente formali, ma coinvolge anche i contenuti: predica cioè un'arte impegnata sui problemi concreti della società.

Gli scrittori neorealisti privilegeranno perciò la forma del romanzo (la forma letteraria più accessibile a un pubblico non colto) e cercheranno nelle loro opere soluzioni linguistiche vicine al dialetto e al parlato popolare.

# La letteratura del dopoguerra

*Due piemontesi*

Nell'immediato dopoguerra, mentre si vive sull'onda dell'entusiasmo culturale che aveva accompagnato la Resistenza, si registra un ritorno di fiducia nella parola letteraria, nella funzione-guida della letteratura, come testimonia Pavese, proprio all'indomani della Liberazione, in un suo articolo sull'"Unità": "Le parole sono tenere cose, intrattabili e vive, ma fatte per l'uomo e non l'uomo per loro. Sentiamo tutti di vivere in un tempo, in cui bisogna riportare le parole alla solida e nuda nettezza di quando l'uomo le creava per servirsene".

Da questo recupero della parola che, prima di tutto, deve essere testimonianza della realtà vissuta o di quella ancora da scoprire, viene subito un rinvigorirsi della linea neorealista, che porta a notevoli risultati, sia nella direzione memorialistica, sia in quella narrativa. Non indugeremo qui a proporre né un elenco sterile di nomi, né una rassegna di esperienze. Punteremo con decisione su pochi autori che più degli altri ci sembra sappiano meglio interpretare la nuova età.

**Cesare Pavese**, nato nelle Langhe, a Santo Stefano Belbo, nel 1908 e morto suicida a Torino nel 1950, si era formato nell'ambiente culturale torinese di Piero Gobetti. Aveva esordito come poeta, con la raccolta *Lavorare stanca* (1936), importante per lo sperimentalismo tecnico di una poesia-racconto, che rifiuta la musicalità del verso. Dopo questo esercizio poetico, vengono i romanzi.

*Paesi tuoi* (1939) propone una prima prospettiva di quella che sarà la tematica fondamentale di Pavese: la scoperta del mondo mitico della campagna; la rivelazione di un mondo originario, ricco di energie primitive, in cui l'uomo può sfogare le proprie angosce represse.

La prospettiva capovolta del tema viene sviluppata nella *Bella estate* (1940), che propone non lo sfondo di una campagna aperta e di una natura libera, ma quello opprimente della città. Ginia, la protagonista, è una giovane donna che scopre la propria femminilità e si abbandona alla vita: ha il coraggio di uscire dal suo isolamento e si dà a un uomo, Guido, il quale però si dimostrerà via via sempre più freddo con lei. Ginia ripiomberà allora in una solitudine ancora più desolata: tanto più desolata quanto era stata entusiastica e fresca la confidenza nella vita. Sul tema campagna-città si sviluppa tutta la migliore narrativa di Pavese, che raggiunge la più matura espressione nella *Luna e i falò* (1950).

Protagonista del libro è Anguilla, un trovatello delle Langhe, emigrato in America, dove ha fatto fortuna. Anguilla decide di tornare al paese, per passarvi il resto della vita, per riscoprire il passato, per ritrovare il contatto immediato con la natura, ormai stanco della civiltà cittadina, simbolicamente rappresentata dall'America. Ma è un disegno vano: anche sulle "colline" il tempo è passato e il mondo che s'aspettava intatto è corroso dall'inquietudine. Il passato è passato: non è possibile riviverlo. Il mondo della giovinezza, gli idoli una volta adorabili, sono stati segnati dal tempo senza rimedio. La decisione di Anguilla di ripartire per l'America equivale alla confessione di una sconfitta definitiva.

Più documentaria, nella sostanza, e più inventiva, nel linguaggio, è la narrativa di Fenoglio. Nato ad Alba, proprio nel cuore delle Langhe, **Beppe Fenoglio** (1922-1963) aveva esordito nel 1952 con *I ventitré giorni della città di Alba*, dove si rievocano profili di partigiani e si descrivono scorci leggendari della lotta antifascista. Nel libro tuttavia non prevale ancora l'elemento documentario: nel racconto c'è un'intonazione lirica, un andamento da rievocazione fantastica.

Più interessante è il secondo libro, *La malora* (1954), in cui Fenoglio rievoca la civiltà contadina delle Langhe, con il senso mitico (storicamente più consapevole) di un Verga e con l'esattezza documentaria dei naturalisti francesi. Ma la

novità di Fenoglio, ancora una volta, sta nel linguaggio. Nel
bagaglio culturale di questo scrittore c'è la lettura dei narratori del Novecento nordamericano: è la capacità di una com-
binazione di elementi eterogenei a dare dunque un timbro
personalissimo al suo stile.


## Due siciliani

Già negli *Anni perduti* del 1941, **Vitaliano Brancati**
(1907-1954) aveva dipinto un quadro della noia, del vuoto,
dell'inutilità di una vita di provincia, consumata fra velleità
e patetiche delusioni. Ma l'immagine di una Sicilia grottesca,
legata ai miti del "gallismo" (del "potere" del maschio, pro-
pagandato dal fascismo) sarà data nei suoi due romanzi più
significativi: *Don Giovanni in Sicilia* (1942) e *Il bell'Antonio*
(1949).

Più ridente è il primo nel mostrare i vizi e i sogni, tutto
sommato patetici, del vivere provinciale. Più tragico è il secondo. Il bell'Antonio è un giovane che è costretto, nonostante l'impotenza, a recitare il ruolo del "maschio", in una
società ossessionata dal culto della virilità: l'affresco grandioso dei vizi e delle velleità di una Sicilia medio borghese
diventa simbolico dei vizi e delle velleità dell'Italia fascista.

Un'immagine diversa offre **Elio Vittorini** (1908-1966) in
*Conversazione in Sicilia* del 1941. Protagonista del libro è
Silvestro, un giovane che, dopo quindici anni di lontananza,
torna alla nativa Sicilia e ritrova la madre e una terra rimasta
identica a se stessa. La madre, offesa dalla miseria e dalle disgrazie, non è però piegata: anzi è ancora energicamente attiva.

È un'immagine simbolica della nuova "umanità" integra
e primitiva, che Vittorini intende celebrare, ma anche un'immagine del "mondo offeso" dalla violenza e dalla prepotenza. E il messaggio del libro si fonda su un invito agli uomini
a non soffrire "ognuno per sé", ma a soffrire "per il mondo
che è offeso".

Ma Vittorini va ricordato, oltre che come scrittore, soprattutto come organizzatore di cultura. C'è l'esperienza del

traduttore, che culmina nella pubblicazione dell'antologia *Americana* (1942). C'è la fondazione del "Politecnico", in cui auspica una cultura che non si limiti a "consolare" le sofferenze dell'uomo, ma lavori per eliminarle. C'è infine l'attività editoriale, con la collana "I gettoni", in cui lancia scrittori come Fenoglio, Sciascia e Bonaviri.

## *L'indifferenza e il caos*

**Alberto Moravia** (1907-1990) esordì, ventiduenne, nel 1929 con *Gli indifferenti*. Protagonisti del romanzo sono due giovani, Carla e Michele, che soffrono il rapporto con un mondo dominato dall'ipocrisia: un mondo che nega le loro aspirazioni di sincerità e austerità morale. La storia di questi due giovani è quella di un difficile adattamento. Carla giunge alla conclusione che "tutto doveva essere impuro, basso", che nel mondo "non doveva esserci né amore, né simpatia, ma solamente un senso cupo di rovina".

Sposa dunque l'amante della madre, accettando di partecipare allo squallore della vita, appena protetta da una maschera di "indifferenza". Michele invece rifiuta l'adattamento, ma senza ribellarsi: il rifiuto di adeguarsi al mondo si configura come una dolente presa di coscienza di una sconfitta.

Gli stessi temi degli *Indifferenti*, il grigio squallore del mondo borghese, con le ipocrisie e il senso di vuoto, si ripropongono nelle *Ambizioni sbagliate* (1935). Una nuova problematica invece si apre con *Agostino* (1945) e *La disubbidienza* (1948), dove sono raccontate le vicende di due adolescenti. In *Agostino* la rivelazione del sesso si accompagna a sensi di colpa, tanto che il giovane rimarrà soffocato e oppresso, a guardare con rimpianto al paradiso perduto della propria innocenza, a un'età trascorsa di purezza. In Luca invece, il protagonista della *Disubbidienza*, la rivelazione del sesso porterà a un senso di liberazione, a un'adesione istintiva alla schiettezza di una vita naturale, contro le finzioni e le ipocrisie del mondo.

Moravia descrive, con un linguaggio neutro, il "vuoto"

della società borghese, Gadda ne dipinge il "caos". L'opera
di **Carlo Emilio Gadda** (1893-1973), dall'*Adalgisa* (1944), a
*Quer pasticciaccio brutto de via Merulana* (1957), alla *Co-
gnizione del dolore* (1963) colpisce per il linguaggio straordinario.

La lingua di Gadda è il risultato della mescolanza di svariati ingredienti: i dialetti (il nativo milanese prima di tutto,
ma anche il romanesco ecc.), l'italiano arcaico e la lingua illustre della tradizione poetica, la fraseologia della scienza e
della tecnica. A ciò si aggiunge una sintassi bizzarra, che può
alternare nella stessa pagina periodi lunghissimi ed elaborati a frasi secche e brevissime, e infine un gioco continuo di
metafore, di paragoni, di immagini estrose.

Alla base di questa scrittura c'è un rapporto travagliato
con la realtà. La realtà appare come un caos informe, un turpe "pasticcio", un immondo "garbuglio". Da un lato Gadda
si ritrae con senso di disgusto da tale "oceano della stupidità" e si affanna a cercare di riconoscere un ordine che ri-
scatti le cose dalla loro assurdità. Dall'altro lato prova un'attrazione morbosa per quelle forme degradate e repellenti.
Derivano appunto dalla tensione che si crea fra queste due
opposte tendenze i procedimenti della prosa: il "calderone"
linguistico riflette la molteplicità caotica del reale.

## Gli anni Cinquanta e Sessanta

Negli anni Cinquanta si apre un acceso dibattito sul Neorealismo. Da un lato si tende a rendere ideologicamente più
cosciente la ricerca neorealista. Dall'altro si tenta di con-
trapporgli un recupero dei temi del Decadentismo europeo.
Nel 1954 è fondato "Il contemporaneo", che invita la ricerca neorealista a un'analisi scientifica della società, seguendo
l'insegnamento di Gramsci. Nel 1955 Pasolini fonda "Officina", che ripropone l'importanza del lavoro di laboratorio,
della ricerca di nuove tecniche espressive: che si oppone,
cioè, all'esistenza "di una cultura dominante" non soltanto
con i contenuti, ma anche con l'invenzione di un linguaggio
che miri alla "poeticità del comune".

Alle proposte dei gruppi del "Contemporaneo" e di "Officina", si affianca la proposta di una diversa revisione del Neorealismo, avanzata da un'altra rivista, "Il Verri", che inizia la pubblicazione nel 1956: ed è la proposta della libertà stilistica, dell'inventiva linguistica, che maturerà poi, nel corso degli anni, esperienze nuove. Su questa linea, anche se spesso in direzioni assai lontane, si muoveranno, senza far gruppo, gli scrittori delle nuove generazioni.

Le opere di **Giorgio Bassani** (nato nel 1916) hanno in comune lo spazio di Ferrara e il tempo degli anni fra le due guerre, con la persecuzione razziale. Proprio in questa qualità di "diversità", che condanna all'isolamento, trovano la loro cifra distintiva i protagonisti del *Giardino dei Finzi-Contini* (1962): dove il "giardino", con la sua intricata vegetazione, diventa l'immagine di un'aspirazione alla vita e insieme di una tragica nostalgia.

La Sicilia è il termine di riferimento fondamentale nell'opera di **Leonardo Sciascia** (1921-1989), una sorta di "metafora del mondo", come egli stesso ha detto, in cui si gioca il drammatico scontro simbolico tra l'uomo e il "potere". Uno scontro dapprima rappresentato nel *Giorno della civetta* (1961), in *A ciascuno il suo* (1966), in storie che hanno come sfondo il fenomeno mafioso. Una svolta importante nell'opera di Sciascia sta nel *Contesto* (1971), dove il tema della tragedia popolare dell'uomo sconvolto e calpestato dal potere assume intonazioni più pessimistiche.

Esemplare è in questo senso *Todo modo* (1974), che si può leggere come un lucido atto di accusa al mito funesto del potere. Osservando gli "intrighi" di un gruppo di "dirigenti", raccolti in un convento, per una vacanza di "esercizi spirituali", ma in realtà indaffarati in una "trama di inganni, di tradimenti", e coinvolti in una serie di omicidi, Sciascia si chiede che cosa dirigano in effetti questi uomini e risponde: "Una ragnatela nel vuoto, la propria ragnatela. Anche se di fili d'oro". Nella coscienza di questo vuoto, su cui si fonda il potere, sta la possibilità di un riscatto dell'uomo, di una vittoria della sua libertà.

Il processo di revisione del Neorealismo, nonostante le nuove indicazioni, si era concluso con una restaurazione

culturale, che è interpretata dal successo di un romanzo come *Il Gattopardo* (1958) di **Giuseppe Tomasi di Lampedusa**
(1896-1957) e dall'imporsi di una letteratura di consumo, su
cui non ci fermeremo.

Ben diversa è l'esperienza di **Italo Calvino** (1923-1985).
Semplificandola un poco potremmo riassumerla in tre fasi.
La prima, inaugurata dal *Sentiero dei nidi di ragno* (1947), ha
ancora agganci con la stagione neorealista. Calvino racconta
un episodio della Resistenza, rivissuto dalla prospettiva
deformante degli occhi di un ragazzo: sicché, come ebbe a
scrivere Pavese, lo scrittore riesce "ad osservare la vita parti-
giana, come una favola di bosco, clamorosa, variopinta, 'diversa'".

Il *Visconte dimezzato* (1952) inaugura una seconda stagione, che si estende a *Il barone rampante* (1957), *Il cavaliere
inesistente* (1959), fino a *Marcovaldo* (1963). Qui Calvino riprende i modi del racconto filosofico, mettendo insieme delle allegorie morali sul tema dell'alienazione urbana, sulle
contraddizioni di un mondo sconvolto, nel quale le "persone", come scrive, "sono ridotte a un'astratta somma di comportamenti stabiliti", tanto che "la più semplice individualità è negata". "Dall'uomo primitivo che, essendo tutt'uno
con l'universo poteva esser detto ancora inesistente perché
indifferenziato dalla materia organica", spiega Calvino, "siamo lentamente arrivati all'uomo artificiale che, essendo
tutt'uno coi prodotti e con le situazioni, è inesistente perché
non ha più rapporto" e scambio con ciò che lo circonda.

Con le *Cosmicomiche* (1965) e successivamente con *Ti con
zero* (1967), fino al *Castello dei destini incrociati* (1973), Calvino acuisce la sua tendenza al lucido gioco intellettuale, iso-
landosi in un universo unicamente fatto di carta e di parola,
nel quale l'esercizio della scrittura diviene l'unico rapporto
possibile con il mondo. Ed è un gioco d'intelligenza che arriva, paradossalmente, in *Se una notte d'inverno un viaggia-
tore* (1979), a un capovolgimento delle parti: a negare insieme l'utilità del libro come l'esistenza del reale.

C'è infine un breve tentativo d'avanguardia. Da parte di
un gruppo di intellettuali, fra cui fanno spicco **Edoardo San-
guineti** (nato nel 1930) e **Giorgio Manganelli** (1922-1990),

si prospetta la necessità di una rottura definitiva con la tradizione. Un collegamento tra questi intellettuali si ha in un convegno a Palermo, dal quale nacque il movimento detto del "Gruppo '63". Al di là delle diverse impostazioni ideologiche, si discute il problema di un rinnovamento radicale del linguaggio: con una distruzione dall'interno del linguaggio "logico" della cultura borghese, che testimoniasse contro l'ordine di questo linguaggio, il caos, il labirinto come forma di esperienza radicale.

Il "Gruppo '63" si frantuma nel Sessantotto, allo scoppio della contestazione del movimento studentesco: e finisce qui la lunga stagione novecentesca dei "gruppi" e delle riviste. Il discorso culturale passa di mano, i letterati vengono esclusi. Il panorama culturale appare frantumato. L'intellettuale torna a isolarsi, a farsi piccolo "vate" di un messaggio individuale o profeta incattivito della fine della letteratura: ne sono testimonianza le polemiche negli anni Sessanta e Settanta sul destino della poesia e del romanzo, come della stessa critica letteraria. Ma ne è testimonianza soprattutto la vicenda drammatica di Pasolini, che diventa, con il proprio furore di contraddirsi, l'interprete del disorientamento e insieme della tragica lucidità dell'intellettuale.

**Pier Paolo Pasolini** (1922-1975) pubblica nel 1955 *Ragazzi di vita*, a cui farà seguito nel 1959 *Una vita violenta*: romanzi che hanno come protagonisti i ragazzi di borgata, i "sottoproletari" romani che popolano d'estate le rive del Tevere e vivono di espedienti, assetati di avventura e corrotti da una rabbia istintiva. Paiono il frutto più maturo della stagione neorealista, racconti cioè in "presa diretta". Pasolini li definì opere di "neosperimentalismo": infatti il linguaggio, composto da varie coloriture dialettali, assume intonazioni d'epopea.

Nel 1957 Pasolini pubblica *Le ceneri di Gramsci*, a cui faranno poi seguito *La religione del mio tempo* (1961) e *Poesia in forma di rosa* (1964): il nucleo più duraturo della sua opera. Alle poesie si affida infatti il senso più profondo dell'esperienza di uno scrittore tormentato, che si dibatte in una "disperata vitalità", che non può che soffrire nello "scandalo" continuo del "contraddirsi".

Si risente nelle raccolte di poesie il grido di rabbia nella contemplazione del dolore degli "uomini rifiutati dal mondo". E si leggono improvvise impennate ideologiche, subito smentite dall'abbandono a un "sogno borghese". Si è detto che il poeta si offre nudo nelle proprie contraddizioni. Chiara, precisa, ossessionante è in lui la consapevolezza d'essere "un pazzo / ché", dice, "dovrei tacere, non offrire il fianco, / non confessare che sono un ragazzo, / ancora, eternamente indifeso".

Da questa denuncia del suo universo interiore, ma insieme dal desiderio di "rimettere in discussione tutto", di rifiutarsi "ad ogni pacificazione", l'opera di Pasolini acquista il significato di una grande vitalità morale, quasi di una testimonianza religiosa del valore dell'esistenza. Una denuncia che Pasolini interpreta non soltanto nell'opera scritta, ma anche in quella cinematografica, e persino nel gesto scandaloso di vita: un gesto sempre provocatorio, che rimane a testimoniarne le fratture, ma anche la vitalità.

# Indice

Saggi Tascabili Bompiani
Periodico quindicinale anno VII numero 88
Registr. Tribunale di Milano n. 491 del 3/7/1991
Direttore responsabile: Giovanni Giovannini
Finito di stampare nell'aprile 1997 presso
il Nuovo Istituto Italiano d'Arti Grafiche - Bergamo
Printed in Italy

ISBN 88-452-2983-1